MONTAIGNE

ESSAIS

EXTRAITS

ÉDITION "BILINGUE"
CONTENANT L'INTÉGRALITÉ
DES ESSAIS I, 31 *(DES CANNIBALES)*
ET III, 6 *(DES COCHES).*

Texte conforme aux éditions originales.

Translation en français moderne établie par Bruno ROGER-VASSELIN.

Notes explicatives, questionnaires, bilans, documents et parcours thématique

établis par
Bruno ROGER-VASSELIN,
professeur agrégé de Lettres classiques.

Classiques Hachette

SOMMAIRE

Crédits photographiques :
pp. 10 (Portrait de Montaigne d'après la peinture conservée au musée de Montaign Bibliothèque Nationale, Imprimés), **19**, **21**, **37** (B. N., Imprimés), **46**, **47**, **59** (B. N Estampes), **61** (Murs d'enceinte du château et tour de Montaigne), **68**, **72**, **73** (autograph de Montaigne), **91**, **103**, **106**, **121**, **229** (Montaigne, Musée de Chantilly), **234**, **244**, **2** (Le quatrième centenaire de la naissance de Montaigne. Bordeaux le célébra en 1933 pa des conférences et une exposition de ses souvenirs) : photographies Hachette.
pp. 15, **105**, **238** : photographies Giraudon.
pp. 18, **90**, **257** : photographies Jean-Luc Chapin.
p. 29 : photographie Yan.
pp. 31, **58**, **93** : photographies Roger-Viollet.
pp. 49, **160** : photographies Jean-Louis Charmet.
p. 73 (Autographe de La Boétie) : photographie Bibliothèque Nationale.
p. 102 : photographie Lauros/Giraudon.
p. 107 : photographie Hans Hinz, Allschvil.
p. 161, **248** : droits réservés.
pp. 228, 235 : photographies H. Josse.
pp. 239 (reproduction d'un plan d'époque de la ville de Cusco), **245** (reproduction d'u plan d'époque de la ville de Mexico), **216-217** (Massacre des Mexicains, 1579) : phot graphies G. Dagli Orti.
pp. 269, 290 : cartographie Hachette *Classiques*.

ISBN : 978-2-01-169481-2

www.hachette-education.com

TABLE DES TEXTES

Cette table contient tous les textes prévus dans cette anthologie : ceux qui n'ont pu être reproduits sont mentionnés en grisé.

En juin 1580, Montaigne a quarante-sept ans. Il vient de publier les deux premiers livres des Essais*. Quittant son château pour un voyage de dix-huit mois à travers la France, l'Allemagne et l'Italie, il présente son œuvre à la Cour d'Henri III puis, satisfait des compliments du roi, s'en va prendre les eaux de diverses stations thermales (Plombières dans les Vosges, Lucques en Italie), afin de soigner la « maladie de la pierre » – coliques néphrétiques – dont il a ressenti les premières atteintes. Il séjournera également à Rome pour soumettre son livre à la censure du Saint-Office.*

C'est un homme mûr.

Depuis près de dix ans, il a résigné ses fonctions de magistrat au parlement de Bordeaux et s'est retiré sur ses terres où, installé le plus souvent dans la « librairie » – bibliothèque – qu'il a fait aménager au troisième étage d'une tour d'angle de son château, il s'occupe « du jour à la journée » à écrire ses pensées sur les sujets les plus divers, tâche à laquelle il ne consent toutefois que, précise-t-il, « lorsqu'une trop lâche oisiveté me presse ».

La France se trouve alors prise dans les guerres de Religion : c'est dire que le calme et le repos que recherchait Montaigne loin des charges publiques, se sont avérés tout relatifs. Le Périgord en particulier est ravagé régulièrement par les rivalités des bandes armées protestantes et catholiques. Marqué par cette insécurité quotidienne, chargé, à l'occasion, de missions politiques (comme celle que lui confia l'armée royale du duc de Montpensier auprès de ses anciens collègues du parlement de Bordeaux en 1574), Montaigne a donc composé son œuvre sur huit années, entre 1571 et 1579, non sans interruptions. Au dernier chapitre de ce premier ensemble, il se dit « moins faiseur de livres que de toute autre besogne » (II, 37).

Cependant, il y a dans cette déclaration plus de timidité que de réelle franchise. Car les Essais, dès 1580 (état A du texte), sont une œuvre très élaborée, écrite non seulement pour rendre hommage à Étienne de La Boétie, le seul ami (premier livre) et à Pierre Eyquem, le père vénéré (second livre), mais destinée aussi – le projet s'étant modifié en cours de route – à dresser une peinture de Montaigne lui-même, ainsi que l'avis Au lecteur l'indique en tête de l'ouvrage.

L'expérience de la mairie de Bordeaux (première élection totalement inopinée, à l'été 1581, qui le force à revenir de son voyage, réélection en 1583), comme le succès rencontré auprès du public, poussent Montaigne à rédiger un troisième livre et à augmenter considérablement les deux premiers d'additions, accentuant la tendance générale de l'œuvre à l'autoportrait : c'est l'édition de 1588 (état B du texte). Enfin, jusqu'à sa mort en 1592, Montaigne retouche et augmente encore ses Essais de nombreux « allongeails » (état C du texte).

En définitive, et malgré ses allégations initiales, c'est dans l'écriture que Montaigne s'est réalisé et que, dédaigneux de « l'incommodité de la grandeur », il a trouvé sa voie personnelle en créant « le seul livre au monde de son espèce ».

LA NAISSANCE DU GENRE DES *ESSAIS* DANS L'HISTOIRE DE LEUR ÉPOQUE

Genres littéraires et artistiques	Influences, parallèles et sources d'inspiration possibles	Témoignages dans les *Essais*
Lettre	Ier s. av. J.-C. : Cicéron, *Lettres à Atticus*. Ier s. ap. J.-C. : Sénèque, *Lettres à Lucilius* ; Pline le Jeune, *Lettres*. 1539-1541 : Antonio de Guevara, *Epistolas familiares* (*Épîtres dorées*, traduction française en 1565). 1581 : Hannibal Caro, *Lettere familiari*.	«*Et eusse pris plus volontiers c forme à publier mes verves, si j'eu eu à qui parler*» (I, 40, état C) «*Les lettres de Guevara, desque ceux qui les ont appelées dorées, j saient jugement bien autre que ce que j'en fais*» (I, 48, état A).
Dialogue	Ve s. av. J.-C. : Platon (traduction latine des œuvres complètes vers 1480 par Marsile Ficin). IVe s. ap. J.-C. : Saint-Augustin, *Soliloques*. 1528 : Baldassar Castiglione, *Il libro del Cortegiano* (*Le livre du courtisan*, traduction française en 1538).	«*Le courtisan dit qu'avant s temps, c'était reproche à un gen homme de chevaucher ni mule mulet*» (I, 48, état C).
Moralia	Ier s. ap. J.-C. : Plutarque, *Vies parallèles* (traduction française par Jacques Amyot en 1558) ; *Œuvres morales* (traduction d'Amyot en 1572). XVIe s. : Érasme, *Adages* (plusieurs éditions successives, de 1500 à 1536) ; *Apophtegmes*, 1531 ; Jean-Antoine De Baïf, *Mimes, enseignements et proverbes*, 1581 ; Juste Lipse, *Politiques*, 1584.	«*Je donne avec raison, ce me semb la palme à Jacques Amyot sur to nos écrivains français. (Car on m dira ce qu'on voudra : je n'enten rien au grec, mais je vois un sens beau, si bien joint et entretenu pa tout en sa traduction* [...])» (II, état A). «*Qui m'eût fait voir Érasme aut fois, il eût été malaisé que je n'eu pris pour adages et apophtegmes to ce qu'il eût dit à son valet et à s hôtesse*» (III, 2, état C).
Mélanges	1442 : Lorenzo Valla, *Elegantiae* (*Élégances*). 1489 : Angelo Ambrogini, dit Politien, *Miscellanea* (*Mélanges*).	

... À AUJOURD'HUI

Genres téraires et rtistiques	Influences, parallèles et sources d'inspiration possibles	Témoignages dans les *Essais*
Leçon	1540 : Pedro Mexia (Pierre de Messie), *Silva de leçon diverse* (*Diverses leçons*).	
mmentaire	1508 : Guillaume Budé, *Annotations aux Pandoctes.* 1546 : Édition française du *Commentaire* de Marsile Ficin au *Banquet* de Platon. 1598 : Juste Lipse, *Commentaire des Annales de Tacite.*	*« Mon page fait l'amour et l'entend. Lisez-lui Léon Hébreu et Ficin ; on parle de lui, de ses pensées et de ses actions, et si il n'y entend rien »* (III, 5, état B).
Récit biographique	IVᵉ s. ap. J.-C. : Saint-Augustin, *Confessions.* 1566 : Benvenuto Cellini, *Ma vie* (publication en 1728). 1571 : Girolamo Cardano, *Ma vie* (publication en 1643).	
Mémoires	Iᵉʳ s. av. J.-C. : Jules César, *Commentaires sur la guerre des Gaules, Commentaires sur la guerre civile.* 1569 : Guillaume et Martin du Bellay, *Mémoires.* 1571 : Blaise de Monluc, *Commentaires.*	*« Certes je lis cet auteur avec un peu plus de révérence et de respect qu'on ne lit les humains ouvrages »* (II, 10, état A). *« Comme fit aussi le capitaine Martin du Bellay, lors gouverneur de Turin en cette même contrée »* (I, 15, état A). *« Feu Monsieur le Maréchal de Monluc, ayant perdu son fils qui mourut en l'île de Madère »* (II, 8, état A).
Grotesques	Iᵉʳ s. ap. J.-C. : Maison dorée de Néron à Rome (redécouverte au XVIᵉ siècle) : peinture à fresque de personnages bizarres et de formes excentriques entrelacées. XVIᵉ s. : Léonard de Vinci, *Carnets* contenant de nombreux croquis de *« teste grottesche »*.	*« Que sont-ce ici aussi, à la vérité, que grotesques et corps monstrueux, rapiécés de divers membres, sans certaine figure, n'ayant ordre, suite ni proportion que fortuite ? »* (I, 28, état A).

Montaigne est le premier auteur à avoir utilisé le mot « essai » pour en faire un titre. Il disposait, à vrai dire, pour un livre comme le sien, de nombreuses possibilités consacrées par la tradition : « Mélanges », « Variétés », « Sentences », « Méditations », etc. Mais Montaigne ne semble pas tenir outre mesure à intégrer son livre dans un genre codifié. Il préfère le présenter comme un livre hors genre, ou tout au moins comme un livre unique en son genre, un livre sans exemple. Par leur facture très libre et très mêlée, les Essais empruntent certes à une multitude de genres encore en vogue à la Renaissance (et se chevauchant parfois) : compilations, commentaires, leçons, adages, épîtres ou moralia. *Mais précisément, en multipliant les influences, Montaigne s'est libéré de tout cadre et il a donné naissance à une forme ouverte, neuve et atypique.*

Les Essais n'ont rien d'une autobiographie, *en l'absence d'aucune trame narrative constituée par le déroulement de la vie de l'auteur ; ils n'ont pas l'aspect démonstratif de* confessions *à la manière de saint Augustin ou, plus tard, de Rousseau ; on ne peut pas non plus y voir une* chronique *ni des* annales *(qui feraient leur place aux dates), encore moins un* journal intime, *avec les écueils nombriliques qu'implique, pour celui qui le tient, l'intimité de l'auteur censé être seul mais sachant que tout écrit appelle un lecteur ; ni des* mémoires, *qui comportent une part d'autojustification rétrospective pour le rôle qu'ils imposent au mémorialiste, suivant les exigences de ce genre au XVIe siècle, d'avoir joué sur la scène de l'Histoire ; ni, bien sûr, un* traité *ni une* somme, *puisque la caractéristique de l'essai est de ne pas exposer une matière « à fond » ; ni, enfin, une* fiction *(roman ou série de nouvelles), avec la nécessité qu'elle entraînerait de transformer la réalité.*

Ainsi le genre créé par Montaigne permet-il une économie de moyens maximale, une liberté de ton et un traitement des questions les plus variées, en général de philosophie ou de morale, au gré de l'inspiration. D'où les nombreuses imitations qu'a suscitées ce modèle, notamment en Angleterre, de Bacon à Thackeray.

Tentative, coup d'essai, mise à l'épreuve de son jugement sans prétention à l'exhaustivité... Le fait est qu'en adoptant « l'allure poétique, à sauts et à gambades », rétive à l'esprit de système, Montaigne a surtout cherché à peindre son tempérament profond. Et, ce faisant, il rompt avec la scolastique, avec le dogmatisme et le pédantisme de la tradition savante.

Ainsi Montaigne se situe-t-il à la confluence du Moyen Âge et de l'époque moderne (il conserve, par exemple, le réflexe des citations comme caution à son propos, ce qui, tout en traduisant un attachement au mode de pensée médiéval, relève d'une esthétique maniériste propre à la Renaissance).

Aujourd'hui comme hier, par sa curiosité, par la lucidité de son regard sur une époque sombre mais qui fut sans doute l'une des plus passionnantes qu'ait connues notre région de la planète (apparition du Nouveau Monde, Réforme et Contre-Réforme, floraison artistique dans toute l'Europe, redécouverte de l'Antiquité, révolution copernicienne), Montaigne, témoin pleinement engagé dans son temps, mérite d'être lu encore pour la fraîcheur de sa langue et de son jugement.

Portrait de Montaigne.

AVERTISSEMENT

La présente édition fonctionne par double page et reproduit, en page paire, le texte original des *Essais* et, en page impaire, notre translation en français actuel.

Pour le texte original, chacun des états successifs est ainsi distingué :

- Cette police typographique désigne l'état A du texte (édition de 1580).
- **Cette police typographique désigne l'état B du texte (édition de 1588).**
- Cette police typographique désigne l'état C du texte (état éditorial de 1592).

Certaines notes renvoient à des éléments *(Vivre au temps de Montaigne, Chronologie biographique des Anciens, Les guerres de Religion, La mort)* contenus dans le *Dossier du professeur.*

I

PRÉSENTATION ET CARACTÉRISTIQUES DE L'ŒUVRE

> « C'est une absolue perfection, et comme divine, de savoir jouir loyalement de son être. Nous cherchons d'autres conditions, pour n'entendre l'usage des nôtres, et sortons hors de nous, pour ne savoir quel il y fait. Si, avons-nous beau monter sur des échasses, car sur des échasses encore faut-il marcher de nos jambes. Et au plus élevé trône du monde, si ne sommes assis que sus notre cul. »
>
> (III, 13, *De l'expérience*)

UN PROJET DATÉ : LES ANNÉES 1560-1590

CONTEXTE HISTORIQUE

1. Défi à une époque de masques et de calculs politiques

Au lecteur

C'est ici un livre de bonne foi, lecteur. Il t'avertit dès l'entrée, que je ne m'y suis proposé aucune fin[1], que domestique et privée. Je n'y ai eu nulle considération de ton service[2], ni de ma gloire. Mes forces ne sont pas capables d'un tel dessein. Je l'ai voué à la commodité particulière[3] de mes parents et amis : à ce que[4] m'ayant perdu (ce qu'ils ont à faire bientôt) ils y puissent retrouver aucuns traits de mes conditions et humeurs, et que par ce moyen ils nourrissent plus entière et plus vive, la connaissance qu'ils ont eue de moi. Si c'eût été pour rechercher la faveur du monde, je me fusse mieux paré et me présenterais en une marche étudiée. Je veux qu'on m'y voie en ma façon simple, naturelle et ordinaire, sans contention[5] et artifice : car c'est moi que je peins. Mes défauts s'y liront au vif, et ma forme naïve[6], autant que la révérence publique me l'a permis. Que si j'eusse été entre ces nations[7] qu'on dit vivre encore sous la douce liberté des premières lois de nature, je t'assure que je m'y fusse très volontiers peint tout entier, et tout nu[8]. Ainsi, lecteur, je suis moi-même la matière de mon livre : ce n'est pas raison que tu emploies ton loisir en un sujet si frivole et si vain. Adieu donc ; de Montaigne[9], ce premier de mars mil cinq cent quatre-vingts.

---

1. *fin* : but.
2. *ton service* : ici, c'est à la fois le fait d'être utile au lecteur (cf. rendre service) et de se plier à son attente (cf. l'attente du public).
3. *particulière* : spécifique, personnelle.
4. *à ce que* : afin que (dans la translation, les deux points nous ont paru suffisamment expressifs pour signifier que Montaigne va détailler ce qu'il entend par *« commodité particulière »*).
5. *contention* : effort, tension des facultés intellectuelles.
6. *naïve* : ne signifie pas « niaise » mais plutôt « native » (latin *nativus*).
7. *entre ces nations* : première allusion au thème du Nouveau Monde (cf. les extraits n° 30, *Des cannibales*, et n° 31, *Des coches*).

1. Défi à une époque de masques et de calculs politiques (I)

Au lecteur

Tu as ici un livre de bonne foi, lecteur. Il t'avertit, dès le début, que je ne m'y suis pas assigné d'autres buts que familiaux et personnels. Je ne m'y suis pas du tout préoccupé de ton intérêt, ni de ma gloire : je n'ai pas
5 assez de forces pour assumer un tel projet. Je voulais que ce livre soit commode avant tout pour mes parents et mes amis : que, lorsqu'ils m'auront perdu (ce qui ne saurait tarder), ils puissent y retrouver certains traits de mon caractère et de mon tempérament, et qu'ils entre-
10 tiennent ainsi de manière plus exhaustive et plus vivante la connaissance qu'ils ont eue de moi. Si j'avais écrit pour rechercher les faveurs du monde, je me serais mieux paré,et je me présenterais avec une démarche étudiée. Mais je veux qu'on me voie là tel que je suis dans ma
15 forme simple, naturelle et ordinaire, sans effort et sans artifice : car c'est moi que je peins. Mes défauts se liront sur le vif, ainsi que ma manière d'être naïve, du moins autant que me le permettent les convenances. Si j'avais été de ces peuplades dont on dit qu'elles vivent encore
20 dans la douce liberté des premières lois de la nature, je t'assure que je me serais très volontiers peint tout entier ici, et tout nu. Ainsi, lecteur, je suis moi-même la matière de mon livre : il n'est pas raisonnable de prendre sur tes loisirs pour un sujet si frivole et si vain.
25 Adieu donc ; de Montaigne, ce 1er mars 1580.

---

8. La virgule donne à cette dernière précision le sens d'une provocation, le *«et»* signifiant ici «et même» (latin *etiam*).
9. *de Montaigne* : le nom désigne le château où Montaigne est né et où il vit, mais c'est aussi la signature de l'auteur.

Questions

Compréhension

1. *En quoi la première phrase de cet avis* Au lecteur *est-elle provocante à tous points de vue (politique, littéraire, biographique...) ? Proposez d'autres points de vue le cas échéant, en expliquant, à chaque fois, la teneur de la provocation que recèle le point de vue choisi.*

2. *Peut-on prendre Montaigne au sérieux quand il écrit de son livre :* « Je l'ai voué à la commodité particulière de mes parents et amis » *? Quels arguments permettent de penser que Montaigne est honnête quand il écrit cette phrase ?*

3. *Le thème du Nouveau Monde fait son entrée dès la première page sur un mode de dérision insolente : en quoi et pourquoi ?*

4. *Comment résumeriez-vous, en une liste de quelques arguments, le propos de cet avis ? Indiquez également toutes les marques d'ironie que vous y repérez : quelle est leur fonction ?*

Écriture

5. *Le genre des* Essais *était inconnu du public jusqu'alors. Comment, d'emblée, la franchise du ton et du contenu de cet avis* Au lecteur *signale-t-elle la profonde originalité de la démarche de Montaigne, par rapport à la production littéraire et plus généralement aux pratiques de son époque ?*

6. *Quel type de rapport est instauré avec le lecteur : confiance, méfiance, attirance, rejet ? Motivez vos choix.*

7. *Est-ce que, d'après cet avis, on peut prévoir le contenu concret des* Essais *tels qu'on va les lire ?*

8. *Cette page a été écrite en 1580 (c'est-à-dire une fois achevés les deux premiers livres dans leur version initiale). De quelle évolution témoigne-t-elle par rapport à l'état d'esprit de Montaigne quand il a commencé à écrire les* Essais *vers 1571-1572 (cf., par exemple, le texte n° 5) ?*

Au Lecteur.

C'EST icy vn liure de bonne foy, lecteur. Il t'aduertit dés l'entrée, que ie ne m'y suis proposé aucune fin, que domestique &
priuée. Ie n'y ay eu nulle consideration de ton seruice, ny de
a gloire. Mes forces ne sont pas capables d'vn tel dessein. Ie l'ay voué
la commodité particuliere de mes parens & amis : à ce que m'ayant
rdu (ce qu'ils ont à faire bien tost) ils y puissent retrouuer aucuns
aits de mes conditions & humeurs, & que par ce moyen ils nourris-
nt plus entiere & plus vifue, la connoissance qu'ils ont eu de moy. Si
eust esté pour rechercher la faueur du monde, ie me fusse ~~paré de beau-~~
~~tez empruntées, ou me fusse tendu~~ ~~et bandé~~ ~~en ma meilleure démarche~~. Ie
eus qu'on m'y voie en ma façon simple, naturelle & ordinaire, sans ~~estu-~~
~~de~~ & artifice: car c'est moy que ie peins. Mes defauts s'y liront au vif,
~~es imperfections~~ & ma forme naïfue, autant que la reuerence publi-
ue me l'a permis. Que si i'eusse esté ~~parmy~~ entre ces nations qu'on dict viure
ncore sous la douce liberté des premieres loix de nature, ie t'asseure
ue ie m'y fusse tres volontiers peint tout entier, & tout nud. Ainsi, le-
ceur, ie suis moy-mesmes la matiere de mon liure : ce n'est pas raison
ue tu employes ton loisir en vn subiect si friuole & si vain. A Dieu
onq, de Montaigne, ce ~~12 Juin 1580~~ premier de Mars
ille cinq cens quatre vins.

á ij

Page corrigée par Montaigne.

2. Abandon de la carrière parlementaire après une déconvenue dans ses ambitions

Les lois m'ont ôté de grand'peine; elles m'ont choisi parti et donné un maître; toute autre supériorité et obligation doit être relative à[1] celle-là et retranchée[2]. Si[3] n'est pas à dire[4], quand mon affection me porterait autrement[5], qu'incontinent[6] j'y portasse la main. La volonté et les désirs se font loi eux-mêmes; les actions ont à la recevoir de l'ordonnance publique.

Tout ce mien procédé est un peu bien dissonant à nos formes[7]; ce ne serait pas pour produire grands effets, ni pour y[8] durer; l'innocence[9] même ne saurait ni négocier entre nous sans dissimulation, ni marchander sans menterie. Aussi ne sont aucunement de mon gibier les occupations publiques; ce que ma profession en requiert, je l'y fournis, en la forme que je puis la plus privée. Enfant[10], on m'y plongea jusques aux oreilles, et il succédait[11], si m'en dépris-je de belle heure[12]. J'ai souvent depuis évité de m'en mêler, rarement accepté, jamais requis; tenant le dos tourné à l'ambition; mais sinon comme les tireurs d'aviron qui s'avancent ainsi à reculons, tellement[13] toutefois que, de ne m'y être point embarqué, j'en suis moins obligé à ma résolution qu'à ma bonne fortune; car il y a des voies moins ennemies de mon goût et plus conformes

---

1. *être relative à* : s'effacer devant, céder le pas à, être considérée comme relative par rapport à.
2. *retranchée* : réduite (à proportion de ce que l'obligation principale prend de place).
3. *Si* : Ainsi.
4. *n'est pas à dire* : il ne faut pas dire.
5. *autrement* : dans une autre direction.
6. *incontinent* : tout de suite, immédiatement.
7. *formes* : usages, façons de faire, d'agir.
8. *y* : renvoie à «*grands effets*» (mais on peut aussi comprendre : «ni pour tenir longtemps la route compte tenu de nos usages», auquel cas «*y*» renvoie à «*formes*»).
9. *l'innocence* : les gens innocents, dénués de mauvaises intentions.
10. *Enfant* : Montaigne emploie en général cette expression pour désigner la période qui précède sa trentième année; il fait ici allusion à sa carrière juridique comme conseiller à la cour des aides de Périgueux (1554-1557), puis au parlement de Bordeaux (1557-1570).

2. Abandon de la carrière parlementaire après une déconvenue dans ses ambitions (III, 1, *De l'utile et de l'honnête*)

Les lois m'ont délivré d'un grand souci : elles m'ont choisi un parti et donné un maître ; toutes les autres supériorités et obligations doivent être relatives devant cette obligation-là et restreintes en conséquence. Ainsi,
5 on ne dira pas que, dans le cas où mes sentiments me porteraient vers un autre parti, je lui apporterais immédiatement le soutien de mon bras. La volonté et les désirs se font eux-mêmes la loi ; les actions ont à la recevoir de l'ordre public.
10 Toute cette façon que j'ai de procéder est vraiment un peu en désaccord avec nos usages ; cela ne serait pas de nature à produire de grands effets, ni à en produire de durables ; même l'innocence ne saurait négocier chez nous sans dissimulation, ni marchander sans mensonge.
15 Ainsi les occupations publiques ne sont-elles pas du tout de mon domaine de chasse. Ce qu'exige ma position sociale en la matière, je le lui fournis dans la forme la plus privée que je puis. Quand j'étais jeune, on m'y plongea jusqu'aux oreilles et cela réussissait ; pourtant
20 je m'en détachai de bonne heure. J'ai souvent évité, depuis, de m'en mêler, rarement accepté, jamais demandé ; je tenais le dos tourné à l'ambition : certes pas comme les rameurs à l'aviron qui s'avancent ainsi à reculons, mais assez toutefois pour que, si je ne me
25 suis pas embarqué, je le doive moins à ma fermeté qu'à ma bonne fortune ; car il y a des voies moins éloignées

---

11. *il succédait* : cela réussissait (« *il* » est un impersonnel).
12. *de belle heure* : allusion à sa démission, le 24 juillet 1570, à l'âge de trente-sept ans.
13. *tellement* : de telle manière que (la fin de la phrase montre que Montaigne ne tournait en fait qu'à moitié le dos à l'ambition !).

à ma portée, par lesquelles si elle m'eût appelé autrefois au service public et à mon avancement vers le crédit du
25 monde, je sais que j'eusse passé par-dessus la raison de mes discours[1] pour la suivre.

(III, 1, *De l'utile et de l'honnête*)

Exemplaire de Bordeaux, annoté de la main de Montaigne jusqu'à sa mort en 1592, et qui, retrouvé au XVIII*e siècle, a servi de base à l'édition définitive des* Essais *(état C du texte).*

1. *discours* : raisons, raisonnements.

de mon goût et plus conformes à ma capacité, par lesquelles, si l'ambition m'avait appelé autrefois à entrer dans le service public et à m'avancer vers l'estime du monde, je sais que j'aurais passé par-dessus la justesse de mes raisonnements pour la suivre.

ESSAIS
DE
MICHEL SEIGNEVR
DE MONTAIGNE.

~~Cinquiesme edition, augmentée d'un troisiesme liure et de six cens additions aux deux premiers~~
Sixieme edition
Viresque acquirit eundo

A PARIS,
Chez ABEL L'ANGELIER,
au premier pillier de la grand
Salle du Palais.
Auec Priuilege du Roy.

Frontispice de l'édition de 1588
des Essais *(état B du texte)*

Questions

Compréhension

1. *Ce passage, tiré du premier chapitre du livre III, revient sur les motivations initiales de la retraite de Montaigne. Quelle différence peut-on sentir avec l'avis* Au lecteur *? et avec le texte n° 4 ?*

2. *Dans quelle mesure Montaigne est-il un légaliste qui met la raison d'État au-dessus de son intérêt personnel ? Y trouve-t-il son compte ? Montrez les signes d'amertume, mais aussi d'humour, qu'il laisse transparaître.*

Écriture

3. *Pourquoi, spécialement dans ce texte, Montaigne emploie-t-il un style contourné et alambiqué ? Donnez-en des exemples. Ce style n'est-il pas représentatif des manœuvres politiques du temps ? Donnez des exemples de personnages historiques de ce type (en vous référant éventuellement à la fin du texte n° 22 et au parcours thématique :* Les guerres de Religion*).*

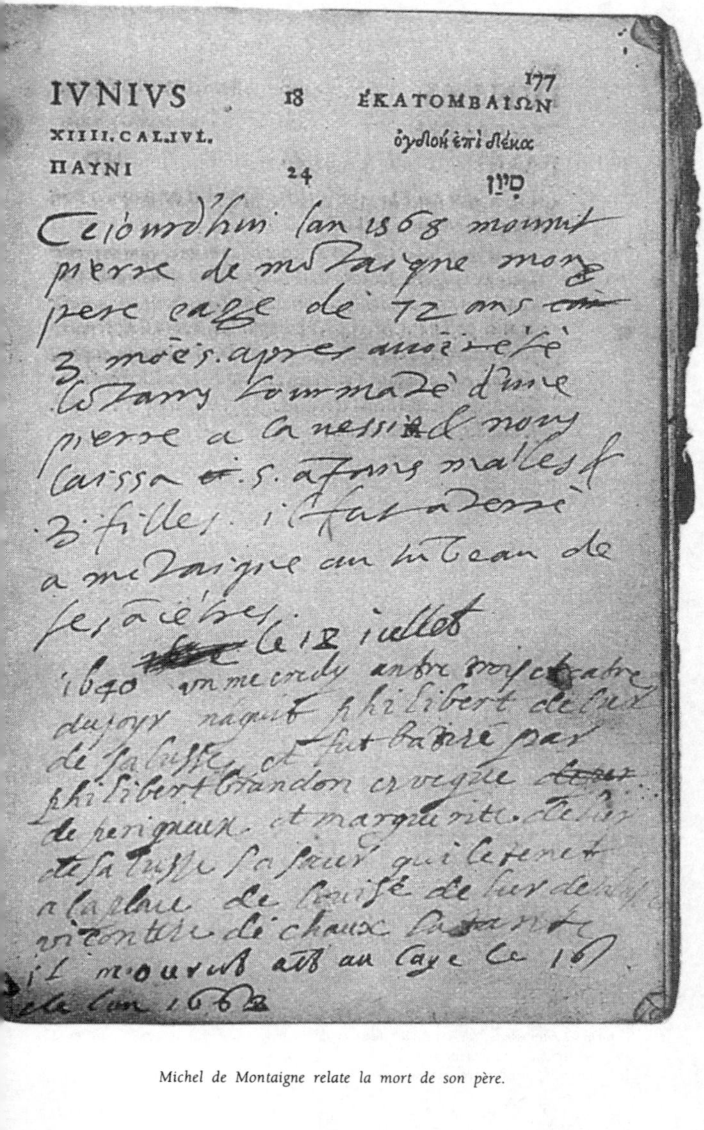

IVNIVS 18 ἙΚΑΤΟΜΒΑΙΩΝ 177

XIIII. CAL. IVL. ὀγδόη ἐπὶ δέκα

ΠΑΥΝΙ 24 סִיוָן

Ce iourd'hui l'an 1568 mourut
pierre de montaigne mon
pere eagé de 72 ans
3 mois apres avoir esté
longtemps tourmanté d'une
pierre a la vessie & nous
laissa v. enfans males &
3 filles. il fut enterré
a montaigne au tumbeau de
ses ancestres.

le 18 iuillet
1640 un mecredy entre trois et catre
du soir naquit philibert de lur
de saluces et fut baptizé par
philibert brandon evesque de
de perigueux et marguerite de lur
de saluces sa sœur qui le tenet
a la place de louise de lur de
vicontesse de chaux [illegible]
il mourut ... au cage le 16
de l'an 1662

Michel de Montaigne relate la mort de son père.

3. Peur de mourir sans s'être pleinement réalisé : une rencontre précoce (vers 1569-1570) avec sa propre mort après les deuils de son ami Étienne de La Boétie (1563) et de son père Pierre Eyquem (1568)

Pendant nos troisièmes troubles ou deuxièmes[1] (il ne me souvient pas bien de cela), m'étant allé un jour promener à une lieue de chez moi, qui suis assis dans le moiau[2] de tout le trouble des guerres civiles de France, estimant être en
5 toute sûreté et si voisin de ma retraite que je n'avais point besoin de meilleur équipage, j'avais pris un cheval bien aisé, mais non guère ferme. À mon retour, [...] un de mes gens, grand et fort, monté sur un puissant roussin qui avait une bouche désespérée[3], frais au demeurant et vigoureux, pour
10 faire le hardi et devancer ses compagnons, vint à le pousser à toute bride droit dans ma route, et fondre comme un colosse sur le petit homme[4] et petit cheval, et le foudroyer de sa roideur et de sa pesanteur [...] : si que voilà le cheval abattu et couché tout étourdi, moi dix ou douze pas au-
15 delà, mort, étendu à la renverse, le visage tout meurtri et tout écorché, [...] n'ayant ni mouvement ni sentiment[5], non plus qu'une souche. C'est le seul évanouissement que j'aie senti jusques à cette heure. Ceux qui étaient avec moi, après avoir essayé par tous les moyens qu'ils purent de me
20 faire revenir[6], me tenant pour mort, me prirent entre leurs bras et m'emportaient avec beaucoup de difficulté en ma maison, qui était loin de là environ une demi-lieue française[7]. Sur le chemin, et après avoir été plus de deux grosses heures tenu pour trépassé, je commençai à me

---

1. *Pendant* [...] *ou deuxièmes* : Allusion à la deuxième guerre de Religion (1567) et à la troisième (1569-1570).
2. *moiau* : moyeu, milieu, centre. Le domaine de Montaigne était environné de seigneuries protestantes ; beaucoup de combats ont eu lieu, en effet, dans la région du Poitou et de la Guyenne, par exemple la prise de Mussidan (à 20 km du château de Montaigne) par les catholiques en 1569.
3. *désespérée* : n'obéissant pas au mors, endurcie (en parlant de la bouche d'un cheval).
4. *petit homme* : allusion humoristique à Montaigne lui-même qui était d'une taille «*forte et ramassée*», «*un peu au-dessous de la moyenne*» (cf. textes n°s 11 et 23).
5. *sentiment* : conscience.
6. *revenir* : reprendre mes esprits.

. Peur de mourir sans s'être pleinement réalisé (II, 6, *De 'exercitation*) : une rencontre précoce (vers 1569-1570) avec a propre mort après les deuils de son ami Étienne de a Boétie (1563) et de son père, Pierre Eyquem (1568)

Pendant notre troisième période d'insurrection, ou la deuxième, je ne m'en souviens pas exactement, étant allé un jour me promener à une lieue de chez moi (je suis installé au beau milieu de tout le désordre insurrectionnel des guerres civiles de France), comme j'estimais être en toute sécurité et assez proche de ma position de repli pour n'avoir pas besoin de meilleur équipage, j'avais pris un cheval assez facile à monter, mais pas très robuste. À mon retour, [...] un des hommes de ma suite, grand et fort, monté sur un puissant roussin qui était insensible au mors mais au demeurant frais et vigoureux, pour jouer les audacieux et devancer ses compagnons, se mit à le pousser à bride abattue directement sur mon chemin, et à foncer comme un colosse sur le petit homme et sur son petit cheval, les foudroyant de toute sa force et de tout son poids [...] ; de sorte que voilà le cheval à terre, couché tout étourdi, et moi à dix ou douze pas plus loin, mort, étendu à la renverse, le visage tout meurtri et tout écorché, [...] je n'ai ni mouvement ni sentiment, pas plus qu'une souche. C'est le seul évanouissement que j'aie jamais ressenti jusqu'à ce jour. Ceux qui étaient avec moi, après avoir essayé par tous les moyens de me faire revenir à moi, me tinrent pour mort et, m'ayant pris dans leurs bras, ils me portaient avec beaucoup de difficulté à ma maison, qui était environ à une demi-lieue française de là. Sur le chemin, après avoir été, pendant plus de deux bonnes heures, tenu pour décédé, je commençai à bouger

7. *une demi-lieue française* : la « lieue française » (à l'origine : d'Île-de-France) était plus courte que les « lieues de pays » voisins (Bretagne, Espagne, Angleterre) ; elle valait 2 281 toises, soit environ 4,5 km. Mais elle était plus longue que la « lieue de poste » (environ 3,9 km).

25 mouvoir et respirer ; car il était tombé si grande abondance de sang dans mon estomac, que, pour l'en décharger, nature eut besoin de ressusciter ses forces. On me dressa sur mes pieds, où je rendis un plein seau de bouillons de sang pur, et plusieurs fois par le chemin[1], il m'en fallut faire
30 de même. Par là je commençai à reprendre un peu de vie, mais ce fut par les menus[2] et par un si long trait de temps que mes premiers sentiments[3] étaient beaucoup plus approchants de la mort que de la vie,

Perche, dubbiosa anchor del suo ritorno,
35 *Non s'assecura attonita la mente.*

Cette récordation[4] que j'en ai fort empreinte en mon âme, me représentant son[5] visage et son[5] idée si près du naturel, me concilie aucunement[6] à elle[5]. Quand je commençai à y
40 voir, ce fut d'une vue si trouble, si faible et si morte, que je ne discernais encore rien que la lumière.

[...]

Quant aux fonctions de l'âme, elles naissaient avec même
45 progrès[7] que celles du corps. Je me vis tout sanglant, car mon pourpoint[8] était taché partout du sang que j'avais rendu. La première pensée qui me vint, ce fut que j'avais une arquebusade[9] en la tête ; de vrai, en même temps, il s'en tirait plusieurs[10] autour de nous. Il me semblait que ma vie ne
50 me tenait plus qu'au bout des lèvres ; je fermais les yeux pour aider, ce me semblait, à la pousser hors, et prenais plaisir à m'alanguir et à me laisser aller. C'était une imagination[11] qui ne faisait que nager superficiellement en mon âme, aussi tendre et aussi faible que tout le reste, mais à la vérité non
55 seulement exempte de déplaisir, ains[12] mêlée à cette douceur que sentent ceux qui se laissent glisser au sommeil. [...]

1. *par le chemin* : sur le chemin.
2. *par les menus* : progressivement (cf. l'expression : « raconter une anecdote par le menu »).
3. *sentiments* : action de sentir, sensation.
4. *récordation* : souvenir.
5. Tous ces termes renvoient à *« la mort »*.
6. *aucunement* : en quelque manière (ce sens positif se retrouve dans l'expression « d'aucuns » : certains).
7. *progrès* : progression, rythme.
8. *pourpoint* : habit masculin qui couvrait le corps du cou jusqu'à la ceinture.
9. *arquebusade* : coup d'arquebuse. L'arquebuse est une ancienne arme à feu qu'on faisait partir au moyen d'une mèche.
10. *il s'en tirait plusieurs* : allusion aux *« troubles »* évoqués plus haut entre protestants et catholiques.

et à respirer ; car il était tombé une si grande quantité de sang dans mon estomac que, pour l'en débarrasser, la
30 nature eut besoin de reprendre des forces. On me fit tenir debout sur mes jambes, dans cette posture je vomis un plein seau de bouillons de sang pur, et plusieurs fois, en cours de route, il me fallut en refaire autant. Par ce moyen, je commençai à reprendre un peu vie, mais ce fut
35 petit à petit, et si lentement que mes premières sensations étaient beaucoup plus proches de la mort que de la vie,
« Car, encore incertaine de son retour, l'âme ébranlée ne peut s'affermir » (le Tasse, *Jérusalem délivrée,* chant XII).
40 Ce souvenir que j'en ai, fortement gravé dans ma mémoire, me représente le visage et l'image de la mort si près de ce qu'ils sont au naturel, qu'il me concilie en quelque sorte avec elle.
Quand je commençai à voir, ce fut avec une vue si
45 trouble, si faible et si mourante que je ne pouvais alors distinguer que la lumière du jour.
[...]
Quant aux fonctions de l'âme, elles renaissaient aussi progressivement que celles du corps. Je vis que j'étais
50 tout sanglant, car mon pourpoint était taché par tout le sang que j'avais vomi. La première pensée qui me vint à l'esprit, c'est que j'avais reçu un coup d'arquebuse à la tête : il faut dire qu'au même moment on en tirait beaucoup autour de nous. Il me semblait que ma vie ne tenait
55 plus à moi que par le bout des lèvres : je fermais les yeux pour aider, me semblait-il, à la pousser au-dehors et je prenais plaisir à m'abandonner et à me laisser aller. C'était un sentiment qui ne faisait que nager superficiellement dans mon âme, aussi fragile et aussi faible
60 que tout le reste, mais à la vérité non seulement sans désagrément mais imprégné de cette douceur que sentent ceux qui se laissent glisser dans le sommeil. [...]

11. *imagination* : idée, pensée, état mental.
12. *ains* : mais.

Comme j'approchai de chez moi, où l'alarme de ma chute avait déjà couru, et que ceux de ma famille m'eurent rencontré avec les cris accoutumés en telles choses, non seulement je répondais quelque mot[1] à ce qu'on me demandait, mais encore ils disent que je m'avisai de commander qu'on donnât un cheval à ma femme, que je voyais s'empêtrer et se tracasser dans le chemin, qui est montueux et malaisé. Il semble que cette considération dût partir d'une âme éveillée, si est-ce que[2] je n'y étais aucunement[3] ; c'étaient des pensements vains, en nue[4], qui étaient émus par les sens des yeux et des oreilles ; ils ne venaient pas de chez moi. Je ne savais pourtant ni d'où je venais, ni où j'allais ; ni ne pouvais peser et considérer ce qu'on me demandait : ce sont des légers effets[5] que les sens produisaient d'eux-mêmes, comme d'un usage[6] ; ce que l'âme y prêtait, c'était en songe, touchée bien légèrement, et comme léchée seulement et arrosée par la molle impression des sens.

Cependant[7] mon assiette[8] était à la vérité très douce et paisible ; je n'avais affliction ni pour autrui ni pour moi ; c'était une langueur et une extrême faiblesse, sans aucune douleur. Je vis ma maison sans la reconnaître. Quand on m'eut couché, je sentis une infinie douceur à ce repos, car j'avais été vilainement[9] tirassé[10] par ces pauvres gens, qui avaient pris la peine de me porter sur leurs bras par un long et très mauvais chemin, et s'y étaient lassés deux ou trois fois les uns après les autres. On me présenta force remèdes, de quoi je n'en reçus aucun, tenant pour certain que j'étais blessé à mort par[11] la tête. C'eût été sans mentir une mort bien heureuse ; car la faiblesse de mon discours[12] me gardait d'en rien juger, et celle du corps d'en rien sentir.

---

1. *quelque mot* : noter le singulier. Montaigne n'est pas en état de faire de longs discours, mais, par ses réponses, même brèves, il montre qu'il est conscient ou, du moins, qu'il paraît l'être (cf. la suite du texte).
2. *si est-ce que* : toutefois, le fait est pourtant que.
3. *je n'y étais aucunement* : ici, la présence de la négation «*n'*» redonne son sens moderne à «*aucunement*».
4. *en nue* : en nuage, c'est-à-dire nuageux, nébuleux, flous (cf. l'expression familière : «être dans le brouillard»).
5. *effets* : réactions.
6. *usage* : habitude, réflexe conditionné (ici).
7. *Cependant* : Pendant ce temps (ce-pendant).
8. *assiette* : état, disposition.

Comme j'approchais de chez moi, où le bruit de ma chute avait déjà alarmé les gens, et que les personnes de
65 ma famille venant à ma rencontre avaient poussé les cris habituels en de telles circonstances, non seulement je répondais d'un mot ou d'un autre aux questions que l'on me posait, mais encore, d'après ce qu'on m'a dit, j'eus la présence d'esprit de commander qu'on donnât un che-
70 val à ma femme, que je voyais trébucher et marcher avec peine dans le chemin : c'est un chemin en montée et incommode. Il semble que pareille préoccupation aurait dû venir d'une âme éveillée ; et pourtant je n'étais nullement dans cet état. C'étaient des pensées vaines, nébu-
75 leuses, qui étaient déclenchées par les sensations des yeux et des oreilles, elles ne venaient pas de chez moi. Je ne savais pour tout dire ni d'où je venais, ni où j'allais ; et je ne pouvais ni mesurer ce qu'on me demandait, ni me concentrer dessus : il s'agit de légères réactions que les
80 sens produisaient d'eux-mêmes, comme par habitude ; si l'âme y participait, c'était en rêve, touchée bien légèrement et comme léchée seulement, humectée par la molle impression des sens. Durant ce temps j'étais dans une disposition à la vérité très douce et très paisible, je
85 n'avais de peine ni pour autrui, ni pour moi : c'étaient une langueur et une extrême faiblesse, sans aucune douleur. Je vis ma maison sans la reconnaître. Quand on m'eut couché, je ressentis, à me reposer, une douceur infinie, car j'avais été rudement tiraillé par ces pauvres
90 gens qui avaient pris la peine de me porter dans leurs bras sur un chemin long et très mauvais, et qui s'y étaient fatigués deux ou trois fois, l'un après l'autre.

On me présenta force remèdes, dont je n'acceptai aucun, persuadé d'être mortellement blessé à la tête.
95 C'eût été là, sans mentir, une mort bien heureuse ; car la faiblesse de mon entendement m'empêchait de faire à son sujet le moindre jugement, et celle du corps d'en

---

9. *vilainement* : durement, rudement.
10. *tirassé* : tiraillé (fréquentatif de « tirer »).
11. *par* : à.
12. *mon discours* : ma raison, mon entendement.

Je me laissais couler si doucement et d'une façon si douce et si aisée que je ne sens guère autre action moins pesante
90 que celle-là était. [...]
Mais longtemps après, et le lendemain[1], quand ma mémoire vint à s'entrouvrir et me représenter l'état où je m'étais trouvé en l'instant que j'avais aperçu ce cheval fondant sur moi (car je l'avais vu à mes talons et me tins pour
95 mort, mais ce pensement[2] avait été si soudain que la peur n'eut pas loisir de s'y[3] engendrer), il me sembla que c'était un éclair qui me frappait l'âme de secousse et que je revenais de l'autre monde.
Ce conte[4] d'un événement si léger est assez vain, n'était[5]
100 l'instruction que j'en ai tirée pour moi ; car, à la vérité, pour s'apprivoiser à la mort, je trouve qu'il n'y a que de s'en avoisiner. [...] Ce n'est pas ici ma doctrine[6], c'est mon étude[6] ; et n'est pas la leçon d'autrui, c'est la mienne.

(II, 6, *De l'exercitation*)

1. *et le lendemain* : et dès le lendemain (*« et »* a ici le sens du latin *etiam* : « même »).
2. *ce pensement* : cette pensée.
3. *y* : renvoie à *« pensement »* (la peur n'eut pas loisir de s'engendrer à l'occasion de ce pensement).
4. *conte* : récit, narration.
5. *n'était* : sens conditionnel encore valable aujourd'hui (quoique d'un emploi littéraire).
6. *doctrine, étude* : l'enseignement théorique, systématique et se donnant pour infaillible par opposition à l'expérience personnelle, partielle mais vécue, donc vérifiée en pratique.

ressentir aucun effet. Je me laissais couler si doucement et d'une façon si douce et si aisée que je ne sens guère
100 d'autre action moins pesante que celle-là. [...]
Mais longtemps après, et dès le lendemain, quand ma mémoire se mit à s'entrouvrir et à me refigurer l'état dans lequel je m'étais trouvé à l'instant où j'avais aperçu ce cheval fonçant sur moi (car je l'avais vu à mes talons
105 et me tins pour mort, mais cette pensée avait été si soudaine que la peur n'eut pas la possibilité d'y prendre naissance), il me sembla que c'était un éclair qui m'avait frappé l'âme d'une secousse, et que je revenais de l'au-delà.
110 Ce récit d'un événement si mince serait assez vain s'il n'y avait l'instruction que j'en ai tirée pour moi : à la vérité, pour s'apprivoiser à la mort, il n'y a selon moi qu'à se faire son voisin. [...] Ce n'est pas ici ma doctrine, c'est mon étude ; et ce n'est pas la leçon d'autrui, c'est la
115 mienne.

Gisant de Michel de Montaigne à la faculté des Lettres de Bordeaux.

Questions

Compréhension

1. *La longueur de ce passage sur la mort montre l'importance que Montaigne accorde à cette question. Est-ce essentiellement parce qu'il s'agit de sa propre mort ? Donnez au moins trois autres motivations possibles en indiquant à vos yeux leur importance relative.*

2. *Que penser du fait que ce récit s'insère dans le chapitre* De l'exercitation *?*

3. *Par rapport au thème de la mort, qu'indiquent les allusions faites aux guerres de Religion ? Faites-en un relevé.*

4. *Comment la mort est-elle conçue par Montaigne à travers cet extrait ? À quoi s'apparente l'état dans lequel il nous dit s'être trouvé ?*

Écriture

5. *Comment interpréter les répétitions (mêmes mots, mêmes circonstances décrites avec d'autres mots) qui apparaissent au cours du récit ? Donnez des exemples commentés.*

6. *Les indications de localisation et le jeu des temps (passé simple, imparfait) contribuent à mettre en valeur certains détails sur lesquels Montaigne insiste particulièrement : lesquels ? De quelle attitude procède chez Montaigne cette insistance ?*

7. *Quel rôle assigner à la citation du Tasse, p. 24, l. 34-35 (état B du texte) ?*

Statue de Montaigne à la Sorbonne par Landowski.

4. Mélancolie liée au retrait du monde, vide intérieur et surgissement du moi comme sujet d'étude

À Madame d'Estissac[1].

Madame, si l'étrangeté ne me sauve, et la nouvelleté[2], qui ont accoutumé de donner prix aux choses, je ne sors jamais à mon honneur de cette sotte entreprise[3] ; mais elle est si fantastique et a un visage si éloigné de l'usage commun,
5 que cela lui pourra donner passage. C'est une humeur mélancolique[4], et une humeur par conséquent très ennemie de ma complexion naturelle[4], produite par le chagrin de la solitude en laquelle il y a quelques années que je m'étais jeté[5], qui m'a mis premièrement en tête cette rêverie de me
10 mêler d'écrire. Et puis, me trouvant entièrement dépourvu et vide de toute autre matière, je me suis présenté moi-même à moi, pour argument et pour sujet. C'est le seul livre au monde de son espèce, d'un dessein farouche et extravagant. Il n'y a rien aussi en cette besogne digne d'être
15 remarqué que cette bizarrerie ; car à un sujet si vain et si vil le meilleur ouvrier du monde n'eût su donner façon qui mérite qu'on en[6] fasse conte.

(II, 8, *De l'affection des pères aux enfants*)

---

1. *Mme d'Estissac* : née Louise de la Béraudière, elle épousa à vingt ans Louis d'Estissac, seigneur de Lesparre, gouverneur de l'Aunis et de La Rochelle. Veuve à partir de 1565, elle éleva seule ses enfants, dont l'un, Charles d'Estissac, a accompagné Montaigne lors de son voyage en 1580. Ce qui explique qu'un chapitre intitulé *De l'affection des pères aux enfants* puisse être dédié à une femme, puisque la dédicataire remplissait en l'occurrence à la fois les deux rôles de père et de mère.
2. *nouvelleté* : terme en général péjoratif au XVIe siècle, mais pas toujours chez Montaigne ; ici, il désigne le caractère récent de l'inédit, de ce qui « vient de sortir », dirait-on aujourd'hui.
3. *cette sotte entreprise* : la composition des *Essais*.
4. La théorie des humeurs, remontant à Hippocrate, le père de la médecine (Ve siècle avant J.-C.), et systématisée par Galien (IIe siècle après J.-C.), retenait quatre tempéraments (ou « *complexions* ») naturels en fonction du mélange des quatre humeurs (ou liquides) fondamentales du corps, déterminant une idiosyncrasie propre à chaque individu. Montaigne n'est pas féru de médecine (cf. texte n° 20), mais il connaît ces termes passés dans le langage courant de son époque comme de la nôtre avec un sens non plus physique, mais moral. Ici, on aurait presque pu traduire : « état d'esprit, tendance ».

4. Mélancolie liée au retour sur soi-même et à la réflexion sur toutes ses contrariétés récentes (II, 8, *De l'affection des pères aux enfants*)

Madame, à moins que l'étrangeté et la nouveauté – qui d'ordinaire donnent du prix aux choses – ne me sauvent, je ne risque pas de sortir à mon honneur de cette folle entreprise ; mais elle est si fantasque et elle a
5 un air si éloigné des pratiques courantes que cela pourra la faire passer. C'est une humeur mélancolique, humeur par conséquent tout à fait contraire à mon tempérament naturel, provoquée par le chagrin que m'avait causé la solitude dans laquelle je m'étais jeté il y a quelques
10 années, qui m'a d'abord mis en tête cette lubie de me mêler d'écrire. Et puis, comme je me trouvais absolument dépourvu et sec sur toute autre matière, je me suis présenté ma personne à moi-même, en guise d'argument et de sujet. C'est le seul livre au monde de son
15 espèce, issu d'un projet sauvage et extravagant. À vrai dire, il n'y a rien dans ce travail qui soit digne d'être remarqué sinon cette bizarrerie, car, à un sujet aussi vain et aussi dérisoire, le meilleur ouvrier du monde n'aurait pas su donner une forme qui mérite qu'on en fasse un
20 conte.

---

5. *solitude en laquelle* [...] *je m'étais jeté* : allusion à la retraite de Montaigne à la suite de ses déceptions professionnelles, mais aussi de l'accident (évoqué dans le texte n° 3) où il faillit trouver la mort sans avoir eu le temps de rendre hommage, dans ses écrits, à son père et à La Boétie.

6. *en* : peut renvoyer aussi bien à «*façon*» – le sens («faire conte» : «tenir compte, parler de»; cf. notre expression familière : «en faire un foin») est alors : «n'aurait pas su donner une forme digne de figurer dans les gazettes» – qu'à «*sujet*» – le sens devient : «n'aurait pas su donner une forme qui mérite qu'on fasse de ce sujet une œuvre littéraire» («faire conte» : «raconter»). Montaigne a maintenu peut-être l'équivoque, que notre traduction respecte donc.

Questions

Compréhension

1. *À la lumière des textes 1 à 3 ci-dessus, comment expliquer l'«*humeur mélancolique*» dont parle Montaigne ?*

2. *Pourquoi Montaigne se permet-il d'écrire, dans une addition C, que les* Essais *sont* «le seul livre au monde de son espèce» *? Est-ce vrai ? Motivez votre réponse.*

Écriture

3. *Pourquoi Montaigne peut-il être taxé de mauvaise foi ou de coquetterie quand il parle de lui-même comme d'un sujet* «si vain et si vil» *? Ces accusations vous paraissent-elles justifiées ? Motivez votre réponse en tentant de démêler ici l'état d'esprit de l'écrivain.*

4. *À quels mouvements littéraires ou artistiques pourrait-on rattacher cette esthétique de la* «bizarrerie» *?*

Bilan

• Ce que nous savons

Le retrait du monde, qui a présidé chez Montaigne au projet d'écrire des Essais, *est dû à plusieurs causes personnelles qui se conjuguent :*

• le deuil de La Boétie (1563), son seul ami, qui lui a inspiré le goût de l'étude et un idéal élevé ;

• plus récemment (1568), le deuil de son père, Pierre Eyquem, l'année même où il publie la traduction de la Theologia naturalis *de Raymond Sebond, qu'il avait entreprise à la demande de ce père aimé ;*

• l'échec que constitue, avec la déception qui s'ensuit, le rejet de sa candidature à la Grand-Chambre du parlement de Bordeaux vers la fin de 1569 et l'obligation où il se trouvait donc de continuer à siéger à la Chambre des enquêtes, la moins élevée en dignité, parce que, lui répondit-on, la présence d'un de ses beaux-frères à cette Grand-Chambre lui en fermait l'accès ;

• enfin, cause immédiate (vers 1568-1570) probablement la plus déterminante, l'accident de cheval au cours duquel il a cru trouver la mort et qui lui a fait prendre conscience de la précarité de l'existence, lui inspirant un désir plus impérieux de réalisation personnelle et rapide.

À toutes ces causes s'ajoute un profond dégoût du monde politique (cf. Au lecteur*) et des tueries continuelles (par exemple, la Saint-Barthélemy, le 24 août 1572) qui opposent catholiques et protestants. Cela conduit Montaigne à faire inscrire sur les murs de sa librairie les deux fameuses déclarations solennelles. Inscriptions latines qui rendent, selon l'expression de Michel Butor (dont on a repris ici la traduction), son entrée en littérature* « cérémonieuse comme une entrée en religion ».

Voici la première : « L'an du Christ 1571, âgé de trente-huit ans, la veille des Calendes de mars, anniversaire de sa naissance, Michel de Montaigne, las depuis longtemps déjà de sa servitude du Parlement et des charges publiques, en pleines forces encore se retira dans le sein des doctes vierges, où, en repos et sécurité, il passera les jours qui lui restent à vivre. Puisse le destin lui permettre de parfaire cette habitation des douces retraites de ses ancêtres qu'il a consacrées à sa liberté, à sa tranquillité, à ses loisirs. »

*L'autre inscription donne à l'*otium *– c'est-à-dire au loisir – ainsi retenu un objet précis :* « Privé de l'ami le plus doux, le plus cher et le plus intime, et tel que notre siècle n'en a vu de meilleur, de plus docte, de plus agréable et de plus parfait, Michel de Montaigne, voulant consacrer le souvenir de ce mutuel amour par un témoignage unique de sa reconnaissance, et ne pouvant le faire de manière qui l'exprimât mieux, a voué à cette mémoire ce studieux appareil dont il a fait ses délices. »

Il faut voir dans ces deux inscriptions, qui le « narguent » à chaque arrêt dans sa tour, un défi, une manière, pour Montaigne, de se risquer, de faire peser sur lui l'emprise du temps qui passe pour mieux se stimuler dans son entreprise. Puis l'hommage à l'ami perdu s'est étoffé sous l'effet des autres préoccupations déjà mentionnées.

Ce « dessein », parce qu'il est daté aussi bien dans la vie de Montaigne que dans son contexte historique, a conduit l'écrivain à une démarche d'introversion et d'introspection si prononcée qu'elle a abouti, comme on le verra ci-dessous (textes nos 10 et 11), à l'autoportrait et à un livre « seul au monde de son espèce ». *Ainsi, Montaigne, à force d'approfondissements, d'exigence et de persévérance a-t-il transformé un projet daté en un projet qui fit date.*

• Ce que nous pouvons nous demander

• *Sur* Au lecteur *(texte n° 1) : à la lumière du reste des extraits, peut-on dire que Montaigne, dans les* Essais, *se présente en sa* « façon simple, naturelle et ordinaire, sans contention et artifice » *?*

• *Sur* De l'utile et de l'honnête *(texte n° 2) : le fait qu'au seuil du troisième livre, après plus de quinze années écoulées depuis la rédaction de ses premiers essais, Montaigne livre une nouvelle raison – de caractère professionnel – à son entreprise littéraire suggère que cette raison était plus difficile à exprimer. Pourquoi ? Que prouve le fait qu'il l'énonce maintenant ?*

• *Sur* De l'exercitation *(texte n° 3) : ce long récit, d'une expérience ponctuelle que Montaigne a eue de l'approche de sa mort, est le seul dans l'ensemble des* Essais. *Comment le situer dans l'évolution du regard de Montaigne sur la mort (cf. documents de l'après-texte) ?*

• *Sur l'ensemble des quatre textes de ce premier volet : comment est-on, d'une démarche de retraite mélancolique liée à des deuils, à des échecs et à un dégoût du monde, passé progressivement à la peinture du moi ? N'était-ce pas un projet formé dès 1572 ? Donnez les arguments pour et contre en opérant votre choix.*

THE ESSAYES

Or

Morall, Politike and Millitarie Discourses

of

Lo: Michaell de Montaigne,

Knight

Of the noble Order of St Michaell, and one of the Gentlemen in Ordinary of the French king, Henry *the third his Chamber.*

The first Booke.

(*⁎*)

First written by him in French.

And

now done into English

By

Version anglaise des Essais (XVIIe siècle).

5. Découverte de l'anarchie de la pensée en liberté

Comme nous voyons des terres oisives[1], si elles sont grasses et fertiles, foisonner en cent mille sortes d'herbes sauvages et inutiles, et que, pour les tenir en office[2], il les faut assujettir et employer à certaines semences, pour
5 notre service[3] ; et comme nous voyons que les femmes produisent bien toutes seules des amas et pièces de chair informes, mais que pour faire une génération bonne et naturelle il les faut embesogner[4] d'une autre semence : ainsi est-il des esprits. Si on ne les occupe à certain sujet, qui les
10 bride et contraigne, ils se jettent déréglés, par-ci par-là, dans le vague champ des imaginations[5].[...]
Dernièrement que[6] je me retirai chez moi[7], délibéré autant que je pourrai ne me mêler d'autre chose que de passer en repos et à part ce peu qui me reste de vie, il me semblait ne
15 pouvoir faire plus grande faveur à mon esprit que de le laisser en pleine oisiveté, s'entretenir soi-même, et s'arrêter et rasseoir[8] en soi : ce que j'espérais qu'il pût meshuy[9] faire plus aisément, devenu avec le temps plus pesant, et[10] plus mûr. Mais je trouve,

20 *variam semper dant otia mentem,*

qu'au rebours, faisant le cheval échappé, il se donne cent fois plus d'affaire à soi-même qu'il n'en prenait pour autrui ; et m'enfante tant de chimères et monstres fantasques[11] les uns sur les autres, sans ordre et sans propos, que pour en

---

1. Ce type de comparaison, développée sur plusieurs lignes, s'inspire des auteurs épiques : Homère avant tout, mais aussi Virgile (cf. texte n° 13).
2. *office* : fonction utile à l'homme (ici).
3. *notre service* : notre usage, notre intérêt.
4. *embesogner* : charger, engrosser (ici).
5. *imaginations* : pensées, idées, toute production, rationnelle ou non, de l'esprit.
6. *Dernièrement que* : Quand, dernièrement.
7. Allusion à la retraite de 1571. Cette précision temporelle semble indiquer que l'essai en question a été écrit peu après le début de ce retrait du monde.
8. *rasseoir* : retrouver son assise, son assiette, ses repères.

D'UN GENRE

DE L'ESSAI

5. Découverte de l'anarchie de la pensée en liberté (I, 8, *De l'oisiveté*)

Comme nous voyons des terres oisives, si elles sont grasses et fertiles, foisonner de cent mille sortes d'herbes sauvages et inutiles, et que, pour les maintenir dans leur fonction, il faut les dompter et les employer à la culture de certaines semences pour notre usage ; comme nous voyons que les femmes produisent bien toutes seules des amas et des pièces de chair informes, mais que, pour faire une génération bonne et naturelle, il faut les charger d'une autre semence : ainsi en est-il des esprits. Si on ne les occupe sur un sujet donné, qui les bride et les contraigne, ils se jettent déréglés, de-ci de-là, dans le champ vague de l'imagination. [...]
Quand je me suis retiré chez moi dernièrement, décidé, autant que je le pourrais, à ne me mêler de rien sinon de passer en repos et loin du monde ce peu de vie qui me reste, il me semblait que je ne pouvais faire une plus grande faveur à mon esprit que de le laisser en pleine oisiveté s'entretenir avec lui-même, s'arrêter et se retrouver dans son assiette ; j'espérais qu'il pourrait faire désormais cela plus aisément, étant devenu avec le temps plus pesant, et aussi plus mûr. Mais je m'aperçois, *« l'oisiveté dissipe toujours l'esprit en tous sens »* (Lucain, *Pharsale*, chant IV),
qu'au contraire, faisant le cheval échappé, il se donne cent fois plus de tracas à lui-même qu'il n'en prenait pour autrui ; et il m'enfante tant de chimères et de monstres fantasques les uns sur les autres, sans ordre et

---

9. *meshuy* : désormais.

10. *et* : ici le sens du latin *etiam* : « aussi, même ».

11. *chimères et monstres fantasques* : ce sont toutes les *« imaginations »* produites de manière anarchique par son esprit.

25 contempler à mon aise l'ineptie[1] et l'étrangeté, j'ai commencé de les mettre en rôle[2], espérant avec le temps lui en faire honte à lui-même.

(I, 8, *De l'oisiveté*)

6. La mise à l'épreuve de son jugement

Le jugement est un outil à tous sujets[3], et se mêle partout. À cette cause[4], aux essais que j'en fais ici, j'y emploie toute sorte d'occasion. Si c'est un sujet que je n'entende[5] point, à cela même je l'essaie, sondant le gué[6] de bien loin ;
5 et puis, le[7] trouvant trop profond pour ma taille, je me tiens à la rive ; et cette reconnaissance de ne pouvoir passer outre[8], c'est un trait[9] de son effet, voire[10] de ceux de quoi il se vante le plus. Tantôt, à un sujet vain et de néant, j'essaie voir s'il trouvera de quoi lui donner corps et de quoi l'ap-
10 puyer et étançonner[11]. Tantôt, je le promène à un sujet noble et tracassé[12], auquel il n'a rien à trouver de soi[13], le chemin en étant si frayé[14] qu'il ne peut marcher que sur la piste d'autrui. Là, il fait son jeu à élire[15] la route qui lui semble la meilleure, et, de mille sentiers, il dit[16] que celui-ci,
15 ou celui-là, a été le mieux choisi. Je prends de la fortune[17] le premier argument[18]. Ils me sont également bons. Et ne desseigne[19] jamais de les produire entiers. **Car je ne vois le**

1. *ineptie* : sens peut-être un peu moins fort qu'aujourd'hui (où il signifie : profonde bêtise), à l'époque : sottise, stupidité.
2. *mettre en rôle* : inscrire sur un rôle, c'est-à-dire un registre.
3. *à tous sujets* : pour tous sujets.
4. *À cette cause* : Pour cette raison.
5. *entende* : comprenne, saisisse par l'intelligence.
6. *gué* : endroit d'une rivière où le niveau de l'eau est assez bas pour qu'on puisse traverser à pied ; ici au figuré, cette métaphore du cheminement est filée dans le texte (cf. «*passer outre*», «*je le promène*», «*chemin si frayé*», «*piste d'autrui*»...).
7. *le* : il s'agit toujours du gué de la «rivière», symbolisant un sujet que le jugement trouve sur sa route et qu'il lui faut «traverser».
8. *passer outre* : traverser, passer sur l'autre rive.
9. *trait* : trait caractéristique.
10. *voire* : et même.
11. *étançonner* : soutenir à l'aide d'étançons, c'est-à-dire de grosses pièces de bois (cf. béquilles, contreforts, étais) qu'on place le plus verticalement possible contre l'ouvrage à consolider ; d'où, au figuré, étayer.
12. *tracassé* : parcouru en tous sens (cf. aujourd'hui notre expression : «un sujet bateau»).
13. *de soi* : par lui-même.

sans but précis, que, pour en contempler à mon aise la bêtise et l'étrangeté, j'ai commencé à les écrire sur un registre, et j'espère, avec le temps, lui en faire honte à lui-même.

. La mise à l'épreuve de son jugement (I, 50, *De Démocrite et Héraclite*)

Le jugement est un outil pour tous sujets, et il se mêle de tout. Moyennant quoi, pour les essais que je fais ici du mien, j'emploie toute sorte d'occasion. Mettons un sujet que je ne comprenne pas : c'est à cette incompréhension même que j'essaie mon jugement, sondant le gué de bien loin ; et puis, le trouvant trop profond pour ma taille, je reste sur la rive : et, cette prise de conscience que je ne peux pas passer de l'autre côté, c'est un effet de son action, et même un des effets dont il se vante le plus. Tantôt, abordant un sujet vain, un sujet de rien, j'essaye de voir s'il trouvera de quoi lui donner consistance et de quoi l'appuyer et l'étayer. Tantôt je le promène devant un sujet noble et rebattu, dans lequel il n'a rien à trouver par lui-même, le chemin étant si frayé qu'il ne peut marcher que sur la piste d'autrui. Là, il joue à distinguer la route qui lui semble la meilleure, et, entre mille sentiers, il dit que c'est celui-ci, ou celui-là, qui a été le mieux choisi. C'est le hasard qui me fournit le premier thème. Tous sont aussi bons pour moi. Et je ne projette jamais de les présenter en entier. Car je ne vois le tout de rien. Pas plus que ne le voient ceux qui

---

14. *frayé* : tracé, ouvert, dégagé de tous les obstacles qui peuvent rendre la marche difficile (cf. l'expression « se frayer un chemin »).
15. *élire* : choisir.
16. *il dit* : c'est toujours le jugement qui donne son opinion.
17. *la fortune* : notion importante chez Montaigne (cf. texte n° 33).
18. *argument* : élément de preuve (sens moderne le plus courant), mais aussi thème, exposé sommaire d'un sujet qui va être développé (ex. : argument d'une pièce de théâtre).
19. *ne desseigne* : je n'ai pour dessein (l'omission du « je », et plus généralement du pronom personnel sujet, est fréquente dans la langue du XVIe siècle).

tout de rien. Ne font pas[1], ceux qui promettent de nous le faire voir. De cent membres et visages qu'a
20 chaque chose, j'en prends un tantôt à lécher[2] seulement, tantôt à effleurer, et parfois à pincer jusqu'à l'os. J'y donne une pointe[3], non pas le plus largement, mais le plus profondément que je sais. Et aime plus souvent à les saisir par quelque lustre[4] inusité. Je me
25 hasarderais de traiter à fond quelque matière, si je me connaissais moins. Semant ici un mot, ici un autre, échantillons dépris[5] de leur pièce, écartés sans dessein et sans promesse, je ne suis pas tenu d'en faire bon[6], ni de m'y tenir moi-même, sans varier quand il
30 me plaît ; et me rendre[7] au doute et incertitude, et à ma maîtresse forme, qui est l'ignorance.

(I, 50, *De Démocrite et Héraclite*)

7. Une introspection de vingt années

Ce qui me sert, peut aussi par accident servir à un autre. Au demeurant, je ne gâte rien, je n'use que du mien[8]. Et si je fais le fol, c'est à mes dépens et sans l'intérêt de personne. Car c'est en folie[9] qui meurt en
5 moi, qui n'a point de suite. Nous n'avons nouvelles que de deux ou trois anciens[10] qui aient battu ce chemin ; et si ne pouvons dire si c'est du tout en pareille manière à celle-ci[11], n'en connaissant que les noms. Nul depuis ne s'est jeté sur leur trace. C'est une épi-
10 neuse entreprise, et plus qu'il ne semble, de suivre une allure si vagabonde que celle de notre esprit ; de pénétrer les profondeurs opaques de ses replis internes ; de choisir et arrêter tant de menus airs[12] de ses

1. *Ne font pas* : Ils ne le font pas non plus (la brusquerie de l'expression lui donne le sens d'une surenchère : « je dirai même plus... »).
2. *lécher* : ici, l'image est double, « *lécher* » étant mis pour « passer la langue sur » et le mot « langue » étant pris en son sens figuré : « langage ». Autrement dit, « *à lécher* » : à évoquer.
3. *j'y donne une pointe* : porter une attaque (image d'escrime).
4. *lustre* : reflet, aspect.
5. *dépris* : détachés.
6. *faire bon* : faire un vrai, un bon travail, quelque chose de bien.
7. *et me rendre* : et sans me rendre.
8. *du mien* : de ce qui est à moi.
9. *en folie* : en une folie (probablement y a-t-il chez Montaigne la volonté stylistique de mettre en regard les deux expressions « *en folie* » / « *en moi* »).

promettent de nous le faire voir. Parmi les cent membres et visages qu'a chaque chose, j'en prends un tantôt pour y passer seulement la langue, tantôt pour l'effleurer, et parfois pour le pincer jusqu'à l'os. Je me fends et j'y pousse une pointe, non pas le plus largement, mais le plus profondément que je puis. Et j'aime aussi le plus souvent saisir ces thèmes par un reflet insolite. Je me hasarderais à traiter à fond une quelconque matière si je me connaissais moins. Semant ici un mot, ici un autre, échantillons détachés de leur ensemble, écartés sans projet et sans engagement pour la suite, je ne suis pas tenu d'en faire quelque chose pour de bon, ni de m'y tenir moi-même sans varier quand cela me plaît, ou revenir au doute et à l'incertitude, et à ma forme maîtresse, qui est l'ignorance.

Une introspection de vingt années (II, 6, *De l'exercitation*)

Ce qui me sert peut aussi éventuellement servir à un autre. Au demeurant, je ne gâte rien, je n'utilise que ce qui est à moi. Et, si je fais le fou, c'est à mes dépens et sans préjudice pour quiconque. Car c'est en une folie qui meurt en moi, qui est sans conséquences. Nous n'avons entendu parler que de deux ou trois Anciens qui aient battu ce chemin ; et encore ne pouvons-nous pas dire si c'est d'une manière tout à fait semblable à celle-ci, puisque nous ne connaissons que leurs noms. Nul, depuis, ne s'est lancé sur leur trace. C'est une épineuse entreprise, et plus qu'il ne semble, de suivre une allure aussi vagabonde que celle de notre esprit ; de pénétrer les profondeurs opaques de ses replis internes ; de choisir et de fixer tant de menues apparences qu'il revêt

---

10. *ou trois anciens* : ces deux ou trois personnages qui ont entrepris, dans l'Antiquité, de parler d'eux-mêmes semblent être Lucilius (non pas l'ami de Sénèque, mais quelqu'un qu'évoque le poète Horace dans sa *satire* II, 1), ainsi qu'Archiloque et Alcée (VIIe siècle avant J.-C.), mais, comme le dit Montaigne, nous n'avons pas gardé les textes de ces premières tentatives.
11. *celle-ci* : ma manière d'opérer.
12. *menus airs* : apparences fugitives, infimes.

agitations. Et est[1] un amusement[2] nouveau et extraordinaire, qui nous retire des occupations communes
15 du monde, oui, et[3] des plus recommandées. Il y a plusieurs années que je n'ai que moi pour visée à mes pensées, que je ne contrôle et étudie que moi ; et, si j'étudie autre chose, c'est pour soudain le coucher sur
20 moi, ou en moi, pour mieux dire. Et ne me semble point faillir[4], si, comme il se fait des autres sciences, sans comparaison moins utiles[5], je fais part de ce que j'ai appris en celle-ci ; quoique je ne me contente guère du progrès[6] que j'y ai fait. Il n'est description
25 pareille en difficulté à la description de soi-même, ni certes en utilité. Encore se faut-il testonner[7], encore se faut-il ordonner et ranger pour sortir en place. Or je me pare sans cesse, car je me décris sans cesse. La coutume a fait le parler de soi vicieux, et le prohibe
30 obstinément en haine de la ventance[8] qui semble toujours être attachée aux propres[9] témoignages. Au lieu qu'on[10] doit moucher l'enfant, cela s'appelle l'énaser[11],

In vitium ducit culpae fuga.

35 Je trouve plus de mal que de bien à ce remède. Mais, quand[12] il serait vrai que ce fût nécessairement présomption d'entretenir le peuple de soi, je ne dois pas, suivant mon général dessein[13], refuser une action qui publie cette maladive qualité[14], puisqu'elle est en
40 moi ; et ne dois[15] cacher cette faute que j'ai non seulement en usage, mais en profession[16]. Toutefois, à

---

1. *Et est* : Et c'est.
2. *amusement* : occupation, activité qui prend du temps, souvent, mais pas ici, avec un sens péjoratif (« amuser » vient de « muser » : littéralement, « rester le museau en l'air »).
3. *oui, et* : non seulement, mais même (« et » : sens du latin *etiam*).
4. *Et ne me semble point faillir* : Et je ne me semble point faillir, c'est-à-dire me tromper, d'où : Et il ne me semble point que je me trompe.
5. *sans comparaison moins utiles* : l'état des sciences au XVIe siècle en Occident était à peine plus avancé encore que dans l'Antiquité.
6. *progrès* : évolution (sans valeur élogieuse).
7. *se testonner* : s'arranger la tête, se coiffer, se peigner (ici, au figuré).
8. *ventance* : vantardise.
9. *propres témoignages* : témoignages personnels.
10. *Au lieu qu'on* : Alors qu'on.
11. *énaser* : arracher le nez.

dans ses agitations. Et c'est une activité nouvelle et extraordinaire qui nous arrache aux occupations courantes du monde et même à celles qui sont le plus considérées. Il y a de nombreuses années que je n'ai que moi pour visée, que je ne contrôle et n'étudie que moi ; et, si j'étudie autre chose, c'est pour aussitôt l'appliquer à moi, ou en moi, pour mieux dire. Et il ne me semble pas que je commette une erreur si, comme cela se fait pour les autres sciences, incomparablement moins utiles, je fait part de ce que j'ai appris dans celle-ci, quoique je ne sois guère content de l'évolution que j'y ai faite. Il n'est pas de description aussi difficile que la description de soi-même, ni certes aussi utile. Encore faut-il se peigner, encore faut-il se rendre présentable et s'arranger pour sortir sur la place. Or je me pare sans cesse, car je me décris sans cesse. La coutume a fait du parler de soi un vice, et le prohibe obstinément en haine de la vantardise, qui semble toujours être attachée aux témoignages personnels.

Alors qu'on doit moucher l'enfant, cela s'appelle lui arracher le nez : *« C'est au vice que conduit la peur de la faute »* (Horace, *Art poétique*, 31).

Je trouve plus de mal que de bien à ce remède. Mais quand bien même il serait vrai qu'entretenir le peuple de soi fût nécessairement de la présomption, je ne dois pas, moi, d'après mon projet général, refuser un acte qui rende publique cette caractéristique morbide, puisqu'elle est en moi ; et je ne dois pas cacher ce défaut que non seulement je pratique, mais que je professe.

---

12. *quand* (+ conditionnel) : quand bien même.
13. *mon général dessein* : cf. l'avis *Au lecteur* (texte n° 1).
14. *qualité* : caractéristique (sans valeur élogieuse).
15. *et ne dois* : et je ne dois.
16. *profession* : proclamation, aveu public.

dire ce que j'en crois, cette coutume a tort de condamner le vin, parce que plusieurs s'y enivrent. On ne peut abuser que des choses qui sont bonnes.

(II, 6, *De l'exercitation*)

ESSAIS
DE MESSIRE
MICHEL SEIGNEVR
DE MONTAIGNE,
CHEVALIER DE L'ORDRE
du Roy, & Gentil-homme ordi-
naire de sa Chambre.

LIVRE PREMIER
& second.

A BOVRDEAVS.
Par S. Millanges Imprimeur ordinaire du Roy.
M.D.LXXX.
AVEC PRIVILEGE DV ROY.

Frontispice du premier livre (édition de 1580 : état A du texte).

Toutefois, pour dire ce que j'en crois, cette coutume a tort de condamner le vin parce que beaucoup s'y enivrent. On ne peut abuser que des choses qui sont bonnes.

ESSAIS
DE MESSIRE
MICHEL SEIGNEVR DE
MONTAIGNE CHEVALIER
de l'ordre du Roy, & Gentil-homme
ordinaire de sa Chambre.
LIVRE SECOND.

A BOVRDEAVS.
Par S. Millanges Imprimeur ordinaire du Roy.
M.D.LXXX.
AVEC PRIVILEGE DV ROY.

Frontispice du second livre (édition de 1580 : état A du texte).

Questions

Compréhension

1. *En vingt ans, la conception de Montaigne quant à l'utilisation qu'il pouvait faire du temps que lui laissait sa retraite s'est considérablement précisée. Quelles en sont les grandes étapes, à en juger d'après chacun des trois extraits et d'après les différences perceptibles d'un état à l'autre du texte ?*

2. *Que penser, dans le texte n° 5, de l'expression* « faisant le cheval échappé » *? Montaigne semble dire qu'il n'avait pas prévu ce résultat. Qu'en conclure sur la genèse des* Essais *par rapport à ce qu'on apprend dans l'avis* Au lecteur *?*

3. *Le terme* « essais » *connaît l'un de ses premiers emplois dans le texte n° 6 (l. 2). Comment l'y définiriez-vous ?*

4. *L'expression* « mettre en rôle » *(écrire sur un registre), du texte n° 5, revient, sous la forme du verbe* « contrôler » *(enregistrer – en français du* XVI*e siècle :* « contreroller »*), dans le texte n° 7. Si l'on sait que le premier passage date d'environ 1572 (état A du texte et l'un des premiers essais du livre I) et que le second est postérieur à 1588-1589 (état C du texte), comment interpréter ce retour des mêmes termes ? Comment a évolué le regard de Montaigne sur cette même attitude ?*

Écriture

6. *Au début du texte n° 5, la comparaison homérique est révélatrice à la fois de l'attachement de Montaigne aux Anciens et à leur style et de la vision que l'écrivain a de lui-même. De quelle vision s'agit-il ?*

LES

ESSAIS

DE MICHEL SEI-
GNEVR DE MONTAIGNE.

EDITION NOVVELLE, TROVVEE APRES le deceds de l'Autheur, reueuë & augmentée par luy d'vn tiers plus qu'aux precedentes Impreßions.

A PARIS,

Chez MICHEL SONNIVS, ruë sainct Iaques.
à l'escu de Basle.

CIↃ. IↃ. XCV.

AVEC PRIVILEGE.

Frontispice de la première édition posthume des Essais, établie par Mlle de Gournay en 1595.

8. Le regard sur soi-même, gage de lucidité comme de distanciation

Par ces traits de ma confession[1], on en peut imaginer d'autres à mes dépens[2]. Mais, quel que je me fasse connaître, pourvu que je me fasse connaître tel que je suis, je fais mon effet. Et si[3], ne m'excuse pas d'oser mettre par
5 écrit des propos si bas et frivoles que ceux-ci. La bassesse du sujet[4] m'y contraint. **Qu'on accuse, si on veut, mon projet[5] ; mais mon progrès[5], non.** Tant y a que[6], sans l'avertissement d'autrui, je vois assez ce peu que tout ceci vaut et pèse, et la folie de mon dessein. C'est prou[7] que
10 mon jugement ne se déferre[8] point, duquel ce sont ici les essais :

> *Nasutus sis usque licet, sis denique nasus,*
> *Quantum noluerit ferre rogatus Athlas,*
> [...]
> 15 *Non potes in nugas dicere plura meas,*
> *Ipse ego quam dixi.* [...]

Je ne suis pas obligé à ne dire point de sottises, pourvu que je ne me trompe pas à les connaître[9]. Et de faillir à mon
20 escient[10], cela m'est si ordinaire que je ne faux[11] guère d'autre façon : je ne faux jamais fortuitement. C'est peu de chose de prêter à la témérité de mes humeurs les actions ineptes[12], puisque je ne me puis pas défendre d'y prêter ordinairement les vicieuses.

---

1. *confession* : confidence, révélation sur soi-même.
2. *d'autres à mes dépens* : d'autres qui ne me flattent pas, qui me portent préjudice.
3. *Et si* : Et ainsi, voilà pourquoi.
4. *du sujet* : c'est-à-dire de moi-même (qui suis « *la matière de mon livre* », cf. l'avis *Au lecteur*).
5. *projet, progrès* : projet, dessein théorique par opposition à la réalisation de ce projet, c'est-à-dire à la manière qu'a Montaigne d'y *procéder* et à la *progression* qu'il suit pour y parvenir.
6. *Tant y a que* : Toujours est-il que.
7. *prou* : beaucoup.

8. Le regard sur soi-même, gage de lucidité comme de distanciation (II, 17, *De la présomption*)

À partir de ces traits de caractère que j'avoue avoir, on peut en imaginer d'autres qui me feront tort. Mais, quelle que soit l'image que je donne de moi, pourvu que j'en donne une conforme à ce que je suis, j'arrive à mes
5 fins. Ainsi, je ne m'excuserai pas d'oser mettre par écrit des propos aussi bas et frivoles que ceux-ci. C'est la bassesse du sujet qui m'y contraint. Qu'on attaque, si l'on veut, mon projet, mais mon procédé, non. Aussi bien n'ai-je pas besoin des avis d'autrui pour voir le peu
10 de valeur, le peu de poids de tout ceci, et la folie de mon dessein. C'est déjà beaucoup que mon jugement, dont ce sont ici les essais, ne perde pas ses fers :
« Quelque nez que vous ayez, même un nez si gros qu'Atlas n'aurait pas consenti à le porter [...], *vous ne*
15 *parviendrez pas à dire pis de mes bagatelles que je n'en ai dit moi-même »* (Martial, *Épigrammes*, livre XIII, II, chapitre 1).
Je ne suis pas obligé de ne point dire de sottises, pourvu que je ne me trompe pas quand il s'agit de les
20 reconnaître. Et, du reste, faire des erreurs en en ayant conscience, cela m'est si habituel que je n'en fais guère autrement : je ne fais jamais d'erreur par hasard. C'est peu de chose d'attribuer à l'aveuglement de mon humeur les actions idiotes, puisque je ne peux m'empê-
25 cher de lui attribuer ordinairement les vicieuses.

---

8. *se déferrer* : perdre ses fers (comme un cheval), c'est-à-dire perdre ses repères, les cadres qui lui permettent de s'exercer (en parlant du jugement).
9. *connaître* : discerner, reconnaître, repérer.
10. *à mon escient* : en en ayant conscience.
11. *faux* : 1ère pers. sing., présent indicatif du verbe « faillir » : se tromper, commettre une faute, une erreur.
12. *ineptes* : stupides (sens moins fort qu'à notre époque).

25 Je vis un jour[1], à Bar-le-Duc, qu'on présentait au roi François second, pour la recommandation de la mémoire de René, Roi de Sicile[2], un portrait qu'il avait lui-même fait de soi. Pourquoi n'est-il loisible de même à un chacun de se peindre de la plume, comme il se peignait d'un crayon ? [...]
30 Le monde regarde toujours vis-à-vis[3] ; moi, je replie ma vue au-dedans, je la plante, je l'amuse là. Chacun regarde devant soi ; moi, je regarde dedans moi : je n'ai affaire qu'à moi, je me considère sans cesse, je me contrôle, je me goûte. Les autres vont toujours ailleurs, s'ils y pensent
35 bien[4] ; ils vont toujours avant[5] :

nemo in sese tentat descendere,

moi je me roule en moi-même.

(II, 17, *De la présomption*)

9. Le plaisir et les fruits de l'oisiveté : une démarche volontairement humble et défendue comme telle.

Voire[6], mais on me dira que ce dessein de se servir de soi pour sujet à écrire serait excusable à des hommes rares et fameux qui, par leur réputation, auraient donné quelque désir de leur connaissance[7]. Il est certain ; je l'avoue ; et sais
5 bien que, pour voir un homme de la commune façon, à peine qu'un artisan lève les yeux de sa besogne, là où, pour voir un personnage grand et signalé[8] arriver en une ville, les ouvroirs[9] et les boutiques s'abandonnent. [...]

---

1. *un jour* : en septembre 1559, Montaigne vit le roi François II qui conduisait alors en Lorraine Claude de France, sa sœur, mariée à Charles III, duc de Lorraine.
2. *Roi de Sicile* : René, duc d'Anjou et comte de Provence (1409-1480), était appelé le roi René à cause de ses droits sur les royaumes de Sicile et de Jérusalem, mais il avait dû abandonner le royaume de Naples après avoir été assiégé par Alphonse d'Aragon en 1442 ; il avait aussi été duc de Lorraine (d'où la présence de cet autoportrait à Bar-le-Duc). Il reste, pour la tradition, le « bon roi René ».
3. *vis-à-vis* : en face.
4. *s'ils y pensent bien* : cette subordonnée de condition relativise non pas l'action elle-même (ils vont ailleurs), mais l'affirmation même de cette action et de sa validité par Montaigne (les autres devraient reconnaître qu'ils vont ailleurs).
5. *avant* : en avant.

Je vis un jour, à Bar-le-Duc, présenter au roi François II, pour honorer la mémoire de René, roi de Sicile, un portrait que ce dernier avait lui-même fait de lui. Pourquoi n'est-il pas permis, de même, à tout un chacun de se peindre de la plume, comme il se peignait d'un crayon ?
[...]
Le monde regarde toujours en face de lui ; moi, je replie mon regard à l'intérieur, je le fixe, je l'occupe là. Chacun regarde devant soi ; moi je regarde au-dedans de moi : je n'ai affaire qu'à moi, je me considère sans cesse, je me contrôle, je me tâte. Les autres vont toujours ailleurs, ils le constateront s'ils y pensent bien ; ils vont toujours en avant :
« *Personne ne tente de descendre en soi-même* » (Perse, *Satires*, IV),
moi je me roule en moi-même.

9. Le plaisir et les fruits de l'oisiveté : une démarche volontairement humble et défendue comme telle (II, 18, *Du dé-mentir*)

Soit, mais on me dira que ce dessein de se servir de soi comme sujet sur lequel écrire serait excusable chez des hommes rares et célèbres qui, par leur réputation, auraient fait naître un quelconque désir de les connaître. Cela est certain, j'en conviens ; et je sais bien que, pour voir un homme comme tout le monde, c'est à peine si un artisan lève les yeux de son ouvrage, tandis que, pour voir un haut et illustre personnage arriver dans une ville, on abandonne les ateliers et les boutiques. [...]

---

6. *voire* : soit (c'est ici le début du chapitre 18 du livre II, *Du démentir*, qui enchaîne directement son propos avec celui du précédent essai, *De la présomption*, dont notre extrait n° 8 était justement tiré). Le *démenti*, dans l'ancienne France, c'était, comme le souligne André Lanly dans son édition des *Essais* (Champion, 1989), « le fait de dire à quelqu'un (un accusateur, par exemple) *qu'il en avait menti* : l'homme ainsi offensé devait demander réparation par les armes ». C'est une notion importante qui revient souvent chez Montaigne ; cf. notre texte n° 35.
7. *de leur connaissance* : de faire leur connaissance.
8. *signalé* : notable, célèbre.
9. *ouvroirs* : ateliers.

Cette remontrance est très vraie, mais elle ne me touche
10 que bien peu. [...]
Je ne dresse pas ici une statue à planter[1] au carrefour d'une ville, ou dans une église, ou place publique :

Non equidem hoc studeo, bullatis ut mihi nugis
Pagina turgescat.
15 *Secreti loquimur.*

C'est pour le coin d'une librairie, et pour en amuser[2] un voisin, un parent, un ami, qui aura plaisir à me raccointer[3] et repratiquer[4] en cette image. Les autres ont pris cœur[5] de
20 parler d'eux pour y avoir trouvé le sujet digne et riche ; moi, au rebours, pour l'avoir trouvé si stérile et si maigre qu'il n'y peut échoir[6] soupçon d'ostentation. [...]
Et quand personne ne me lira[7], ai-je perdu mon temps de m'être entretenu tant d'heures oisives à pense-
25 ments si utiles et agréables ? Moulant sur moi cette figure, il m'a fallu si souvent dresser[8] et composer pour m'extraire, que le patron s'en est fermi[9] et aucunement formé soi-même. Me peignant pour autrui, je me suis peint en moi de couleurs plus nettes
30 que n'étaient les miennes premières. Je n'ai pas plus fait mon livre que mon livre m'a fait, livre consubstantiel à son auteur, d'une occupation propre[10], membre de ma vie ; non d'une occupation et fin tierce[11] et étrangère comme tous autres livres.
35 Ai-je perdu mon temps de m'être rendu compte[12] de moi si continuellement, si curieusement[13] ? Car ceux qui se repassent[14] par fantaisie seulement et par

1. *planter* : placer, installer.
2. *amuser* : occuper (cf. note 2, page 44).
3. *raccointer* : rencontrer à nouveau.
4. *repratiquer* : fréquenter derechef.
5. *pris cœur* : ont pris le courage de (plutôt que : « ont eu à cœur de », c'est-à-dire « ont souhaité », qui serait ici un sens néanmoins très possible et d'ailleurs proche).
6. *il n'y peut échoir* : littéralement, il ne peut arriver (« *échoir* ») à ce sujet (« *y* ») d'encourir le soupçon de rechercher l'ostentation ; le « *il* » est ici un impersonnel. On remarquera que, comme toujours lorsqu'il s'agit d'une révélation qui le touche de près, l'expression de Montaigne se fait très ramassée et devient presque obscure (cf. la fin de l'extrait n° 2 et la note 13, page 17, en particulier).
7. *quand personne ne me lira* : admettons que, dans l'avenir, personne ne me lise.
8. *me dresser* : me préparer (comme on dresse une table).

10 Ce reproche est tout à fait fondé ; mais il ne me touche que bien peu. [...] Je ne dresse pas ici une statue à ériger au carrefour d'une ville, ou dans une église, ou sur une place publique : *« Je ne vise pas à emplir ces pages de bagatelles ampoulées. Nous parlons en tête à tête.»* (Perse,
15 *Satires*, V, 19)
Ce que je livre est bon pour un coin de bibliothèque, et pour y occuper un voisin, un parent, un ami, qui aura plaisir à me fréquenter de nouveau, et à reprendre ses relations avec moi à travers cette image. Les autres ont
20 été encouragés à parler d'eux parce qu'ils ont trouvé là un digne et riche sujet ; moi, au contraire, parce que j'en ai trouvé un si stérile et si maigre que la recherche d'ostentation ne peut être suspectée à son propos. [...]
Et, quand bien même personne ne me lira, ai-je perdu
25 mon temps à m'être entretenu, pendant tant d'heures de loisir, de pensées si utiles et si agréables ? Moulant cette figure sur moi-même, il m'a fallu si souvent me préparer et mettre de l'ordre en moi pour dégager mes traits, que le modèle s'en est affermi et dans une certaine mesure
30 formé lui-même. Me peignant pour autrui, je me suis peint dans mon for intérieur de couleurs plus nettes que n'étaient les miennes au départ. Je n'ai pas plus fait mon livre que mon livre ne m'a fait, livre consubstantiel à son auteur, n'ayant à s'occuper que de lui, membre de ma
35 vie ; et non pas à s'occuper d'une tierce personne, à considérer une fin étrangère, comme font tous les autres livres. Ai-je perdu mon temps en me tenant au courant de moi-même si assidûment, si soigneusement ? Car ceux qui s'analysent en pensée seulement et oralement,

---

9. *fermi* : affermi.
10. *d'une occupation propre* : (livre) issu d'une occupation qui touche personnellement son auteur.
11. *tierce* : extérieure, externe.
12. *de m'être rendu compte* : comme on fait un compte rendu (de là, on arrive au sens moderne : prendre conscience de).
13. *curieusement* : avec curiosité, avec soin (et non : avec bizarrerie).
14. *se repassent* : revoient en pensée le cours de leur évolution.

langue quelque heure, ne s'examinent pas si primement[1], ni ne se pénètrent, comme celui qui en fait son
40 étude, son ouvrage et son métier, qui s'engage à un registre de durée, de toute sa foi, de toute sa force. Les plus délicieux plaisirs, si se digèrent-ils[2] au-dedans, fuient[3] à laisser trace de soi, et fuient la vue non seulement du peuple, mais d'un autre.
45 Combien de fois m'a cette besogne diverti de cogitations ennuyeuses! et doivent être comptées pour ennuyeuses toutes les frivoles. Nature nous a étrennés[4] d'une large faculté à nous entretenir[5] à part, et nous y appelle souvent pour nous apprendre que nous nous
50 devons en partie à la société, mais en la meilleure partie à nous. Aux fins de[6] ranger ma fantaisie à rêver même[7] par[8] quelque ordre et projet, et la garder de se perdre et extravaguer au vent, il n'est que de[9] donner corps et mettre en registre tant de menues pen-
55 sées qui se présentent à elle. J'écoute à[10] mes rêveries parce que j'ai à les enrôler[11]. Quant[12] de fois, étant marri[13] de quelque action que la civilité et la raison me prohibaient de reprendre à découvert, m'en suis-je ici dégorgé, non sans dessein de publique
60 instruction! Et si, ces verges poétiques :

Zon dessus l'œil, zon sur le groin,
Zon sur le dos du Sagouin[14]!

---

1. *si primement* : de manière aussi primordiale, radicale.
2. *si se digèrent-ils* : même s'ils se digèrent.
3. *fuient à* : répugnent à.
4. *étrennés* : gratifiés (comme les parrains et marraines donnent des étrennes à leurs filleuls, ou comme les postiers, pompiers et facteurs viennent en réclamer à chaque fin d'année).
5. *nous entretenir* : avoir des entretiens avec nous-mêmes.
6. *Aux fins de* : Afin de.
7. *à rêver même* : fût-ce à rêver (les mots « rêve », « rêverie », « rêver » ont, au XVIe siècle, un sens très fort et en général péjoratif : synonymes de « folie, pensée déraisonnable, délire »).
8. *par* : suivant, selon.
9. *il n'est que de* : il suffit de (sens encore parfaitement connu aujourd'hui).
10. *J'écoute à* : Je prête l'oreille à.
11. *enrôler* : mettre en rôle, en registre (le rôle, au sens administratif et juridique du terme, est un registre où sont portées, par ordre chronologique, toutes les affaires dont une juridiction est saisie : d'où l'expression traiter les affaires, faire parler les gens, etc., « à tour de rôle »).

40 une heure en passant, ne s'examinent pas aussi essentiellement, ni ne pénètrent en eux-mêmes, que celui qui en fait son étude, son ouvrage et son métier, qui s'engage à un compte rendu sur la durée, de toute sa foi, de toute sa force.

45 Les plaisirs les plus délicieux, bien qu'ils soient savourés intérieurement, évitent de laisser des traces d'eux-mêmes, et évitent les regards, non seulement de la foule, mais même d'une autre personne.

Combien de fois cette besogne m'a distrait de réflexions 50 ennuyeuses! Et l'on doit mettre au nombre des ennuyeuses toutes les frivoles. La nature nous a gratifiés d'une large aptitude à nous entretenir à l'écart, et elle nous y appelle souvent pour nous apprendre que nous nous devons en partie à la société, mais, pour la meil-55 leure partie, à nous-mêmes. Si je veux mener mon imagination, fût-ce à délirer, suivant un certain ordre et une organisation, et l'empêcher de se perdre et d'extravaguer au vent, il n'y a rien comme de donner corps à tant de menues pensées qui se présentent à elle, et de les 60 noter sur un registre. Je suis à l'écoute de mes délires parce que je dois les inscrire. Combien de fois, contrarié par telle action que la politesse et le bon sens m'interdisaient de critiquer ouvertement, je m'en suis soulagé ici, non sans viser à en tirer des enseignements pour tous! 65 Ainsi, ces coups de fouets poétiques :

« Zon dessus l'œil, zon sur le groin,
Zon sur le dos du Sagouin! »,

---

12. *Quant* : Combien (latin *quantum*).
13. *marri* : chagriné, agacé.
14. Vers tirés du poème satirique *Le Valet de Marot contre Sagon* de Clément Marot, publié en 1537. Dans ce poème, l'auteur suppose que la réponse à l'accusation d'hérésie, que lui avait portée son ennemi Sagon, est faite par son valet Pippelippes. La querelle de Marot et de Sagon avait passionné la cour de François Ier.

s'impriment encore mieux en papier qu'en la chair vive. Quoi, si[1] je prête un peu plus attentivement
65 l'oreille aux livres, depuis que je guette si j'en pourrai friponner quelque chose de quoi émailler ou étayer le mien ?

(II, 18, *Du démentir*)

Portrait de Montaigne, eau forte de Saint Aubin terminée au burin par Romanet, Bibliothèque Nationale.

1. *Quoi, si* : Que dire du fait que... (du latin *quid si*. Montaigne emploie beaucoup de latinismes, car c'est sa langue maternelle ; cf. texte n° 18).

s'impriment encore mieux sur le papier que sur la chair vive. Que dire du fait que je prête un peu plus attentivement l'oreille aux livres depuis que je guette si je pourrai en chaparder de quoi émailler ou étayer le mien ?

Portrait de Montaigne, gravure de Thomas de Leu.

Questions

Compréhension

1. *Comment, dans le texte n° 8, comprendre l'allégation :* « quel que je me fasse connaître, pourvu que je me fasse connaître tel que je suis, je fais mon effet » *? L'addition C :* « Qu'on accuse, si on veut, mon projet, mais mon progrès, non », *témoigne-t-elle d'un état d'esprit différent ?*

2. *Le terme* « essais » *a-t-il ici, selon vous, une signification autre que celle rencontrée dans le texte n° 6 ?*

3. *Quel est l'intérêt – au moins double – de l'allusion au roi René ? Connaissez-vous des peintres antérieurs ou postérieurs à Montaigne qui se soient livrés au genre de l'autoportrait ? Citez-en au moins deux.*

4. *Comment se fait l'enchaînement du raisonnement d'un texte à l'autre, puisque les deux essais (II, 17 et 18) dont sont tirés ces extraits, se suivent ?*

5. *Que penser, dans le texte n° 9, de la justification que donne Montaigne à avoir choisi comme sujet d'étude sa propre personne, assurant que c'est pour avoir trouvé ce sujet* « si stérile et si maigre qu'il n'y peut échoir soupçon d'ostentation » *?*

6. *De quelles tendances contradictoires témoigne la longue addition C :* « Et quand personne ne me lira [...] », *avec la répétition de cette question :* « ai-je perdu mon temps » *?*

Écriture

7. *Quelles fonctions peut-on assigner aux différentes citations qui se trouvent dans ces deux extraits ?*

10. Importance de l'attention à soi-même pour se libérer des vérités toutes faites

Quelque bon dessein qu'ait un juge, s'il ne s'écoute[1] de près, à quoi peu de gens s'amusent[2], l'inclination à l'amitié, à la parenté, à la beauté et à la vengeance, et non pas seulement choses si pesantes[3], mais cet instinct fortuit qui
5 nous fait favoriser une chose plus qu'une autre, et qui nous donne, sans le congé[4] de la raison, le choix en deux pareils[5] sujets, ou quelque ombrage de pareille vanité[6], peuvent insinuer insensiblement en son jugement la recommandation ou défaveur d'une cause et donner pente à la balance.
10 Moi qui m'épie de plus près, qui ai les yeux incessamment tendus sur moi, comme celui qui n'a pas fort à faire ailleurs,

quis sub Arcto
Rex gelidae metuatur orae,
Quod Tyridatem terreat, unice
15 *Securus,*

à peine oserai-je dire la vanité et la faiblesse que je trouve chez moi. J'ai le pied si instable et si mal assis, je le trouve si aisé à crouler et si prêt au branle[7], et ma vue si déréglée, que à jeun je me sens autre qu'après le repas ; si ma santé
20 me rit et la clarté d'un beau jour, me voilà honnête homme ; si j'ai un cor qui me presse l'orteil, me voilà renfrogné, mal plaisant et inaccessible. **Un même pas de cheval me semble tantôt rude, tantôt aisé, et même chemin à cette heure plus court, une autre fois plus long, et une même**

---

1. *s'écoute* : s'observe, prête attention à ce qu'il est et à ce qu'il fait.
2. *s'amusent* : passent leur temps.
3. *pesantes* : ce mot est à mettre directement en rapport avec «*balance*» à la fin de la phrase ; il s'agit de voir comment s'équilibrent les plateaux de la balance pour le juge. (Sur cette image capitale chez Montaigne, voir notre texte n° 21.)
4. *congé* : autorisation.
5. *pareils* : similaires, semblables.
6. *vanité* : vide, inanité, futilité.

10. Importance de l'attention à soi-même pour se libérer des vérités toutes faites (II, 12, *Apologie de Raimond Sebond*)

Quelles que soient les bonnes intentions d'un juge, s'il ne s'écoute de près (activité à quoi peu de gens s'attardent), la tendance à privilégier l'amitié, la parenté, la beauté et la vengeance, et non seulement des choses de pareil poids, mais cet instinct fortuit qui nous fait favoriser une chose plutôt qu'une autre et qui, sans l'aval de la raison, nous dicte le choix entre deux sujets semblables, ou encore un quelconque mobile aussi fumeux, peuvent insinuer inconsciemment dans son jugement la préférence ou la défaveur d'une cause et faire pencher la balance.
Moi qui m'épie de plus près, qui ai les yeux constamment attachés sur moi, en homme qui n'a pas grand-chose à faire ailleurs,
« Fort peu soucieux de savoir
Quel roi on redoute sous l'Ourse aux rives glacées
Et ce qui effraie Tiridate » (Horace, *Odes*, I, 26),
à peine oserai-je dire la vanité et la faiblesse que je trouve en moi. J'ai le pied si mobile et si peu assuré, je le trouve si prompt à s'effondrer et si prêt à bouger, et ma vision des choses est si irrégulière qu'à jeun je me sens tout autre qu'après le repas ; si la santé me sourit avec la clarté d'un beau jour, me voilà homme de bonne compagnie ; mais si j'ai un cor qui me blesse l'orteil, me voilà renfrogné, désagréable et peu avenant.
Un même pas de cheval me semble tantôt rude, tantôt aisé, et un même chemin à cette heure plus court, une

---

7. *si instable et si mal assis,* [...] *si aisé à crouler et si prêt au branle* : il semble que ces indications s'opposent deux à deux, comme pour souligner les contradictions propres à Montaigne et, à travers lui, à l'être humain, contradictions entre la faiblesse (*« si mal assis », « si aisé à crouler »*) et les tendances spontanées (*« si instable », « si prêt au branle »*) de l'individu. Thème fréquent chez Montaigne et fréquemment souligné sous forme de chiasme (cf. textes nos 28 et 40 à 43).

25 **forme ores plus, ores moins agréable.** Maintenant je suis à tout faire, maintenant à rien faire ; ce qui m'est plaisir à cette heure, me sera quelque fois peine. Il se fait mille agitations indiscrètes et casuelles[1] chez moi. Ou l'humeur[2] mélancolique me tient, ou la colérique ; et de son autorité
30 privée à cette heure le chagrin prédomine en moi, à cette heure l'allégresse. Quand je prends des livres, j'aurai aperçu en tel passage des grâces excellentes et qui auront féru[3] mon âme ; qu'une autre fois j'y retombe, j'ai beau le tourner et virer[4], j'ai beau le[5] plier et le manier, c'est une masse
35 inconnue et informe[6] pour moi.
En mes écrits mêmes, je ne retrouve pas toujours l'air[7] de ma première imagination[8] ; je ne sais ce que j'ai voulu dire, et m'échaude[9] souvent à corriger et y mettre un nouveau sens, pour avoir perdu le premier, qui valait
40 **mieux. Je ne fais qu'aller et venir : mon jugement ne tire pas toujours avant ; il flotte, il vague[10],**

> *velut minuta magno*
> *Deprensa navis in mari vesaniente vento.* [...]

Chacun à peu près en dirait autant de soi, s'il se regardait
45 **comme moi.**

(II, 12, *Apologie de Raimond Sebond*)

11. Portrait en pied de Montaigne par lui-même

J'ai au demeurant la taille forte et ramassée[11] ; le visage, non pas gras, mais plein ; la complexion, **entre le jovial et le mélancolique, moyennement** sanguine et chaude[12],

1. *casuelles* : conjoncturelles, momentanées.
2. *humeur* : état d'esprit (sur la théorie des humeurs, cf. la note 4, p. 32).
3. *féru* : passé composé du verbe «férir» : frapper.
4. *virer* : retourner.
5. *le* : il s'agit du livre (le singulier n'est pas rigoureux grammaticalement, mais se comprend de façon très naturelle).
6. *informe* : sans forme, sans beauté.
7. *l'air* : l'aspect.
8. *ma première imagination* : ma première idée.

autre fois plus long; et une même façon à tel moment plus, à tel moment moins agréable. Maintenant je suis là
30 à tout faire, bientôt à ne rien faire; ce qui m'est un plaisir à cette heure me sera parfois une peine.
Il se produit en moi mille mouvements inconsidérés et contingents. Ou l'humeur mélancolique me tient, ou c'est l'humeur colérique; et avec son autorité parti-
35 culière, à cette heure le chagrin prédomine en moi, tout à l'heure l'allégresse. Quand je prends des livres, j'aurai remarqué, en tel passage, des grâces supérieures qui auront frappé mon imagination; qu'une autre fois je tombe à nouveau sur ces pages, j'ai beau le tourner et le
40 retourner, j'ai beau le plier et le manier, c'est une masse inconnue et informe pour moi.
Dans mes propres écrits, je ne retrouve pas toujours les contours de ma première idée : je ne sais plus ce que j'ai voulu dire, et je me brûle souvent les doigts à corriger et
45 à y mettre une nouvelle signification, pour avoir perdu la première, qui valait mieux.
Je ne fais qu'aller et venir; mon jugement ne va pas toujours en avant; il flotte, il divague,
« comme une faible barque surprise sur la mer
50 *immense par un vent furieux »* (Catulle, *Élégies*, XXV). [...]
Chacun à peu près en dirait autant de soi, si chacun se regardait comme moi.

11. Portrait en pied de Montaigne par lui-même (II, 17, *De la présomption*)

J'ai, au demeurant, la taille corpulente et trapue; le visage plein sans être gras; le tempérament à mi-chemin entre le jovial et le mélancolique, moyennement sanguin et chaud,

9. *m'échaude* : me brûle les doigts (sens figuré).
10. *vague* : divague.
11. *ramassée* : courte, trapue.
12. *complexion* [...] *chaude* : sur la théorie des humeurs, cf. note 4, p. 32.

Unde rigent setis mihi crura, et pectora villis;

5 la santé forte et allègre[1], jusques bien avant en mon âge rarement troublée par les maladies. J'étais tel, car je ne me considère pas à cette heure, que je suis engagé dans les avenues de la vieillesse, ayant piéça[2] franchi les quarante ans :

10 *minutatim vires et robur adultum*
Frangit, et in partem pejorem liquitur aetas.

Ce que je serai dorénavant, ce ne sera plus qu'un demi-être, ce ne sera plus moi. Je m'échappe tous les jours et me dérobe à moi,

15 *Singula de nobis anni praedantur euntes.* [...]

Mes conditions corporelles[3] sont en somme très bien accordantes à[4] celles de l'âme. Il n'y a rien d'allègre : il y a seulement une vigueur pleine et ferme. Je dure[5] bien à la peine ; mais j'y dure, si je m'y porte[6] moi-même, et autant 20 que mon désir m'y conduit,

Molliter austerum studio fallente laborem.

Autrement, si je n'y suis alléché par quelque plaisir, et si j'ai autre guide que ma pure et libre volonté, je n'y vaux rien. Car j'en suis là que, sauf la santé et la vie, il n'est chose 25 pourquoi je veuille ronger mes ongles, et que je veuille acheter au prix du tourment d'esprit et de la contrainte,

tanti mihi non sit opaci
Omnis arena Tagi, quodque in mare volvitur
[*aurum :*

extrêmement oisif[7], extrêmement libre, et par nature 30 et par art[8].

(II, 17, *De la présomption*)

---

1. *allègre* : ce mot revient souvent sous la plume de Montaigne pour désigner son état d'esprit et de corps, sinon dominant, du moins idéal à ses yeux.
2. *piéça* : depuis longtemps.
3. *Mes conditions corporelles* : Mes caractéristiques physiques.
4. *accordantes à* : en accord avec, accordées à ou avec.
5. *Je dure* : Je tiens bon, je suis dur (à la peine).
6. *je m'y porte* : j'en ai l'envie, j'y suis porté (être porté à : avoir tendance à).
7. *oisif* : ce terme désigne encore une notion importante chez Montaigne. L'oisiveté (du latin *otium*) n'est pas le désœuvrement, mais un loisir agréable et en général actif, agréable parce qu'il est actif sans y être obligé.

« Aussi ai-je les jambes hérissées de soyeux duvet et la poitrine de poils » (Martial, *Épigrammes*, II, 36),
la santé robuste et allègre jusqu'à un âge bien avancé de ma vie, rarement troublée par les maladies. Ou plutôt j'étais ainsi, car je ne m'intéresse pas à ce que je suis aujourd'hui, que me voilà engagé dans les avenues de la vieillesse, ayant depuis longtemps dépassé la quarantaine :
« peu à peu les forces et la vigueur adulte
sont brisées par l'âge qui amorce le déclin » (Lucrèce, *De rerum natura*, chant II).
Ce que je serai dorénavant, ce ne sera plus qu'un demi-être, ce ne sera plus moi. Je m'échappe tous les jours et me dérobe à moi-même,
« un à un nos biens nous sont pillés par les années qui passent » (Horace, *Épîtres*, II, 2). [...]
Mon état physique est en somme en parfaite concordance avec mon état moral. Il n'y a rien en moi d'allègre, mais seulement une vigueur pleine et ferme. Je supporte bien ce qui est pénible, mais je le supporte si je l'accepte de mon propre mouvement, et seulement dans la mesure où c'est mon désir qui m'y conduit.
« Le goût qu'on y prend trompant agréablement l'austérité du labeur » (Horace, *Satires*, II, 2).
Autrement, si je n'y suis pas alléché par un quelconque plaisir, et si j'ai un autre guide que ma pure et libre volonté, je n'y vaux rien. Car j'en suis à ce point où, en dehors de la santé et de la vie, il n'est rien pour quoi je veuille ronger mes ongles, et que je veuille acheter au prix du tourment et de la contrainte,
« À si haut prix je ne voudrais pas de tout le sable du Tage obscur avec l'or qu'il roule vers la mer » (Juvénal, *Satires*, III, 54),
car je suis extrêmement oisif, extrêmement libre, et de nature, et d'art.

---

8. *et par nature et par art* : encore une opposition de termes (cf. textes n° 3 dans ses dernières lignes et n° 8 notamment). Ici, c'est le naturel, la spontanéité opposés à l'art non seulement comme projet concerté, comme volonté délibérée, comme artefact, mais aussi comme talent, savoir-faire littéraire, et comme recherche esthétique (cf. texte n° 43).

Questions

Compréhension

1. *Quelle attitude, déjà sensible dans les textes n*os *4, 5, 8 et 9, retrouvons-nous ici dès que Montaigne met en avant l'étude de lui-même ?*

2. *Toutefois, un nouvel élément se fait jour : le sentiment de la précarité des choses et, en particulier pour Montaigne, de son propre être. Faites, en piochant dans les deux textes, un relevé des expressions qui traduisent ce sentiment.*

Écriture

3. *Quels points communs peut-on signaler entre le texte n*o *10 et le texte n*o *3 qui relatait la rencontre de Montaigne avec sa propre mort ?*

4. *Quel peut être, dans le texte n*o *11, l'intérêt des additions B et C ? Faites-en un relevé méthodique en les classant selon quelques fonctions que vous aurez repérées et formulées à votre idée.*

LIVRE SECOND. 275

droit vne lettre, ny ne ſceuz iamais tailler de plume, ny trancher à table, qui vaille. Mes conditions corporelles ſont en ſomme treſbien accordantes à celles de l'ame. Il n'y à rien d'allegre & deſoupple : il y à ſeulement vne vigueur pleine, ferme & raſſiſe. Ie dure bien à la peine, mais i'y dure, ſi ie m'y porte moy-meſme, & autant que mon deſir m'y conduit,

Molliter auſterum ſtudio fallente laborem :

Autrement, ſi ie n'y ſuis alleché par quelque plaiſir, & ſi i'ay autre guide que ma pure & libre volonté, ie n'y vaux rié. Car i'en ſuis là, que ſauf la ſanté & la vie, il n'eſt choſe que ie veuille acheter au pris du tourment d'eſprit, & de la contrainte,

tanti mihi non ſit opaci
Omnis arena Tagi, quodque in mare voluitur aurum.

I'ay vne ame libre & toute ſienne, accouſtumée à ſe conduire à ſa poſte, & n'ay eu iuſques à cett'heure ny commandant ny maiſtre forcé : i'ay marché auſſi auant, & le pas qu'il m'a pleu. Cela m'a amolli & rendu inutile au ſeruice d'autruy : & ne m'a faict bon qu'a moy : eſtant d'ailleurs d'vn naturel poiſant, pa-

Corrections manuscrites de Montaigne.

Bilan

• Ce que nous savons

Le genre de l'essai, dont Montaigne est le « créateur », s'est dégagé peu à peu de son inspiration laissée en liberté. En effet, l'auteur s'est aperçu que, livré à lui-même, son esprit, loin de se fixer et de s'arrêter, ne cessait d'aller en tous sens au risque de le déstabiliser. Montaigne a eu besoin de discipliner sa pensée pour lui éviter d'extravaguer au vent. Il a pu, au départ, être influencé, dans sa démarche et dans le choix du terme « essai », *par la fondation, sous l'égide de Charles IX qui en signa les lettres patentes en novembre 1570, de l'Académie française de musique et de poésie, dont Jean-Antoine de Baïf, l'un des membres de la Pléiade, fut parmi les initiateurs. En effet, il était spécifié que cette académie avait à* « mettre en lumière l'usage des Essays heureusement réussis » *en matière de recherche poétique et musicale. Par ailleurs, on peut tenter d'apprécier le sens de ce choix en s'aidant d'un jugement émis dès 1584, c'est-à-dire avant même l'édition du troisième livre (dont il a pu, par conséquent, influencer la rédaction), par La Croix du Maine :* « Et afin d'éclaircir le titre de ce livre, qu'il appelle *Essais* ; et pour dire ce qu'il contient et pour quelle raison il l'a ainsi intitulé, j'en dirai ici mon avis en passant. En premier lieu ce titre ou inscription est fort modeste, car si on veut prendre ce mot d'*Essais* pour *coup d'Essai*, ou *apprentissage*, cela est fort humble et rabaissé, et ne ressent rien de superbe ou arrogant ; et si on le prend pour *essais* ou *expériences*, c'est-à-dire *discours pour se façonner sur autrui*, il sera encore bien pris en cette façon : car ce livre ne contient autre chose qu'une ample déclaration de la vie dudit sieur de Montagne et chacun chapitre contient une partie d'icelle : en quoi me plaît fort la réponse que ledit sieur fit au Roi de France Henri III, lorsqu'il lui dit que son livre lui plaisait beaucoup. – Sire, répondit l'auteur, il faut donc nécessairement que je plaise à Votre Majesté, puisque mon livre lui est agréable, car il ne contient autre chose qu'un discours de ma vie et de mes actions. »

• Ce que nous pouvons nous demander

1. *N'y a-t-il pas une forme de nombrilisme ou de narcissisme à se prendre soi-même pour sujet d'étude ?*
2. *La démarche de Montaigne vous semble-t-elle s'apparenter à une science moderne ?*

LES MODÈLES HÉROÏQUES CATON D'UTIQUE,

12. Comparaison des deux Caton

13. Les premières préférences : Homère, Alexandre, Épaminondas et les autres

LES MODÈLES MOINS AGITÉS ET PLUS HUMAINS

14. Socrate est plus détendu que Caton d'Utique

15. L'art de s'abandonner aux choses : Épaminondas, Scipion l'Africain

Le relâchement et facilité honore[1], ce semble[2], à merveilles et sied mieux à une âme forte et généreuse. Épaminondas[3] n'estimait pas que de se mêler à la danse des garçons de sa ville, de chanter, de sonner[4] et s'y embe-
5 sogner[5] avec attention fut chose qui dérogeât à l'honneur de ses glorieuses victoires et à la parfaite réformation de mœurs qui était en lui. Et parmi tant d'admirables actions de Scipion l'aïeul[6], personnage digne de l'opinion d'une origine céleste, il n'est rien qui lui donne plus de
10 grâce que de le voir nonchalamment et puérilement baguenaudant[7] à amasser et choisir des coquilles, et jouer à cornichon-va-devant[8] le long de la marine avec Lélius,

---

1. *honore* : accord par voisinage avec le sujet le plus proche.
2. *ce semble* : semble-t-il.
3. *Épaminondas* : voir notre chronologie biographique des Anciens.
4. *sonner* : jouer d'un instrument à vent.
5. *s'y embesogner* : s'y concentrer, y prendre de la peine.
6. *Scipion l'aïeul* : il s'agit en fait de Scipion Émilien. Le texte de 1588 disait : « Et parmi tant d'admirables actions du jeune Scipion (tout compté le premier homme des Romains), il n'est rien qui... ».

ES ANCIENS

E LA JEUNESSE : OMÈRE, ALEXANDRE, ÉPAMINONDAS...

2. Comparaison des deux Caton (II, 28, *Toutes choses ont ur saison*)

3. Les premières préférences : Homère, Alexandre, Épaminondas et les autres (II, 36, *Des plus excellents hommes*)

E L'ÂGE MÛR : SOCRATE, SCIPION...

4. Socrate est plus détendu que Caton d'Utique (III, 12, *De la hysionomie*)

5. L'art de s'abandonner aux choses : Épaminondas, Sciion l'Africain (III, 13, *De l'expérience*)

La souplesse et la facilité d'humeur ménagent, semble-t-il, à merveille l'honneur d'une âme forte et généreuse et lui conviennent mieux. Épaminondas n'estimait pas que de se mêler à la danse des garçons de sa ville, de chanter, de jouer d'instruments et de s'y absorber fût une chose qui dérogeât à l'honneur de ses glorieuses victoires et à la parfaite intégrité de mœurs qui le caractérisait. Et parmi tant d'admirables actions de Scipion l'Africain, personnage digne qu'on lui prête une origine céleste, il n'est rien qui lui donne plus de grâce que de le voir qui s'amuse, de manière nonchalante et enfantine, à ramasser et choisir des coquillages, et à jouer à cornichon-va-devant le long des eaux marines avec Lælius, et

---

7. *baguenaudant* : s'amusant, s'ébrouant.
8. *cornichon-va-devant* : ce jeu consistait à ramasser, en courant, des objets à terre.

et, s'il faisait mauvais temps, s'amusant et se chatouillant à représenter par écrit en comédie[1] les plus populaires et basses actions des hommes et, la tête pleine de cette merveilleuse entreprise d'Annibal et d'Afrique, visitant les écoles en Sicile, et se trouvant aux leçons de la philosophie jusques à en avoir armé les dents de l'aveugle envie de ses ennemis à Rome.

(III, 13, *De l'expérience*)

Inscriptions au plafond de la « librairie » de Montaigne.

1. *en comédie* : au XVIe siècle, l'idée était courante que les véritables auteurs des pièces de Térence étaient Scipion et Laelius.

qui, s'il faisait mauvais temps, s'occupe et se délasse, en écrivant des comédies, à représenter les actions humaines les plus ordinaires et les plus basses et, la tête pleine de cette merveilleuse entreprise avec Hannibal et l'Afrique, qui visite les écoles en Sicile, et assiste aux leçons de la philosophie au point d'en avoir aiguisé les dents de l'aveugle envie de ses ennemis à Rome.

Autographes de Montaigne et de La Boétie.

Bilan

• Ce que nous savons

Montaigne, jeune, était plein d'appétit de vivre, d'ambition et de goûts héroïques. Ce sens de l'exploit, il a pu le prendre chez La Boétie. En témoignent ses premières préférences : Homère est un auteur épique ; surtout, Alexandre, César et Épaminondas sont de grands chefs de guerre, comme Hannibal et Scipion Émilien ; enfin, Caton d'Utique est le sage stoïcien par excellence et le modèle alors incontesté de Montaigne. Il est vrai que cette hiérarchie est surtout valable vers 1572 et que Caton voit son prestige décroître au fil des années, à tel point qu'il n'est pas retenu parmi les plus excellents hommes que Montaigne distingue vers 1578, date approximative de rédaction du chapitre 36 du livre II. Mais Caton avait eu droit à un chapitre personnalisé dans le livre premier : Du jeune Caton *(I, 37).*

De même, il faut faire un sort particulier, parce que leur importance se révèle dans le troisième livre, à Virgile, le plus grand des poètes pour Montaigne, et à Horace, qui clôt la dernière page des Essais : « Les plus belles vies sont, à mon gré, celles qui se rangent au modèle commun et humain, avec ordre, mais sans miracle et sans extravagance. Or la vieillesse a un peu besoin d'être traitée plus tendrement. Recommandons-la à ce Dieu protecteur de santé et de sagesse, mais gaie et sociale :

> *Frui paratis et valido mihi*
> *Latœ, dones, et, precor, integra*
> *Cum mente, nec turpem senectam*
> *Degere, nec cythara carentem.*
>
> Fils de Latone, puisses-tu m'accorder de jouir de mes biens en bonne santé et, je t'en prie, avec des facultés intactes. Fais que ma vieillesse ne soit ni honteuse ni privée de lyre. »
>
> Horace, *Odes*, I, 31.

• Ce que nous constatons par ailleurs

D'autres Anciens, absents de cette vue sommaire, sont repérables ne serait-ce qu'à la lecture des titres d'essais. Ce sont avant tout des écrivains : citons Considération sur Cicéron *(I, 40), mais Cicéron agace Montaigne ;* Défense de Sénèque et Plutarque *(II, 32) ; et* Sur des vers de Virgile *(III, 5), lequel était déjà mentionné à côté d'Homère, ce qui, comme on l'a vu, prouve sa place insigne puisqu'elle se confirme dans l'hommage du troisième livre. On sait également – le nombre des citations de cet auteur le prouve – que*

Montaigne a une affection particulière pour Lucrèce, ainsi que pour Tacite, évoqué dans l'essai 8 du livre III, De l'art de conférer. *Parmi les penseurs, il convient de distinguer Démocrite et Héraclite, qui donnent son titre au chapitre 50 du livre I. Enfin, l'homme d'État qui ressort des deux premiers livres est César, avec les essais* D'un mot de César *(I, 53) et* Observations sur les moyens de faire la guerre de Jules César *(II, 34) ; on peut leur rattacher encore le chapitre 33 du livre II,* L'histoire de Spurina, *qui – s'il évoque, à la suite de Valère Maxime, un jeune homme de Toscane doué d'une si extraordinaire beauté qu'il se taillada le visage – parle essentiellement de César. Sur l'exemplaire de César qu'il possédait, Montaigne avait écrit :* « C'est César un des plus grands miracles de nature. Si elle eût voulu ménager ses faveurs, elle en eût bien fait deux pièces admirables : le plus disert, le plus net et le plus sincère historien qui fût jamais, car en cette partie il n'en est nul Romain qui lui soit comparable, et suis très aise que Cicéron le juge de même ; et le chef de guerre en toutes considérations des plus grands qu'elle fît jamais. Quand je considère la grandeur incomparable de cette âme, j'excuse la victoire de ne s'être pu défaire de lui, voire en cette très injuste et très inique cause. »
Ainsi César est-il, en dernière analyse et en profondeur (au-dessus même de Julien l'Apostat, qu'on verra plus loin et que Montaigne rapproche de La Boétie), l'Ancien auquel l'auteur des Essais *voue l'admiration la plus complète.*
Après la publication des deux premiers livres, Montaigne s'oriente vers des préoccupations moins exaltées, moins éclatantes mais peut-être plus nourries, plus denses et plus solides dans leurs fondements avec le modèle de Socrate, qui correspond aussi au vieillissement dont l'écrivain fait l'expérience dans son corps et son existence quotidienne, et qui, par conséquent, convient mieux aux idéaux de la fin de sa vie. On voit par là comment le regard porté sur les Anciens est en fait un indicateur infaillible de l'évolution qu'a connue Montaigne et permet en quelque sorte de la suivre en images et en personnages. Il est significatif que ses références et ses arguments se fassent plus nuancés dans la dernière période : à l'héroïsme brut de Caton ou d'Alexandre, Montaigne préfère, après 1588, l'âme à divers étages d'un Alcibiade ou le « relâchement et facilité » *des deux Scipion, n'hésitant pas à les confondre en un personnage mythique à la fois vainqueur d'Hannibal (Scipion l'Aïeul) et auteur dramatique (Scipion Émilien). Voilà comment l'on peut comprendre l'attachement persistant à Épaminondas, car c'est un personnage aussi héroïque mais plus discret et plus simple, moins* « monté sur ses grands chevaux », *que les autres chefs de guerre.*

16. L'hommage à Étienne de La Boétie

Au demeurant, ce que nous appelons ordinairement amis et amitiés, ce ne sont qu'accointances[1] et familiarités nouées par quelque occasion ou commodité, par le moyen de laquelle nos âmes s'entretiennent. En l'amitié de quoi[2] je
5 parle, elles se mêlent et confondent l'une en l'autre, d'un mélange si universel, qu'elles effacent et ne retrouvent plus la couture qui les a jointes. Si on me presse de dire pourquoi je l'aimais, je sens que cela ne se peut exprimer qu'en répondant : « Parce que c'était lui ; parce que c'était
10 moi ».
Il y a au-delà de tout mon discours, et de ce que j'en[3] puis dire particulièrement, ne sais quelle force inexplicable et fatale, médiatrice de cette union. Nous nous cherchions avant que de nous être vus, et par[4] des rapports[5] que
15 nous oyions l'un de l'autre, qui faisaient en notre affection plus d'effort[6] que ne porte la raison des rapports, je crois par quelque ordonnance du ciel ; nous nous embrassions par nos noms. Et à notre première rencontre, qui fut[7] par hasard en une grande fête et
20 compagnie de ville[8], nous nous trouvâmes si pris, si connus, si obligés[9] entre nous, que rien dès lors ne nous fut si proche que l'un à l'autre. Il écrivit une satire latine excellente, qui est publiée[10], par laquelle il excuse et explique la précipitation de notre intelli-
25 gence[11], si promptement parvenue à sa perfection. Ayant si peu à durer, et ayant si tard commencé, car

---

1. *accointances* : relations.
2. *de quoi* : dont.
3. *en* : annonce « *cette union* » à la fin de la phrase.
4. Il semble que cette phrase soit bâtie sur un parallélisme : « *et* **par** *des rapports* [...] *je crois* **par** *quelque ordonnance* [...] **par** *nos noms* ». Mais le second membre : « *je crois* » vient aussi nuancer l'indication : « *plus d'effort que ne porte la raison des rapports* ». D'où une ambiguïté que nous avons tenté de rendre dans la translation avec l'expression « en fait ».
5. *rapports* : jugements, commentaires.
6. *plus d'effort* : plus de force.

16. L'hommage à Étienne de La Boétie (I, 28, *De l'amitié*)

Au demeurant, ce que nous appelons ordinairement amis et amitiés, ce ne sont que des relations et des fréquentations nouées à la faveur de quelque circonstance ou intérêt, qui font que nos âmes se tiennent entre elles. Mais, 5 dans l'amitié dont je parle, elles se mêlent et se fondent l'une en l'autre par un mélange si total qu'elles effacent et ne retrouvent plus la couture qui les a jointes. Si on me presse de dire pourquoi je l'aimais, je sens que cela ne peut s'exprimer qu'en répondant : parce que c'était 10 lui ; parce que c'était moi.

Il y a, au-delà de mon raisonnement et au-delà de ce que je peux en dire personnellement, je ne sais quelle force inexplicable et fatale, médiatrice de cette union. Nous nous cherchions avant de nous être vus, et par des 15 propos que nous entendions tenir l'un sur l'autre lesquels faisaient pour notre affection plus d'effet que n'en font raisonnablement les propos, je crois en fait par une sorte d'ordonnance du ciel ; nous nous embrassions par nos noms. Et, lors de notre première rencontre, qui eut 20 lieu par hasard au cours d'une grande fête d'assemblée municipale, nous nous découvrîmes si pris, si connus, si liés mutuellement que rien dès lors ne nous fut si proche à l'un que l'autre. Il écrivit en latin une excellente satire, qui est publiée, où il motive et explique la rapidité de 25 notre entente, si vite parvenue à sa perfection. Ayant si peu de temps à durer, et ayant si tard commencé (nous

---

7. *fut* : eut lieu.
8. *compagnie de ville* : cérémonie, assemblée organisée par la ville (de Bordeaux).
9. *obligés* : dépendants, liés par une obligation réciproque.
10. *publiée* : dans un recueil composé par Montaigne en 1571.
11. *intelligence* : compréhension, connivence.

nous étions tous deux hommes faits, et lui plus de quelques années, elle n'avait point à perdre temps et à se régler au patron[1] des amitiés molles et régulières, auxquelles il faut tant de précautions de longue et préalable conversation[2]. Celle-ci n'a point d'autre idée que d'elle-même, et ne se peut rapporter qu'à soi. Ce n'est pas une spéciale considération, ni deux, ni trois, ni quatre, ni mille : c'est je ne sais quelle quintessence de tout ce mélange, qui, ayant saisi toute ma volonté, l'amena se plonger et se perdre dans la sienne ; **qui, ayant saisi toute sa volonté, l'amena se plonger et se perdre en la mienne, d'une faim, d'une concurrence[3] pareille.** Je dis perdre, à la vérité, ne nous réservant[4] rien qui nous fût propre[5], ni qui fût ou sien, ou mien.

(I, 28, *De l'amitié*)

17. Une éducation nouvelle manière

À un enfant de maison[6] qui recherche les lettres, non pour le gain (car une fin si abjecte est indigne de la grâce et faveur des Muses, et puis elle regarde et dépend d'autrui), ni tant pour les commodités[7] externes que pour les siennes propres, et pour s'en enrichir et parer au-dedans, ayant[8] plutôt envie d'en tirer un habile homme qu'un homme savant, je voudrais aussi qu'on fût soigneux de lui choisir un conducteur qui eût plutôt la tête bien faite[9] que bien pleine, et qu'on y requît tous les deux[10], mais plus les mœurs et l'entendement que la science ; et qu'il se conduisît en sa charge d'une nouvelle manière.

1. *au patron* : sur le patron, sur le modèle.
2. *conversation* : fréquentation.
3. *concurrence* : émulation, zèle.
4. *ne nous réservant* : car nous ne nous réservions.
5. *propre* : à chacun (à l'exclusion de l'autre).
6. *de maison* : de bonne maison, de noble famille.
7. *commodités* : avantages.
8. *ayant* : comme j'aurais.
9. L'image s'applique au précepteur et non à l'élève, comme on le prétend trop souvent sur la foi de souvenirs scolaires estompés. Elle était répandue au XVIe siècle (cf. Noël du Fail, *Contes et discours d'Eutrapel*, et Henri Estienne, *Apologie pour Hérodote*, notamment).

étions tous deux des hommes faits, lui avec quelques années de plus), elle n'avait point à perdre de temps et à se régler sur le modèle des amitiés molles et régulières, auxquelles il faut tant de précautions d'une longue communication préalable. Cette amitié-ci n'a point d'autre archétype que le sien, et elle ne peut être comparée qu'à elle-même. Ce n'est pas une considération particulière, ni deux, ni trois, ni quatre, ni mille : c'est je ne sais quelle quintessence de tout ce mélange, qui, ayant saisi toute ma volonté, l'amena à se plonger et à se perdre dans la sienne ; qui, ayant saisi toute sa volonté, l'amena à se plonger et à se perdre en la mienne, avec une même faim, avec un même élan réciproque. Je dis « perdre » et c'est conforme à la vérité : nous ne nous réservions rien qui nous fût propre, ni qui fût ou à lui ou à moi.

17. Une éducation nouvelle manière (I, 26, *De l'institution des enfants*)

S'agissant d'un enfant de noble maison qui recherche l'étude des lettres, non pour le gain (car une poursuite aussi vile est indigne de la grâce et de la faveur des Muses, et puis elle regarde autrui et en dépend), ni tant pour les avantages extérieurs à y trouver que pour les siens propres, et pour s'en enrichir et s'en parer au-dedans, ayant personnellement plutôt envie d'en tirer un habile homme qu'un homme savant, je voudrais aussi qu'on ait soin de lui choisir un répétiteur qui ait plutôt la tête bien faite que bien pleine, et qu'on exige l'une et l'autre chose mais davantage la valeur morale et l'intelligence que la science. Et je voudrais que ce répétiteur se conduise dans sa fonction d'une nouvelle manière.

10. *tous les deux* : à la fois tête bien faite et bien pleine.

On ne cesse de criailler à nos oreilles, comme qui verserait[1] dans un entonnoir, et notre charge ce n'est que redire ce qu'on nous a dit. Je voudrais qu'il corrigeât cette partie, et
15 que, de belle arrivée[2], selon la portée de l'âme qu'il a en main, il commençât à la mettre sur la montre[3], lui faisant goûter les choses, les choisir et discerner d'elle-même[4] ; quelquefois lui ouvrant chemin, quelquefois le lui laissant ouvrir. Je ne veux pas qu'il invente et parle seul, je veux qu'il
20 écoute son disciple parler à son tour. [...]

Il est bon qu'il le fasse trotter[5] devant lui pour juger de son train, et juger jusques à quel point il se doit ravaler[6] pour s'accommoder à sa force. À faute de[7] cette proportion nous gâtons tout ; et de la savoir choisir, et
25 s'y conduire bien mesurément, c'est l'une des plus ardues besognes que je sache ; et est l'effet d'une haute âme et bien forte, savoir condescendre à ses[8] allures puériles et les guider. Je marche plus sûr et plus ferme à mont qu'à val.

30 Ceux qui, comme porte[9] notre usage, entreprennent d'une même[10] leçon et pareille mesure de conduite régenter[11] plusieurs esprits de si diverses mesures et formes, ce n'est pas merveille si[12], en tout un peuple[13] d'enfants, ils en rencontrent à peine deux ou trois qui
35 rapportent quelque juste fruit de leur discipline[14].

---

1. *comme qui verserait* : comme si l'on versait.
2. *de belle arrivée* : d'emblée (cf. l'expression « d'entrée de jeu »).
3. *sur la montre* : à l'épreuve.
4. *d'elle-même* : il s'agit de l'âme.
5. *trotter* : depuis *« mettre sur la montre »* se développe ici une image équestre, l'élève étant assimilé à un apprenti cavalier, et le répétiteur, à un écuyer professeur d'équitation.
6. *ravaler* : rabaisser.
7. *À faute de* : Faute de, à défaut de.
8. *ses* : ce possessif renvoie vraisemblablement à l'élève, mais il n'est pas non plus interdit de penser qu'il se rattache à l'âme *« haute et bien forte »*, c'est-à-dire au précepteur, auquel cas nous aurions affaire – comme souvent chez Montaigne – à une remarque proustienne avant la lettre. C'est le signe d'une âme haute et bien forte que de savoir retrouver son rythme enfantin et s'y maintenir (pour que l'élève y trouve ses propres marques). Cette seconde lecture, quoique séduisante, nous paraît toutefois improbable.
9. *porte* : comporte, implique.
10. *une même* : une seule et même.

On ne cesse de criailler à nos oreilles comme on verserait dans un entonnoir, et notre fonction, ce n'est que de redire ce qu'on nous a dit. Je voudrais qu'il corrige ce point, et que, d'emblée, selon la portée de l'âme qu'il a en main, il commence à la mettre sur la sellette, lui faisant tester les choses, les lui faisant choisir et distinguer d'elle-même ; quelquefois en lui ouvrant un chemin, quelquefois le lui laissant ouvrir. Je ne veux pas qu'il découvre et parle seul, je veux qu'il écoute son élève parler à son tour. [...]
Il est bon qu'il le fasse trotter devant lui pour juger de son allure, et juger jusqu'à quel niveau il doit redescendre pour s'adapter à sa force. Faute de respecter cette proportion, nous gâtons tout ; savoir la choisir et s'y conduire avec une bonne mesure, c'est une des tâches les plus ardues que je connaisse ; et c'est l'effet d'une âme élevée, et bien forte, que de savoir s'abaisser à son rythme enfantin et le guider. Je marche d'un pas plus sûr et plus ferme en montant qu'en descendant.
Ceux qui, comme le veut notre usage, entreprennent, avec les mêmes cours et une mesure uniforme dans leur conduite, de diriger beaucoup d'esprits de mesures et de configurations si diverses, il n'y a pas à s'étonner que, dans toute une population d'enfants, ils en rencontrent à peine deux ou trois qui produisent un juste fruit de leur enseignement.

11. *régenter* : diriger.
12. *ce n'est pas merveille si* : ce n'est pas étonnant que (expression fréquente chez Montaigne).
13. *un peuple* : une classe, un groupe.
14. *discipline* : enseignement (latin *disciplina*).

Qu'il ne lui demande pas seulement compte des mots de sa leçon, mais du sens et de la substance, et qu'il juge du profit qu'il aura fait, non par le témoignage de sa mémoire, mais de sa vie. Que ce qu'il viendra d'apprendre, il le lui fasse mettre en cent visages[1] et accommoder à autant de divers sujets, pour voir s'il l'[2]a encore bien pris et bien fait sien, **prenant[3] l'instruction de son progrès[4] des pédagogismes de Platon.** C'est témoignage de crudité et indigestion que de regorger la viande comme on l'a avalée. L'estomac n'a pas fait son opération, s'il n'a fait changer la façon et la forme à ce qu'on lui avait donné à cuire[5]. [...] Qu'il lui fasse tout passer par l'étamine[6] et ne loge rien en sa tête par simple autorité[7] et à crédit[8] ; les principes d'Aristote ne lui soient[9] principes, non plus que ceux des stoïciens ou épicuriens. Qu'on lui propose cette diversité de jugements : il choisira s'il peut, sinon il en demeurera en doute. **Il n'y a que les fols certains et résolus.**

Che non men che saper dubbiar m'aggrada.

Car s'il embrasse les opinions de Xénophon et de Platon par son propre discours, ce ne seront plus les leurs, ce seront les siennes. **Qui suit un autre, il ne suit rien. Il ne trouve rien, voire il ne cherche rien. *«Non sumus sub rege ; sibi quisque se vindicet.»*** Qu'il sache qu'il sait, au moins. Il faut qu'il emboive[10] leurs humeurs[11], non qu'il apprenne leurs préceptes. Et qu'il oublie hardiment, s'il veut, d'où il les tient, mais qu'il se les sache[12] approprier. La vérité et la raison sont communes à un chacun[13] et ne sont non plus à

---

1. *en cent visages* : sous cent formes. Le mot «visage» revient souvent chez Montaigne avec ce sens (cf. le texte n° 6).
2. *l'* : ce qu'il viendra d'apprendre.
3. *prenant* : ce participe présent renvoie au sujet principal «*il le lui fasse*», c'est-à-dire au précepteur.
4. *progrès* : rythme, progression.
5. *cuire* : digérer (l'assimilation se fait par cuisson des aliments dans l'estomac).
6. *étamine* : tissu peu serré de crin, de fil, de soie qui sert à filtrer ou à cribler (on passe une farine à l'étamine) ; au figuré, l'expression signifie : soumettre à un examen sévère (cf. l'expression «passer au crible»).
7. *par simple autorité* : en jouant sur son autorité morale de précepteur.
8. *à crédit* : sans vérification (cf. l'expression familière «croire quelqu'un sur sa bonne mine»).
9. *ne lui soient* : qu'ils ne lui soient (subjonctif d'ordre).
10. *emboive* : s'imbibe de, se plonge dans.

40 Qu'il ne lui demande pas seulement de rendre compte des mots de sa leçon, mais du sens et de la substance, et qu'il juge du profit qu'il en aura tiré, non d'après le témoignage de sa mémoire, mais d'après celui de sa vie. Que ce qu'il viendra d'apprendre, il le lui fasse retourner 45 sous cent aspects et adapter à autant de sujets différents, pour voir s'il l'a, dès lors, bien compris et bien fait sien, prenant instruction pour la progression à suivre des exemples pédagogiques de Platon. C'est témoigner de sa crudité et de notre indigestion que de recracher la 50 viande comme on l'a avalée. L'estomac n'a pas effectué son opération s'il n'a pas modifié la présentation et la forme de ce qu'on lui avait donné à cuire et digérer. [...] Qu'il lui fasse tout passer à l'étamine et ne loge rien dans sa tête de sa seule autorité et de confiance ; les principes 55 d'Aristote ne doivent pas être pour lui des principes, pas plus que ceux des stoïciens ou des épicuriens. Qu'on lui expose cette diversité de jugements : il choisira s'il peut, sinon il demeurera là-dessus dans le doute. Il n'y que les fous pour être certains et résolus.

60 « *Car non moins que savoir douter me plaît* » (Dante, *L'Enfer*, chant XI).

Car s'il embrasse les opinions de Xénophon et de Platon par son propre entendement, ce ne seront plus les leurs, ce seront les siennes. Qui suit un autre ne suit rien. Il ne 65 trouve rien, voire ne cherche rien.

« *Nous ne sommes pas sous un roi ; que chacun se revendique pour lui-même* » (Sénèque, lettre 33).

Qu'il sache qu'il sait, au moins. Il faut qu'il s'imprègne de leurs humeurs, non qu'il apprenne leurs préceptes. Et 70 qu'il oublie hardiment, s'il veut, d'où il les tient, mais qu'il sache se les approprier. La vérité et la raison sont communes à tout un chacun et ne sont pas plus à qui les

11. *humeurs* : ici, c'est plutôt le sens moral : état d'esprit, préoccupation, attitude mentale (cf. le texte n° 21). Sur la théorie des humeurs, voir le texte n° 4.
12. *se les sache* : qu'il sache se les.
13. *à un chacun* : à tout un chacun.

qui les a dites premièrement, qu'à qui[1] les dit après. Ce n'est non plus selon Platon que selon moi, puisque lui
65 et moi l'entendons[2] et voyons de même. Les abeilles pillotent[3] deçà delà les fleurs, mais elles en font après le miel, qui est tout leur ; ce n'est plus thym ni marjolaine : ainsi les pièces empruntées d'autrui, il les transformera et confondra[4], pour en faire un ouvrage tout sien, à savoir son
70 jugement. Son institution[5], son travail et étude ne vise qu'à le former.

Qu'il cèle[6] tout ce de quoi il a été secouru, et ne produise que ce qu'il en a fait. Les pilleurs[7], les emprunteurs mettent en parade leurs bâtiments, leurs achats,
75 non pas ce qu'ils tirent d'autrui. Vous ne voyez pas les épices[8] d'un homme de parlement, vous voyez les alliances qu'il a gagnées et honneurs à ses enfants. Nul ne met en compte public sa recette ; chacun y met son acquêt[9].
80 Le gain de notre étude, c'est en être devenu meilleur et plus sage.

(I, 26, *De l'institution des enfants*)

18. L'éducation vue par Pierre Eyquem, père de Montaigne

C'est un bel et grand agencement[10] sans doute que le grec et latin, mais on l'achète trop cher. Je dirai ici une façon d'en avoir meilleur marché[11] que de coutume, qui a été essayée[12] en moi-même. S'en servira qui voudra.

---

1. *non plus à qui* [...] *qu'à qui* : pas plus à celui qui [...] qu'à celui qui.
2. *entendons* : comprenons.
3. *pillotent* : font leur provision, butinent (« pilloter » est un diminutif, tombé en désuétude mais encore aujourd'hui compréhensible, du verbe « piller », de même que « butiner » est un verbe tiré du mot « butin »).
4. *confondra* : fondra ensemble, en fera son « miel » (le sens n'est pas du tout celui, moderne et péjoratif, de confusion, d'erreur ou de pêle-mêle désordonné).
5. *institution* : éducation (latin : *instituere* : faire tenir droit, dresser ; cf. notre français « stature »).
6. *cèle* : cache.
7. *pilleurs* : on retrouve l'image des abeilles qui *« pillotent »*.
8. *épices* : c'était originalement le mode de règlement des salaires et émoluments des gens qui travaillaient dans ces assemblées locales qu'étaient les parlements. L'humaniste Étienne Pasquier écrit : *« Le mot d'espices par nos anciens étoit pris pour confitures et dragées. »* Au XVIe siècle, si le mot était conservé, la rémunération se faisait en argent (de même qu'aujourd'hui on emploie, pour les gens qui se laissent corrompre dans l'exercice de leurs fonctions, l'expression « pots-de-vin »).

a dites premièrement, qu'à qui les dit ensuite. Ce n'est pas plus selon Platon que selon moi, puisque lui et moi comprenons et voyons la chose de la même manière. Les abeilles pillotent çà et là les fleurs, mais elles en font ensuite leur miel, qui est tout à elles ; ce n'est plus du thym ni de la marjolaine : ainsi, les éléments empruntés à autrui, il les transformera et les fondra ensemble, pour en faire un ouvrage tout à lui, je veux dire son jugement. Son éducation, son travail d'étude ne visent qu'à former ce jugement.

Qu'il cache tout ce à quoi il a eu recours, et ne produise que ce qu'il en a fait. Les pilleurs, les emprunteurs mettent en parade leurs constructions, leurs achats, non pas ce qu'ils tirent d'autrui. Vous ne voyez pas les cadeaux offerts à un homme de parlement, vous voyez les alliances qu'il a obtenues et les honneurs pour ses enfants. Nul ne rend public le compte de sa recette ; chacun rend public celui de ses acquisitions. Le gain de notre étude, c'est d'en devenir meilleur et plus sage.

8. L'éducation vue par Pierre Eyquem, père de Montaigne (I, 26, *De l'institution des enfants*)

C'est un bel et grand ornement sans nul doute que le grec et le latin, mais on le paie trop cher. Je dirai ici une façon de l'obtenir à meilleur marché que de coutume ; on l'a essayée sur ma personne. S'en servira qui voudra.

9. L'acquêt, au sens littéral et juridique du terme, désigne ce qui est acquis à titre onéreux, donc autrement que par libéralité (acquisition gratuite), que cette libéralité prenne la forme de la donation (libéralité entre vifs) ou de la succession (héritage) ; en l'occurrence, c'est le fruit de l'expérience, ce que la recette a permis d'acquérir, bref le miel par opposition au pollen (la « recette »). Montaigne emploie souvent ce terme avec le sens tout simple d'acquisition, mais d'acquisition non fortuite, pour laquelle le prix à payer – en épreuves – a été mis. C'est l'un des mots qu'il a conservés de sa formation et de son expérience juridiques.

10. *agencement* : formation, ornement.

11. *en avoir meilleur marché* : en tirer un meilleur marché, une meilleure affaire.

12. *essayée* : mise à l'essai, testée.

Feu mon père[1], ayant fait toutes les recherches qu'homme peut faire, parmi les gens savants et d'entendement, d'une forme d'institution[2] exquise, fut avisé de cet inconvénient[3] qui était en usage ; et lui disait-on que cette longueur que nous mettions à apprendre les langues **qui ne leur[4] coûtaient rien** est la seule cause pourquoi nous ne pouvions arriver à la grandeur d'âme et de connaissance des anciens Grecs et Romains. Je ne crois pas que ce en soit la seule cause. Tant y a que[5] l'expédient[6] que mon père y trouva, ce fut que, en nourrice et avant le premier dénouement de ma langue, il me donna en charge à un Allemand qui depuis est mort fameux médecin en France, du tout[7] ignorant de notre langue, et très bien versé en la latine. Celui-ci, qu'il avait fait venir exprès, et qui était bien chèrement gagé, m'avait continuellement entre les bras. Il[8] en eut aussi avec lui deux autres moindres en savoir pour me suivre, et soulager le premier. Ceux-ci ne m'entretenaient d'autre langue que latine. Quant au reste de sa maison, c'était une règle inviolable que ni lui-même, ni ma mère, ni valet, ni chambrière ne parlaient en ma compagnie qu'autant de mots de latin que chacun avait appris pour jargonner avec moi. C'est merveille[9] du fruit que chacun y fit. Mon père et ma mère y apprirent assez de latin pour l'entendre[10], et en acquirent à suffisance[11] pour s'en servir à la nécessité[12], comme firent aussi les autres domestiques qui étaient plus[13] attachés à

---

1. *Feu mon père* : Montaigne, on l'a dit, vénérait son père, pour qui il avait entrepris la traduction de la *Théologie naturelle* de Raimond Sebond (cf. le document reproduisant le frontispice de ce texte, p. 93, et sa dédicace, p. 248). Le thème de la paternité est marqué, dans le second livre des *Essais*, avec l'énorme *Apologie de Raimond Sebond* (II, 12) – voir les textes nos 21, 27, 37 et 10 – et la structure que nous tentons de faire ressortir à travers les textes nos 19 et 20.
2. *d'une forme d'institution* : [les recherches] d'une forme d'éducation.
3. *cet inconvénient* : le fait que le grec et le latin *« s'achètent trop cher »*, c'est-à-dire soient trop longs à apprendre.
4. *leur* : il s'agit des *« anciens Grecs et Romains »*, en fin de phrase.
5. *Tant y a que* : Toujours est-il que.
6. *l'expédient* : le moyen de remédier à cet inconvénient (pas de sens péjoratif comme aujourd'hui où le terme désigne une échappatoire momentanée qui ne résout pas les difficultés).
7. *du tout* : tout à fait.
8. *Il* : Le père de Montaigne.
9. *C'est merveille* : C'est étonnant (le sens n'est pas toujours laudatif comme ici).

Mon défunt père, ayant fait, au contact des savants et des gens d'esprit, toutes les recherches qu'un homme peut faire touchant une forme d'éducation raffinée, fut informé de l'existence de cet inconvénient, et on lui disait que cette durée d'apprentissage des langues, lesquelles ne coûtaient rien aux Grecs et aux Romains de l'Antiquité, est la seule raison de notre incapacité à atteindre leur grandeur d'âme et l'ampleur de leur connaissance. Je ne crois pas que ce soit la seule raison. Toujours est-il que le moyen que mon père trouva pour remédier à la chose, ce fut, quand j'étais encore en nourrice et avant les premiers dénouements de ma langue, de me donner en charge à un Allemand, mort depuis après avoir été médecin renommé en France, totalement ignorant de notre langue et très versé dans la latine. Celui-ci, qu'il avait fait venir tout exprès et qui recevait des gages bien conséquents, m'avait continuellement sur les bras. Mon père en recruta aussi avec lui deux autres, moins savants, pour me suivre et soulager le premier. Ces gens ne s'entretenaient avec moi qu'en latin. Quant au reste de sa maisonnée, la règle inviolable était que ni lui-même, ni ma mère, ni valet, ni chambrière ne parlaient en ma présence que la quantité de mots latins que chacun avait appris pour jargonner avec moi. C'est étonnant, le fruit que chacun y trouva. Mon père et ma mère apprirent de la sorte assez de latin pour le comprendre et en connurent suffisamment pour l'utiliser au besoin, comme le firent aussi les autres domestiques qui étaient

10. *entendre* : comprendre.
11. *à suffisance* : suffisamment, à profusion.
12. *à la nécessité* : au besoin, autant que nécessaire.
13. *plus* : le plus.

30 mon service. Somme[1], nous nous latinisâmes tant, qu'il en regorgea[2] jusques à nos villages tout autour, où il y a encore, et ont pris pied[3] par l'usage plusieurs appellations latines d'artisans et d'outils. Quant à moi, j'avais plus de six ans avant que j'entendisse non plus de français ou de péri-
35 gourdin que d'arabesque. Et, sans art, sans livre, sans grammaire ou précepte, sans fouet et sans larmes, j'avais appris du latin, tout aussi pur que mon maître d'école le savait : car je ne le pouvais avoir mêlé ni altéré[4]. Si, par essai, on me voulait donner un thème, à la mode[5] des col-
40 lèges, on le donne aux autres en français ; mais à moi il me le fallait donner en mauvais latin, pour le tourner en bon. [...]

Quant au grec, duquel je n'ai quasi du tout point[6] d'intelligence[7], mon père desseigna me le faire apprendre par
45 art[8], mais d'une voie nouvelle, par forme d'ébat et d'exercice. Nous pelotions[9] nos déclinaisons à la manière de ceux qui, par certains jeux de tablier[10], apprennent l'arithmétique et la géométrie. Car, entre autres choses, il avait été conseillé de me faire goûter[11] la science et le devoir par une
50 volonté non forcée et de mon propre désir, et d'élever mon âme en toute douceur et liberté, sans rigueur et contrainte. Je dis[12] jusques à telle superstition que, parce que aucuns[13] tiennent que cela trouble la cervelle tendre des enfants de les éveiller le matin en sursaut, et de les arracher du som-
55 meil (auquel ils sont plongés beaucoup plus que nous ne sommes) tout à coup et par violence, il me faisait éveiller par le son de quelque instrument ; et ne fus jamais sans homme qui m'en servît[14].

---

1. *Somme* : En somme.
2. *regorgea* : déborda.
3. *ont pris pied* : se sont implantées.
4. *mêlé ni altéré* : puisqu'on ne lui parlait aucune autre langue.
5. *à la mode* : suivant l'usage.
6. *du tout point* : pas du tout.
7. *intelligence* : compréhension (ce sens du mot « intelligence » est encore parfaitement vivace).
8. *par art* : par une méthode non naturelle (par opposition à celle employée pour le latin).
9. *pelotions* : à la pelote ou jeu de paume (ancêtre du tennis), ce verbe correspond à notre expression « faire des balles » (avant un match).
10. *jeux de tablier* : jeux à damier (échecs, dames).
11. *goûter* : apprécier.

plus spécialement attachés à mon service. Bref, nous nous latinisâmes tant qu'il reflua du latin jusqu'aux villages tout alentour, où il y a encore et où ont pris pied par l'usage plusieurs appellations latines d'artisans et d'outils. Quant à moi, j'avais plus de six ans que je ne comprenais encore pas plus de français ou de périgourdin que d'arabe. Et, sans enseignement, sans livre, sans grammaire ou précepte, sans fouet et sans larmes, j'avais appris du latin, un latin tout aussi pur que mon maître d'école le savait : car je ne pouvais l'avoir mélangé, ni altéré. Si, pour faire l'essai, on voulait me donner un thème latin à la mode des collèges, là où on le donne aux autres en français, à moi il fallait me le donner en mauvais latin, pour que je le tourne en bon. [...] Quant au grec, dont je n'ai qu'une maîtrise quasiment nulle, mon père se proposa de me le faire apprendre par voie d'enseignement, mais selon une méthode nouvelle, sous forme d'ébat et d'exercice. Nous faisions des balles, comme à la pelote, sur nos déclinaisons à la manière de ceux qui, grâce à certains jeux à damiers, apprennent l'arithmétique et la géométrie. Car, entre autres choses, il avait été conseillé de me faire apprécier la science et le devoir sans forcer ma volonté et par mon propre désir, et d'élever mon âme en toute douceur et toute liberté, sans rigueur ni contrainte. Cela, jusqu'à un tel scrupule que, parce que certains affirment que c'est troubler la cervelle tendre des enfants que de les éveiller le matin en sursaut, et de les arracher du sommeil – dans lequel ils sont plongés beaucoup plus que nous ne le sommes – brusquement et de manière violente, il me faisait éveiller par le son d'un quelconque instrument, et jamais je ne fus sans quelqu'un pour s'acquitter de cet office.

12. *Je dis* : Je dis cela, ce que je dis est valable... (c'est aujourd'hui le sens de notre expression « et ce » en début de phrase, quand une nouvelle information va nuancer le propos).
13. *aucuns* : d'aucuns, certaines personnes.
14. L'édition de 1580 ajoutait la précision suivante : *« et avait un joueur d'épinette pour cet effet. »*

Cet exemple suffira pour en juger le reste, et pour
60 recommander aussi et la prudence et l'affection d'un si bon
père, auquel il ne se faut nullement prendre[1], s'il n'a recueilli
aucuns fruits répondant à une si exquise culture.

(I, 26, *De l'institution des enfants*)

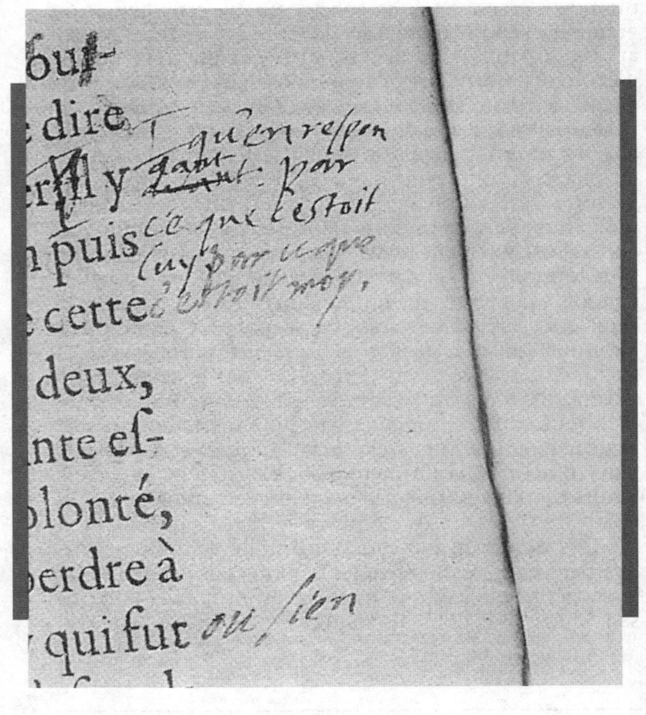

Correction manuscrite de Montaigne : « qu'en respondant : "Parce que c'estoit luy, parce que c'estoit moy." ».

1. *il ne se faut nullement prendre* : il ne faut nullement s'en prendre.

Cet exemple suffira pour juger du reste, et pour faire valoir aussi et la prévoyance et l'affection d'un si bon père, auquel il ne faut nullement s'en prendre s'il n'a recueilli aucun fruit répondant à une culture si raffinée.

LIVRE PREMIER. 56

franches allures : leur vigueur & liberté est esteinte. Ie vy priuéement à Pise vn honneste homme, mais si Aristotelicien, que le plus general de ses dogmes est, que la touche & reigle de toutes imaginations solides, & de toute verité, c'est la cōformité à la doctrine d'Aristote, que hors de là, ce ne sont que chimeres & inanité: qu'il a tout veu & tout dict. Cette sienne proposition, pour auoir esté vn peu trop largement & iniurieusement interpretée, le mit autrefois & tint long temps en grand accessoire à Rome. Qu'il luy face tout passer par l'estamine, & ne loge rien en sa teste par authorité, & à credit. Les principes d'Aristote, ne luy soyent principes, non plus que ceux des Stoiciens ou Epicuriens: Qu'on luy propose cette diuersité de iugemens: il choisira s'il peut; sinon il en demeurera en doubte,

Che non men che saper dubbiar m'aggrada.

Car s'il embrasse les opinions de Xenophon & de Platon, par son propre discours, ce ne seront plus les leurs, ce seront les siennes. Il faut qu'il emboiue leurs humeurs, non qu'il aprēne leurs preceptes: & qu'il oblie hardiment s'il veut, d'où il les tiēt mais qu'il se les sçache approprier. La verité & la raison sont communes à vn chacun, & ne sont non plus à qui les à dites premierement, qu'à qui les dict apres. Les abeilles pillotēt deçà delà les fleurs, mais elles en font apres le miel, qui est tout leur, ce n'est plus thin, ny mariolaine: Ainsi les pieces empruntées d'autruy, il les transformera & confondera, pour en faire vn ouurage tout sien: à sçauoir son iugement: son institutiō, son trauail & estude ne vise qu'à le former. C'est disoit Epicharmus l'entendement qui voyt & qui oyt, c'est l'entendement qui approfite tout, qui dispose tout, qui agit, qui domine & qui regne: toutes autres choses sont aueugles, sourdes & sans ame. Certes nous le rendons seruile & couard, pour ne luy laisser la liberté de rien faire de soy. Qui demanda iamais à

Corrections et annotations de la main de l'auteur.
Fac-similé de l'édition conservée à la bibliothèque municipale de Bordeaux.

Questions

Compréhension

1. *L'association de l'amitié et de l'éducation comme thèmes centraux du premier livre n'est pas fortuite. Quels sont, d'après l'évolution ultérieure de Montaigne, les éléments que vous diriez éducatifs dans ce coup de foudre amical qui l'a lié à Étienne de La Boétie ?*

2. *Quels arguments vous paraissent indiquer ou au contraire exclure qu'il y ait chez Montaigne une large part d'idéalisation* a posteriori *dans le récit de son amitié avec La Boétie ?*

3. *Dans quelle mesure tout le texte n° 17, consacré à décrire la nouvelle méthode éducative que prône Montaigne, pourrait-il s'appliquer à l'écrivain lui-même et à sa manière de composer les* Essais *? En quoi cette méthode pédagogique tranche-t-elle avec celles qui prévalaient auparavant dans les collèges comme chez les théoriciens, notamment Érasme et Rabelais ?*

4. *Quel regard Montaigne porte-t-il sur l'éducateur que fut son père ? Que penser de son expérience d'apprentissage du latin et du grec ?*

Écriture

5. *Dans l'hommage qu'il rend à Étienne de La Boétie, quels effets Montaigne cherche-t-il à produire sur le lecteur ? Quels procédés stylistiques met-il en œuvre pour y parvenir ? Essayez de répondre en associant, si possible, à chaque effet un procédé dominant, quitte à constater l'existence d'interférences (cas où un même procédé produit plusieurs effets, et cas où plusieurs procédés servent à un même effet).*

6. *Dans les textes n° 17 et 18, faites un relevé des différentes métaphores ou comparaisons employées par Montaigne. Classez-les par thèmes (technique du précepteur, difficulté de l'apprentissage pour l'élève, exercices d'application, etc.). Qu'en concluez-vous sur la conception que Montaigne se fait de l'enseignement ?*

LA

THEOLOGIE NATVRELLE DE RAYMOND SEBON DOCTEVR EXCELLENT

entre les modernes, en laquelle par l'ordre de Nature, est demonstrée la verité de la Foy Chrestienne & Catholique, traduicte nouuellement de Latin en François.

A PARIS,

Chez Michel Sonnius à l'Escu de Basle, Ruë S. Iaques.

1569.

AVEC PRIVILEGE DV ROY.

19. La paternité : progéniture charnelle et progéniture livresque

20. La paternité : poids de l'hérédité dans une santé évolutive

21. Liberté d'esprit : l'emblème de la balance, non comme hésitation, mais comme pesée des arguments

Il m'a toujours semblé qu'à un homme chrétien cette sorte de parler[1] est pleine d'indiscrétion[2] et d'irrévérence : Dieu ne peut mourir, Dieu ne se peut dédire, Dieu ne peut faire ceci ou cela. Je ne trouve pas bon d'enfermer ainsi la puis-
5 sance divine sous les lois de notre parole. Et l'apparence qui s'offre à nous en ces propositions, il la faudrait représenter[3] plus revéremment et plus religieusement[4].
Notre parler a ses faiblesses et ses défauts, comme tout le reste. La plupart des occasions des troubles du monde sont
10 grammairiennes[5]. Nos procès ne naissent que du débat de[6] l'interprétation des lois ; et la plupart des guerres, de cette impuissance de n'avoir su clairement exprimer les conventions et traités d'accord des princes. Combien de querelles et combien importantes a produit au monde le doute du
15 sens de cette syllabe : *hoc*[7] ! **Prenons la clause que la logique même nous présentera pour la plus claire. Si vous dites : Il fait beau temps, et que vous disiez vérité[8], il fait donc beau temps. Voilà pas une forme de parler certaine ?**

---

1. *cette sorte de parler* : cette manière de s'exprimer.
2. *indiscrétion* : manque de discernement et de tact, inaptitude.
3. *représenter* : exprimer, figurer.
4. *religieusement* : avec scrupule, respect religieux.
5. *grammairiennes* : d'origine grammaticale.
6. *de* : lié à, relatif à.
7. *hoc* : allusion au colloque de Poissy (septembre 1561) où les arguments du protestant Théodore de Bèze contre le dogme de la transsubstantation (présence réelle du Christ dans l'hostie) furent qualifiés d'hérésie par les catholiques et en particulier par leur chef, le vieux cardinal de Tournon. « *Hoc* » est le premier mot de la formule latine de la consécration dans l'Eucharistie : « *Hoc est corpus meum* » (« Ceci est mon corps »).

'IMPORTANCE DE LA LIBERTÉ : LIVRE II

9. La paternité : progéniture charnelle et progéniture vresque (II, 8, *De l'affection des pères aux enfants*)

0. La paternité : poids de l'hérédité dans une santé évolutive I, 37, *De la ressemblance des enfants aux pères*)

1. Liberté d'esprit : l'emblème de la balance non comme ésitation, mais comme pesée des arguments (II, 12, *Apologie 'e Raimond Sebond*)

Il m'a toujours semblé que, chez un chrétien, les expressions comme : « Dieu ne peut mourir », « Dieu ne peut se dédire », « Dieu ne peut faire ceci ou cela », sont pleines d'incompétence et d'irrévérence. Je ne trouve pas bon d'enfermer ainsi la puissance divine dans les règles de notre langage. Et l'apparence qui s'offre à nous à travers ces propositions, il faudrait la traduire avec plus de révérence et de religieuse réserve.

Notre langage a ses faiblesses et ses défauts, comme tout le reste. La plupart des causes des troubles du monde sont grammaticales. Nos procès ne naissent que des dissensions portant sur l'interprétation des lois ; et la plupart des guerres, de cette impuissance à exprimer clairement les conventions et les traités d'entente entre les princes. Combien de querelles – et ô combien importantes ! – a produites dans le monde le doute sur le sens de cette syllabe : HOC ! Prenons la clause que la logique elle-même nous présentera comme la plus claire. Si vous dites : « Il fait beau temps », et que vous disiez la vérité, c'est donc qu'il fait beau temps. Ne voilà-t-il pas une forme de langage certaine ? Encore est-il qu'elle nous

8. *et que vous disiez vérité* : et si ce que vous dites est vrai.

Encore nous trompera-t-elle. Qu'il soit ainsi[1], suivons
20 **l'exemple. Si vous dites : Je mens, et que vous disiez vrai, vous mentez donc[2]. L'art, la raison, la force de la conclusion de celle-ci sont pareilles à l'autre; toutefois nous voilà embourbés.** Je vois les philosophes pyrrhoniens[3] qui ne peuvent exprimer leur générale conception en aucune
25 manière de parler ; car il leur faudrait un nouveau langage. Le nôtre est tout formé de propositions affirmatives, qui leur sont du tout[4] ennemies. De façon que, quand ils disent : « Je doute », on les tient incontinent[5] à la gorge pour leur faire avouer qu'au moins assurent et savent-ils cela, qu'ils
30 doutent. Ainsi on les a contraints de se sauver dans cette comparaison de la médecine, sans laquelle leur humeur[6] serait inexplicable ; quand ils prononcent : « J'ignore » ou « Je doute », ils disent que cette proposition s'emporte elle-même, quant et quant[7] le reste, ni plus ni moins que la
35 rhubarbe qui pousse hors les mauvaises humeurs et s'emporte hors quant et quant elle-même[8].
Cette fantaisie[9] est plus sûrement conçue par interrogation : « Que sais-je ? » comme je la porte à la devise d'une balance[10].

(II, 12, *Apologie de Raimond Sebond*)

22. Liberté de conscience : l'admiration pour Julien l'Apostat et le parallèle fait par Montaigne avec son époque

C'était, à la vérité, un très grand homme et rare[11], comme celui qui[12] avait son âme vivement teinte des discours de la philosophie, auxquels[13] il faisait profession de régler toutes ses actions ; et, de vrai, il n'est aucune sorte de vertu de

1. *Qu'il soit ainsi* : Pour montrer qu'il en est ainsi.
2. Cet exemple de raisonnement est emprunté à Cicéron (*Académiques*, II, 29).
3. *pyrrhoniens* : les sceptiques menés par Pyrrhon (IVe-IIIe siècle av. J.-C.).
4. *du tout* : tout à fait.
5. *incontinent* : immédiatement.
6. *humeur* : état d'esprit, attitude philosophique (ici, le sens physique a totalement disparu : voir texte n° 17 pour un sens voisin).
7. *quant et quant* : avec, en même temps que.
8. Cette image est empruntée à Diogène Laërce (*Vie de Pyrrhon*, livre IX, chapitre 76).
9. *fantaisie* : idée, pensée.

trompera. À preuve qu'il en est ainsi, poursuivons l'exemple. Si vous dites : « Je mens », et que vous disiez vrai, c'est donc que vous mentez. La technique, le raisonnement, la conclusion de cette proposition-ci sont identiques à ceux de l'autre ; toutefois, nous voilà embourbés. Je vois les philosophes pyrrhoniens : ils ne peuvent exprimer leur conception générale dans aucune sorte de langage ; car il leur faudrait un nouvel idiome. Le nôtre est tout formé de propositions affirmatives, qui leur sont tout à fait ennemies. Si bien que, quand ils disent : « Je doute », on les tient immédiatement à la gorge pour leur faire avouer qu'au moins ils savent une chose dont ils sont sûrs : c'est qu'ils doutent. Ainsi les a-t-on contraints à se réfugier dans cette comparaison médicale sans laquelle leur état d'esprit philosophique serait inexplicable ; quand ils proclament : « J'ignore », ou : « Je doute », ils disent que cette proposition se désagrège elle-même avec le reste, ni plus ni moins que la rhubarbe qui expulse les humeurs mauvaises et se désagrège en même temps elle-même dans cette expulsion. Cette idée se conçoit plus sûrement par une interrogation : « Que sais-je ? », comme je la porte à la devise d'une balance.

22. Liberté de conscience : l'admiration pour Julien l'Apostat et le parallèle fait par Montaigne avec son époque (II, 19, *De la liberté de conscience*)

C'était à la vérité un très grand homme et d'une qualité rare, car c'était quelqu'un dont l'âme était vivement marquée par les raisonnements de la philosophie, sur lesquels il proclamait régler toutes ses actions ; et, vraiment, il n'est aucune sorte de vertu dont il n'ait laissé de

10. C'est la lecture de Sextus Empiricus, en 1576, qui a largement conduit Montaigne à cette phase de scepticisme.
11. *un très grand homme et rare* : Julien l'Apostat (331-363 ap. J.-C.).
12. *comme celui qui* : en tant que personnage qui.
13. *auxquels* : sur lesquels.

5 quoi il n'ait laissé de très notables exemples. En chasteté (de laquelle le cours de sa vie donne bien clair témoignage), on lit de lui un pareil trait à celui d'Alexandre[1] et de Scipion[1], que de plusieurs très belles captives il n'en voulut pas seulement voir une, étant en la fleur de son âge ; car il fut tué par
10 les Parthes âgé de trente et un ans seulement. Quant à la justice, il prenait lui-même la peine d'ouïr les parties ; et encore que par curiosité il s'informât à[2] ceux qui se présentaient à lui de quelle religion ils étaient, toutefois l'inimitié qu'il portait à la nôtre ne donnait aucun contrepoids à la
15 balance. Il fit lui-même plusieurs bonnes lois, et retrancha[3] une grande partie des subsides[4] et impositions que levaient ses prédécesseurs.
Nous avons deux bons historiens témoins oculaires de ses actions : l'un desquels[5], Ammien Marcellin, reprend[6] aigre-
20 ment en divers lieux de son histoire cette sienne ordonnance par laquelle il défendit l'école et interdit l'enseigner[7] à tous les rhétoriciens et grammairiens chrétiens, et dit qu'il souhaiterait cette sienne action être ensevelie[8] sous le silence. Il est vraisemblable, s'il[9] eût fait quelque chose de
25 plus aigre contre nous, qu'il[10] ne l'eût pas oublié, étant bien affectionné à notre parti. Il[9] nous était âpre, à la vérité, mais non pourtant cruel ennemi. [...] Il était (dit Eutrope, mon autre témoin) ennemi de la Chrétienté, mais sans toucher au sang. [...]
30 En matière de religion, il était vicieux[11] partout ; on l'a surnommé « Apostat » pour avoir abandonné la nôtre ; toutefois cette opinion[12] me semble plus vraisemblable, qu'il[13] ne l'avait jamais eue à cœur, mais que, pour l'obéissance des

1. *Alexandre, Scipion* : sur ces hommes, voir notre chronologie biographique des Anciens (comme sur Ammien Marcellin et Eutrope).
2. *s'informât à* : demandât à, s'enquît auprès de.
3. *retrancha* : retira, supprima.
4. *subsides* : taxes.
5. *l'un desquels* : l'un d'eux (ici, le latinisme est évident : relatif de liaison).
6. *reprend* : critique.
7. *l'enseigner* : substantification du verbe, d'où : le fait d'enseigner.
8. *être ensevelie* : que cette action soit ensevelie (ici encore, on a affaire à une construction de proposition infinitive latine).
9. *il* : Julien.
10. *il* : Ammien Marcellin.
11. *vicieux* : condamnable, défectueux (sans nuance morale subjective : c'est un simple constat objectif ; cf. les « vices de forme » dans un document officiel ou dans une procédure).

très notables exemples. Pour la chasteté (dont le cours de sa vie donne un témoignage bien clair), on lit à son sujet un trait semblable à celui d'Alexandre et de Scipion : alors qu'il avait le choix entre plusieurs belles captives, il ne voulut seulement pas en voir une, lui qui était dans la fleur de son âge ; car il fut tué par les Parthes âgé seulement de trente et un ans. Quant à la justice, il prenait lui-même la peine d'entendre les parties ; et encore que par curiosité il s'informât auprès de ceux qui se présentaient à lui pour savoir de quelle religion ils étaient, toutefois l'hostilité qu'il avait pour la nôtre ne donnait aucun contrepoids à la balance. Il fit lui-même plusieurs bonnes lois et retira une grande partie des taxes et impositions que levaient ses prédécesseurs.

Nous avons deux bons historiens qui ont été témoins oculaires de ses actions ; l'un d'eux, Ammien Marcellin, blâme sévèrement, en divers passages de son histoire, l'ordonnance par laquelle il défendit l'accès des écoles et interdit d'enseigner à tous les rhétoriciens et grammairiens chrétiens ; il ajoute qu'il souhaiterait voir cette action de Julien ensevelie sous le silence. Vraisemblablement, si ce dernier avait fait quelque chose de plus sévère contre nous, Ammien ne l'aurait pas oublié, étant bien disposé envers notre parti. Il était pour nous un âpre ennemi, à la vérité, mais non pour autant cruel. [...] Il était – dit Eutrope, mon autre témoin – ennemi de la chrétienté, mais sans toucher au sang. [...]

En matière de religion, il était répréhensible à tous égards ; on l'a surnommé l'Apostat pour avoir abandonné la nôtre ; toutefois, l'hypothèse qui me semble la plus vraisemblable, c'est qu'il ne l'avait jamais eue à cœur, mais, par obéissance aux lois, il avait dissimulé

12. *cette opinion* : l'opinion suivante.
13. *qu'il* : à savoir qu'il.

lois, il s'était feint jusques à ce qu'il tînt l'Empire en sa main.
35 Il fut si superstitieux en la sienne que ceux mêmes qui en étaient[1] de son temps, s'en moquaient[2] ; et disait-on, s'il eût gagné la victoire contre les Parthes, qu'il eût fait tarir la race des bœufs au monde pour satisfaire à ses sacrifices ; il était aussi embabouiné[3] de la science divinatrice, et donnait
40 autorité à toute façon de pronostics. [...]

Et, pour venir au propos de mon thème, il couvait, dit Marcellin, de longtemps[4] en son cœur le paganisme ; mais, parce que toute son armée était de chrétiens, il ne l'osait découvrir. Enfin, quand il se vit assez fort pour oser publier
45 sa volonté, il fit ouvrir les temples des dieux, et s'essaya par tous moyens de mettre sus[5] l'idolâtrie. Pour parvenir à son effet, ayant rencontré en Constantinople le peuple décousu[6] avec les prélats de l'Église chrétienne divisés, les ayant fait venir à lui au palais, les admonesta[7] instamment d'assoupir
50 ces dissensions civiles, et que chacun sans empêchement[8] et sans crainte servît à sa religion. Ce qu'il sollicitait[9] avec grand soin, pour l'espérance[10] que cette licence augmenterait les parts[11] et les brigues[12] de la division, et empêcherait le peuple de se réunir et de se fortifier par conséquent
55 contre lui[13] par leur concorde et unanime intelligence ; ayant essayé[14] par la cruauté d'aucuns chrétiens qu'il n'y a point de bête au monde tant à craindre à l'homme que l'homme. Voilà ses mots[15] à peu près : en quoi[16] cela est digne de considération, que l'empereur Julien se sert, pour attiser le
60 trouble de la dissension civile, de cette même recette de liberté de conscience que nos rois viennent d'employer pour l'éteindre[17]. On peut dire, d'un côté, que de lâcher la

---

1. *en étaient* : étaient de son bord (le «*en*» renvoie à «*la sienne*»).
2. *s'en moquaient* : se moquaient de sa superstition.
3. *embabouiné* : entiché.
4. *de longtemps* : depuis longtemps.
5. *mettre sus* : faire triompher.
6. *décousu* : déchiré.
7. *admonesta* : exhorta, réprimanda.
8. *empêchement* : obstacle.
9. *sollicitait* : cherchait à obtenir.
10. *pour l'espérance* : parce qu'il espérait.
11. *parts* : factions.
12. *brigues* : complots.
13. *se fortifier contre lui* : renverser le rapport de force à son désavantage.
14. *essayé* : éprouvé, compris.
15. *ses mots* : ceux de l'historien Ammien Marcellin.

jusqu'au moment où il tint l'Empire dans sa main. Il fut si superstitieux dans sa propre religion que même ceux de ses contemporains qui la suivaient se moquaient de lui : et l'on disait que, s'il avait gagné la guerre contre les Parthes, il aurait fait tarir la race des bœufs dans le monde pour satisfaire aux besoins de ses sacrifices ; il était également enfariné de la science des devins et donnait autorité à tout genre de prophéties. [...]
Pour venir à l'objet de mon thème, depuis longtemps, dit Marcellin, il couvait dans son cœur le paganisme, mais, parce que toute son armée était composée de chrétiens, il n'osait le dévoiler. Enfin, quand il se vit dans une position assez forte pour oser publier ses convictions, il fit ouvrir les temples des dieux païens et essaya par tous les moyens d'imposer l'idolâtrie. Pour parvenir à ses fins, ayant trouvé à Constantinople le peuple désuni avec les prélats de l'Église divisés, il les fit venir auprès de lui au palais, les avertit instamment d'avoir à assoupir ces dissensions civiles et demanda que chacun, sans obstacle et sans crainte, servît sa religion. Chose à laquelle il œuvrait avec grand soin, dans l'espoir que cette licence accroîtrait les factions et les intrigues de la division, et ferait obstacle à ce que le peuple s'unisse à nouveau et modifie par conséquent le rapport de forces contre lui par la cohésion et l'unanimité de ses sentiments ; Julien avait expérimenté, par la cruauté de certains chrétiens, qu'il n'y a point de bête au monde qui soit tant à craindre pour l'homme que l'homme.
Voilà à peu près les propos de l'historien : or c'est un fait digne d'intérêt, que l'empereur Julien se serve, pour attiser le trouble de la dissension civile, de cette même recette de la liberté de conscience que nos rois viennent d'employer pour l'éteindre. On peut dire, d'un côté,

---

16. *en quoi* : chose en quoi (là encore, relatif de liaison latin). La construction exacte, en français moderne, donnerait : « La raison pour laquelle cela est digne de considération, c'est que l'empereur Julien... ».
17. *viennent d'employer pour l'éteindre* : allusion à la « paix de Monsieur » (mai 1576) favorable aux protestants, et à l'édit de Poitiers (octobre 1577) qui leur confirmait des places de sûreté.

bride aux parts d'entretenir leur opinion, c'est épandre et semer la division ; c'est prêter quasi la main à l'augmenter, 65 n'y ayant[1] aucune barrière ni coercition des lois qui bride et empêche sa course. Mais, d'autre côté, on dirait aussi[2] que de lâcher la bride aux parts d'entretenir leur opinion, c'est les amollir et relâcher par la facilité et par l'aisance, et que c'est émousser l'aiguillon qui s'affine par la rareté, la nou- 70 velleté et la difficulté. Et si[3], crois mieux, pour l'honneur de la dévotion de nos rois, c'est que, n'ayant pu ce qu'ils voulaient, ils ont fait semblant de vouloir ce qu'ils pouvaient.

(II, 19, *De la liberté de conscience*)

Le colloque de Poissy.

1. *n'y ayant* : puisqu'il n'y a.
2. *aussi* : aussi bien.
3. *Et si* : Et ainsi *ou* Et pourtant. Nous retenons la première option, mais Pierre Villey, dans son édition (P.U.F., 1978), choisit la seconde. Selon le cas, le sens varie du tout au tout. Première hypothèse : comme nos rois sont catholiques, ils ont, par dévotion, préféré semer le trouble plutôt que de donner trop de pouvoir aux protestants (et si : et pourtant). Seconde hypothèse : comme la dévotion implique l'amour du prochain, nos rois ont toléré la religion réformée à défaut de pouvoir imposer partout le catholicisme (et si : et ainsi).

que, lâcher la bride aux factions et les laisser libres d'entretenir leurs opinions, c'est répandre et semer la division ; c'est quasiment prêter la main pour l'accroître, puisqu'il n'y a aucune barrière ni coercition des lois qui brident sa course et lui fassent obstacle. Mais, d'un autre côté, on pourrait dire aussi que, lâcher la bride aux factions laissées libres d'entretenir leurs opinions, c'est les amollir et les relâcher par les facilités et la souplesse, et que c'est émousser l'aiguillon qu'affineraient la rareté, la nouveauté et la difficulté. Et ainsi, je préfère croire, pour l'honneur de la dévotion de nos rois, que, n'ayant pu ce qu'ils voulaient, ils ont fait semblant de vouloir ce qu'ils pouvaient.

La tour de Montaigne.

Questions

Compréhension

1. *En quoi le thème de la liberté est-il lié à celui de la paternité ? La manière dont Montaigne considère Dieu n'est-elle pas un élément intéressant à cet égard ?*

2. *Liberté d'esprit et liberté de conscience, Raimond Sebond et Julien l'Apostat, Pierre Eyquem et son fils Michel : que peut-on penser de ces trois mises en parallèle ?*

Écriture

3. *Le* « Que sais-je ? » *de l'*Apologie de Raimond Sebond, *qui est une addition B et qui clôt notre extrait n° 21, pourrait-il être compris comme la réponse de Montaigne aux* « brouillis » *confessionnels et politiques de son temps, sur lesquels se termine – en état A – le texte n° 22 ? Expliquez suivant quel cheminement et donnez votre avis.*

4. *Du texte n° 21 au texte n° 22, dans quelle mesure trouve-t-on en Montaigne deux types d'écrivain : d'une part celui de la virtuosité conceptuelle et rhétorique, d'autre part l'historien qui cite ses sources et motive ses jugements ?*

L'EXPÉRIENCE DU CORPS ET

23. Attraits de la beauté corporelle : Montaigne et son physique

24. Les plaisirs du corps

25. Le plaisir de vivre

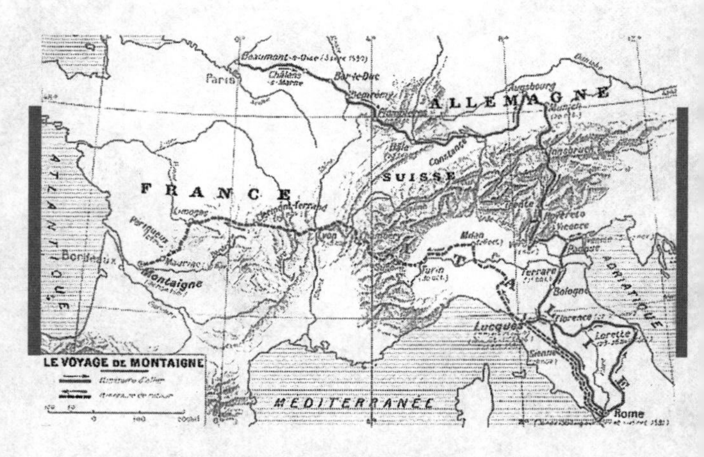

Le voyage de Montaigne, de Beaumont (septembre 1580)
jusqu'au retour à Bordeaux (novembre 1581).
La carte n'indique pas le trajet effectué au départ de Bordeaux (juin 1580)
jusqu'à Beaumont où se tenait la Cour de France.

A RECHERCHE DU BONHEUR : LIVRE III

3. Attraits de la beauté corporelle : Montaigne et son phy-
ique (II, 17, *De la présomption*)

4. Les plaisirs du corps (III, 13, *De l'expérience*)

5. Le goût de la vie (III, 13, *De l'expérience*)

Tableau affiché aux bains de Plombières, signé du bailli des Vosges (détail).

Bilan

• **Ce que nous savons**

À travers les extraits ici réunis, on s'aperçoit que les Essais *ne sont en aucun cas une œuvre laissée au hasard, probablement pas même – quoi qu'en dise Montaigne – dans le détail de leur rédaction et des caractéristiques de chaque chapitre, et encore moins dans leur composition et dans les grands thèmes qu'ils traitent. Le premier livre, fidèle aux vœux du mur de la librairie, s'emploie à donner à l'ami Étienne de La Boétie «*un sien second vivre*» en plaçant ses «vingt et neuf sonnets» au cœur des cinquante-sept chapitres qu'il contient. Dès novembre 1570, Montaigne avait publié une longue* Lettre à son père *relatant la mort de La Boétie : ce récit des neuf jours (9-17 août 1563) que durèrent la maladie et l'agonie de son ami explique peut-être à lui seul la composition des deux premiers livres. C'est à tout le moins, puisqu'il est publié deux ans après la mort de son père, la première œuvre par laquelle Montaigne s'affirme écrivain. Comme l'écrit le professeur Géralde Nakam : «*Avoir dédié à son père le récit de la mort de son ami était déjà un acte significatif. Le publier à cette date, deux ans après la mort du dédicataire, constitue un geste littéraire fondamental, par lequel, en fait, de façon posthume mais publique, et d'autant plus solennelle, Montaigne se justifie aux yeux de son père de ses renoncements et de sa vocation.*» Il faut savoir en effet que c'est La Boétie lui-même qui semble avoir déterminé Montaigne dans sa mission d'écrivain. D'après cette fameuse lettre, à la date du 17 août 1563, veille de sa mort, La Boétie délirant fit entendre à son ami une exigence de portée essentielle : «*Lors, entre autres choses, il se prit à me prier et reprier avec une extrême affection, de lui donner une place. – Mon frère, mon frère, me refusez-vous donc une place? Jusques à ce qu'il me contraignit de le convaincre par raison, et de lui dire que, puisqu'il respirait et parlait, et qu'il avait corps, il avait par conséquent son lieu. – Voire, voire, me répondit-il lors, j'en ai, mais ce n'est pas celui qu'il me faut : et puis quand tout est dit je n'ai plus d'être.*» Voilà pourquoi, dans une dédicace au conseiller Henri de Mesme placée en tête d'un opuscule des œuvres de La Boétie, Montaigne avait pu, dès avril 1570 (c'est-à-dire avant sa démission du parlement de Bordeaux et avant la publication de la* Lettre à son père*) écrire sur son ami : «*Chaque nouvelle connaissance que je donne de lui et de son nom, c'est autant de multiplication de ce sien second vivre.*» Toutes ces informations nous permettent de comprendre à quel point Étienne de La Boétie et Pierre Eyquem sont associés dans le souvenir qu'en garde Montaigne. Ils font partie tous deux de «*son

enfance », *le premier parce qu'il est mort alors que le futur écrivain venait d'avoir trente ans, le second pour des raisons plus évidentes et qui donnent à penser, au sortir du premier livre des* Essais, *que chez Montaigne non seulement l'amitié et l'éducation sont liées mais qu'elles s'entremêlent dans leurs caractéristiques.*
*Quant au deuxième livre, il confirme l'importance des deux figures. L'*Apologie de Raimond Sebond, *constituant un ouvrage par elle-même, domine l'ensemble de ce volume et y fait planer la généreuse et sympathique ombre paternelle prise dans l'enthousiasme de la Renaissance première période et dans son appétit de savoir : en écrivant une somme de pure spéculation intellectuelle aussi considérable, aussi hétéroclite, aussi répétitive et brouissailleuse parfois, Montaigne ne s'efforce-t-il pas de solder une bonne fois les comptes des devoirs qu'il voulait rendre à «*un si bon père*», auteur à son endroit d'une «*forme d'institution exquise*» ? Face à un tel magma d'opinions et de connaissances, la position adoptée par Montaigne est alors assez logiquement le «*Que saisje ?*». Et, pour la figure de Julien l'Apostat placée au centre des trente-sept chapitres, comment ne pas voir s'en dégager en surimpression celle de l'auteur de* La Servitude volontaire, *discours que La Boétie écrivit «*par manière d'essai en sa première jeunesse, à l'honneur de la liberté contre les tyrans*» ? Au passage, on peut remarquer le vocable d'«*essai*» appliqué par Montaigne à l'œuvre de son ami, et qui trouve ainsi peut-être une autre de ses sources comme titre pour la sienne. Julien l'Apostat et La Boétie sont morts «*en la fleur de l'âge*». Plus important : les deux personnages, malgré tout ce qui les sépare (par exemple, La Boétie est un catholique sans vacillements de conscience, Julien au contraire nourrissait en son cœur l'athéisme), sont d'ardents défenseurs de la liberté. Enfin, ce deuxième livre exprime, après le premier dont l'essai final,* De l'âge *(I, 57), soulignait déjà l'empreinte du temps, la volonté de Montaigne de sortir définitivement de son «* enfance *» et de devenir un père digne de celui qu'avait été le sien, sinon avec ses enfants de chair, qui, hélas, lui «* meurent tous en nourrice *», du moins avec ses* Essais, *enfants produits «*de l'accointance des Muses*».*
Une fois libéré de tout cet héritage lourd à porter et à valoriser, Montaigne peut partir, l'esprit enfin en repos, pour son long voyage à travers la France, l'Allemagne et l'Italie, d'où les affaires et l'ordre du roi vont le rappeler à la mairie de Bordeaux. Alors commencent à se faire sentir l'intérêt et le poids grandissant de l'expérience. Associée au bref chapitre central du troisième livre : De l'incommodité de la grandeur *(III, 7), la maturité incline l'écrivain à renoncer sans regret à toute carrière pour ses actions et à livrer au public un bonheur de vivre retrouvé à travers l'écriture, au quotidien de ses appétits corporels et de ses habitudes, dans*

l'extraordinaire essai De l'expérience *(III, 13), emblématique de l'ensemble de l'œuvre.*

• Ce que nous pouvons nous demander

Certains thèmes ne sont-ils pas laissés de côté par cette vision panoramique des trois livres ? Bien sûr. C'est avant tout la mort, dont on a vu qu'elle est directement à l'origine des deux premiers livres (cf. le parcours thématique, dans le Dossier du professeur*). C'est aussi l'aspiration à la connaissance, face à laquelle le* « Que sais-je ? » *ne peut que laisser le lecteur sur sa faim. Nous verrons que Montaigne, reprenant un thème qu'on a vu affleurer dans cette première partie, trouve une réponse à ses inquiétudes dans la peinture de la précarité et de l'inégalité à soi-même comme êtres profonds de l'homme et de la nature. Ce sont encore les* « nations qu'on dit vivre encore sous la douce liberté des premières lois de nature », *évoquées dans l'avis* Au lecteur, *et qui vont faire l'objet d'une étude à deux volets jetant un pont du premier au troisième livre des* Essais. *Nous aborderons brièvement deux aspects du tempérament de moraliste de Montaigne à travers sa vision de l'amour et du hasard. Puis les grandes questions que posent, pour l'homme évoluant au sein de la société, la politique, la religion et l'attitude d'indépendance à laquelle se range Montaigne dans ces domaines.*

Enfin, il conviendra d'étudier l'esthétique de Montaigne et son « allure poétique, à sauts et à gambades », *en montrant qu'elles n'excluent jamais pour lui l'affirmation de la sincérité à l'égard du public.*

II

UNE DÉMARCHE ENQUÊTEUSE, NON RÉSOLUTIVE

«On me fait haïr les choses vraisemblables quand on me les plante pour infaillibles. J'aime ces mots, qui amollissent et modèrent la témérité de nos propositions : *À l'aventure, Aucunement, Quelque, On dit, Je pense,* et semblables. Et si j'eusse eu à dresser des esprits, je leur eusse tant mis en la bouche cette façon de répondre enquêteuse, non résolutive : «Qu'est-ce à dire ? Je ne l'entends pas. Il pourrait être. Est-il vrai ?» qu'ils eussent plutôt gardé la forme d'apprentis à soixante ans que de représenter les docteurs à dix ans, comme ils font.»
(III, 11, *Des boiteux*)

L'ASPIRATION À

LE GOÛT DE

26. Avantages et écueils de la confrontation des opinions

Comme notre esprit se fortifie par la communication des esprits vigoureux et réglés, il ne se peut dire combien il perd et s'abâtardit[1] par le continuel commerce et fréquentation que nous avons avec les esprits bas et maladifs. Il
5 n'est contagion qui s'épande comme celle-là. Je sais par assez d'expérience[2] combien en vaut l'aune. J'aime à contester et à discourir, mais c'est avec peu d'hommes et pour moi, car de servir de spectacle aux grands et faire à l'envi parade de son esprit et de son caquet, je trouve que
10 c'est un métier très messéant[3] à un homme d'honneur. La sottise est une mauvaise qualité, mais de ne la pouvoir supporter, et s'en dépiter et ronger, comme il m'advient, c'est une autre sorte de maladie qui ne doit guère à la sottise en importunité, et est-ce[4] qu'à présent je veux
15 accuser du mien[5].
J'entre en conférence[6] et en dispute avec grande liberté et facilité, d'autant que l'opinion trouve en moi le terrain malpropre à y pénétrer et y pousser[7] de hautes racines. Nulles propositions[8] m'étonnent, nulle créance me blesse,

1. *s'abâtardit* : bêtifie, se dégrade.
2. *Je sais par assez d'expérience* : allusion probable à son épouse, de la part de Montaigne.
3. *messéant* : malséant, inconvenant. Les écrivains de La Pléiade, Ronsard et Du Bellay, mais déjà auparavant Clément Marot, étaient des poètes de cour. Montaigne dénonce ici cette forme de vocation, même s'il admire Ronsard et Du Bellay et a cité un poème de Marot dans le texte n° 9. Cf. *De l'institution des enfants* (I, 26) : « *Depuis que Ronsard et Du Bellay ont donné crédit à notre poésie française, je ne vois si petit apprenti qui n'enfle des mots, qui ne range les cadences à peu près comme eux.* »
4. *et est-ce* : et c'est cela.
5. *du mien* : dans mon comportement.
6. *conférence* : ce mot donne son titre à l'ensemble de l'essai *De l'art de conférer* ; il est difficile à traduire d'une manière unique car il signifie « conversation », mais dans le sens de « confrontation des opinions ». On aurait pu dire : « discussion », encore que ce terme paraisse avoir un sens trop précis et restreint pour convenir.

LA CONNAISSANCE

LA VÉRITÉ

26. Avantages et écueils de la confrontation des opinions (III, 8, *De l'art de conférer*)

De même que notre esprit se fortifie au contact des esprits vigoureux et méthodiques, de même, en revanche, on ne saurait dire combien il perd et se dégrade dans les continuels échanges et la fréquentation que nous avons des esprits bas et maladifs. Il n'y a pas contagion qui se répande comme celle-là. Je sais assez par expérience combien en vaut l'aune. J'aime discuter et raisonner, mais c'est avec peu d'hommes et pour moi, car, servir de spectacle aux grands et faire parade de son esprit et de son caquet dans des joutes oratoires, je trouve que c'est une activité très inconvenante à un homme d'honneur.

La sottise est un défaut, mais, ne pouvoir la supporter, s'en agacer et en être miné comme cela m'arrive, c'est une autre sorte de maladie qui ne le cède guère à la sottise en inconvénients, et c'est ce que je veux maintenant dénoncer chez moi.

J'ai beaucoup de liberté et de facilité à lier conversation et à engager une discussion, dans la mesure où l'opinion trouve en moi une mauvaise terre pour y pénétrer et y développer de profondes racines. Aucune affirmation au monde ne me frappe d'étonnement, aucune croyance ne me blesse, si opposée qu'elle soit à la mienne. Il n'est

---

7. *pousser* : faire pousser.
8. *Nulles propositions* : on a tenté de rendre le pluriel dans la traduction par l'expression « au monde ».

20 quelque contrariété qu'elle ait à la mienne. Il n'est si frivole et si extravagante fantaisie[1] qui ne me semble bien sortable à[2] la production de l'esprit humain. [...]
Les contradictions donc des jugements ne m'offensent, ni m'altèrent; elles m'éveillent seulement et m'exercent.
25 Nous fuyons à la correction, il s'y faudrait présenter et produire[3], notamment quand elle vient par forme de conférence, non de régence[4]. À chaque opposition, on ne regarde pas si elle est juste, mais à tort ou à droit[5], comment on s'en défera. Au lieu d'y tendre les bras, nous y
30 tendons les griffes. Je souffrirais[6] être rudement heurté par mes amis : « Tu es un sot, tu rêves. » J'aime, entre les galants hommes[7], qu'on s'exprime courageusement, que les mots aillent où va la pensée. Il nous faut fortifier l'ouïe et la durcir contre cette tendreur du son cérémonieux des
35 paroles. J'aime une société et familiarité forte et virile, une amitié qui se flatte en l'âpreté et vigueur de son commerce, comme l'amour, ès[8] morsures et égratignures sanglantes.
Elle n'est pas assez vigoureuse et généreuse, si elle
40 n'est querelleuse, si elle est civilisée et artiste[9], si elle craint le heurt et a ses allures contraintes.

Neque enim disputari sine reprehensione potest.

Quand on me contrarie, on éveille mon attention, non pas ma colère; je m'avance vers celui qui me contredit, qui
45 m'instruit. La cause de la vérité devrait être la cause commune à l'un et à l'autre. Que répondra-t-il ? La passion du courroux lui a déjà frappé le jugement, le trouble s'en est saisi avant la raison. Il serait utile qu'on passât par gageure[10] la décision[11] de nos disputes, qu'il y eût une

1. *fantaisie* : idée, pensée.
2. *sortable à* : assortie à, en accord avec.
3. *produire* : s'offrir, se prêter.
4. *régence* : leçon.
5. *à tort ou à droit* : à tort ou à raison.
6. *Je souffrirais* : Je supporterais, j'accepterais de.
7. *galants hommes* : expression de civilité qui signifie une sorte d'idéal : « *les hommes dignes de ce nom* ». Le mot anglais *gallant* signifie « brave », « vaillant », « chevaleresque »; on emploie encore aujourd'hui, dans les citations accompagnant les décorations militaires britanniques, l'expression : « *for gallantry in action* ».

pas d'idée si frivole et si extravagante qui ne me semble bien s'accorder avec la production de l'esprit humain. [...]
Les jugements de contradicteurs, donc, ne me choquent pas ni ne me troublent ; ils m'éveillent seulement et m'exercent. Nous répugnons à être redressés, il faudrait l'accepter et le solliciter, notamment quand cela vient en forme de conversation, non de correction. À chaque opposition, on ne regarde pas si elle est juste, mais, à tort ou à raison, comment on s'en débarrassera. Au lieu de lui tendre les bras, nous lui tendons les griffes. Je supporterais d'être rudoyé par mes amis : « Tu es un sot, tu rêves. » J'aime, entre les vrais hommes, qu'on s'exprime courageusement, que les mots aillent où va la pensée. Il faut nous fortifier l'ouïe et l'endurcir contre cette fadeur du son cérémonieux des paroles. J'aime, dans mes relations une société, une familiarité forte et virile, une amitié qui se félicite de l'âpreté et de la vigueur de ses échanges, comme l'amour le fait des morsures et des égratignures sanglantes.
Elle n'est pas assez vigoureuse et généreuse, si elle n'est querelleuse, si elle est éduquée et esthétique, si elle craint les heurts et a des allures contraintes.
« Il ne peut y avoir en effet de discussion sans contestation » (Cicéron, *De finibus*, I, 7).
Quand on va contre moi, on éveille mon attention, non ma colère ; je m'avance vers celui qui me contredit, qui m'instruit. La cause de la vérité devrait être commune à l'un et l'autre interlocuteur. Que répondra-t-il ? La passion du courroux lui a déjà frappé le jugement, le trouble s'est saisi de lui avant la raison. Il serait utile de fixer un gage comme enjeu de nos discussions, d'avoir une

8. *ès* : dans les (le parallèle est fait entre *« se flatte en l'âpreté »* et *« ès* [en les] *morsures »*).
9. *artiste* : artificielle, esthétisante (témoignant d'une recherche, que ce soit dans le sens de la conciliation ou de l'épure, jugée efféminée).
10. *par gageure* : sous forme de pari (passer par gageure : mettre en jeu, faire des paris sur).
11. *la décision* : le résultat, le terme, le fin mot.

50 marque matérielle de nos pertes, afin que nous en tinssions état[1], et que mon valet me pût dire : « Il vous coûta, l'année passée, cent écus à vingt fois[2] d'avoir été ignorant et opiniâtre. »

Je festoie et caresse la vérité en quelque main que je la 55 trouve, et m'y rends allégrement, et lui tends mes armes vaincues, de loin que[3] je la vois approcher. Et, pourvu qu'on n'y procède d'une trogne trop impérieuse et magistrale, je prête l'épaule aux répréhensions que l'on fait en mes écrits ; et les ai[4] souvent changés plus 60 par raison de civilité que par raison d'amendement ; aimant[5] à gratifier et nourrir la liberté de m'avertir par la facilité de céder ; oui[6], à mes dépens. [...]

Mais quand la dispute est trouble et déréglée, je quitte la chose et m'attache à la forme avec dépit et indiscrétion[7], 65 et me jette à une façon de débattre têtue, malicieuse[8] et impérieuse, de quoi[9] j'ai à rougir après.

(III, 8, *De l'art de conférer*)

1. *tinssions état* : fassions le compte (« tinssions » est la 1re pers. du pluriel de l'imparfait du subjonctif de « tenir »).
2. *à vingt fois* : multipliés par vingt (l'écu, ancienne monnaie d'argent, fut fixée à une valeur de trois livres en 1641 ; la livre tournois valait elle-même vingt sous).
3. *de loin que* : d'aussi loin que.
4. *et les ai* : et je les ai.
5. *aimant* : car j'aime.
6. *oui* : même, et cela même.
7. *indiscrétion* : manque de discernement.
8. *malicieuse* : méchante.
9. *de quoi* : chose dont, comportement dont.

marque matérielle de nos pertes afin que nous les tenions à jour et que mon valet puisse me dire : « Il vous a coûté, l'an dernier, vingt fois cent écus d'avoir été ignorant et entêté. »
Je fais fête à la vérité et je la cajole en quelque main que je la trouve, et je me rends allégrement à elle et lui tends mes armes vaincues, d'aussi loin que je la vois approcher. Et, pourvu qu'on ne prenne pas une trogne trop impérieuse et magistrale, je prête l'épaule aux critiques que l'on fait sur mes écrits ; et je les ai même souvent changés plus par souci de politesse que par souci d'amélioration, car j'aime favoriser et encourager la liberté des gens qui me conseillent, par ma facilité à leur céder même à mes dépens. [...]
Mais, quand la discussion est trouble et désordonnée, je laisse la question pour m'attarder à la forme avec dépit et sans mesure, et je me jette dans une façon de débattre têtue, malveillante et impérieuse dont j'ai à rougir après.

LE REFUS

27. Une revue des théories antiques : raisonnement et bon sens

LA CONSCIENCE DE LA

28. La description de l'inconstance

29. L'être et le passage

Les autres forment[1] l'homme ; je le récite[2] et en représente un particulier bien mal formé, et lequel, si j'avais à façonner de nouveau, je ferais vraiment bien autre qu'il n'est. Méshui[3], c'est fait. Or les traits de ma peinture ne fourvoient point[4], quoiqu'ils se changent et diversifient. Le monde n'est qu'une branloire[5] pérenne. Toutes choses y branlent sans cesse : la terre, les rochers du Caucase, les pyramides d'Égypte, et du branle public et du leur. La constance même n'est autre chose qu'un branle plus languissant. Je ne puis assurer mon objet[6]. Il va trouble et chancelant, d'une ivresse naturelle. Je le prends en ce point, comme il est, en l'instant que je m'amuse à[7] lui. Je ne peins pas l'être. Je peins le passage : non un passage d'âge[8] en autre, ou, comme dit le peuple, de sept en sept ans, mais de jour en jour, de minute en minute. Il faut accommoder mon histoire à l'heure[9]. Je pourrai tantôt

---

1. *forment* : donnent une forme (idéalisation) et une formation (instruction) à.
2. *récite* : décris, fais une lecture à haute voix (du latin *recitare* : faire une lecture publique). Ici, sonder, essayer de voir ce qu'il est, comme un conteur raconte une histoire, dans le but d'obtenir un écho de réactions dans le public.
3. *Méshui* : Désormais, aujourd'hui.
4. *ne fourvoient point* : ne se fourvoient point, ne dévient point.
5. *branloire* : balançoire.
6. *mon objet* : c'est-à-dire moi-même.
7. *m'amuse à* : passe mon temps à.

ES SYSTÈMES

7. Une revue des théories antiques : raisonnements et bon ns (II, 12, *Apologie de Raimond Sebond*)

OBILITÉ DES CHOSES

8. La description de l'inconstance (II, 1, *De l'inconstance de os actions*)

9. L'être et le passage (III, 2, *Du repentir*)

Les autres forment l'homme ; moi je le raconte, et j'en représente un, en particulier, bien mal formé ; celui-là, si j'avais à le façonner de nouveau, je le ferais vraiment bien différent de ce qu'il est : désormais, c'est fait et ce n'est plus à faire. Cela dit, les traits de mon pinceau ne s'égarent point, quoiqu'ils changent et se diversifient. Le monde n'est qu'une éternelle balançoire, toutes choses y oscillent sans cesse, la terre, les rochers du Caucase, les pyramides d'Égypte, tant sous l'effet de l'oscillation générale que de la leur propre ; la constance même n'est rien d'autre qu'une oscillation alanguie. Je ne puis m'assurer de mon objet, il se trouble et chancelle, du fait d'une ivresse naturelle. Je le saisis en cette position, comme il est à l'instant où je m'occupe de lui. Je ne peins pas l'être, je peins le passage : non pas le passage d'un âge à un autre, ou, comme dit le peuple, de sept en sept ans, mais de jour en jour, de minute en minute. Il faut accommoder mon histoire à l'heure. Je pourrai sous

---

8. *âge* : à la fois âge de la vie et, plus probablement ici, époque (cf. l'expression «l'âge d'or, de fer»).

9. *accommoder mon histoire à l'heure* : allusion aux continuels renversements d'alliances et de fortunes des guerres de Religion.

changer, non de fortune seulement, mais aussi d'intention. C'est un contrôle de divers et muables accidents[1] et d'imaginations irrésolues et, quand il y échoit[2],
20 contraires ; soit que je sois autre moi-même, soit que je saisisse les sujets par autres circonstances et considérations. Tant y a que[3] je me contredis bien à l'aventure[4], mais la vérité, comme disait Démade[5], je ne la contredis point. Si mon âme pouvait prendre pied[6], je ne m'essaie-
25 rais pas, je me résoudrais ; elle est toujours en apprentissage et en épreuve.
Je propose une vie basse et sans lustre, c'est tout un[7]. On attache aussi bien toute la philosophie morale à une vie populaire et privée qu'à une vie de plus riche étoffe ;
30 chaque homme porte la forme entière de l'humaine condition.

(III, 2, *Du repentir*)

1. *muables accidents* : événements changeants.
2. *il y échoit* : cela arrive.
3. *Tant y a que* : Toujours est-il que.
4. *à l'aventure* : peut-être.
5. Sur ce personnage, voir notre chronologie biographique des Anciens.
6. *prendre pied* : se fixer, se stabiliser (comme un nageur qui a pied).
7. *c'est tout un* : cela ne change rien, cela importe peu.

récite : décris, fais une lecture à haute voix (du latin *recitare* : faire une lecture publique). Ici, sonder, essayer de voir ce qu'il est, comme un conteur raconte une histoire, dans le but d'obtenir un écho de réactions dans le public.

peu avoir des revirements non seulement de fortune, mais aussi d'intention. C'est une mise en registre d'événements divers et mouvants et de pensées indécises et, le cas échéant, contradictoires : soit que je sois moi-même différent, soit que je saisisse les sujets à travers des circonstances et des préoccupations différentes. Toujours est-il qu'il peut bien m'arriver de me contredire, mais la vérité, comme disait Démade, je ne la contredis pas. Si mon âme pouvait se poser, je ne ferais pas sur moi des essais, je me résoudrais : elle est toujours en train d'apprendre et d'éprouver.

J'expose une vie basse et sans éclat, cela revient au même. On peut tirer aussi bien toute la philosophie morale d'une vie ordinaire et privée que d'une vie de plus riche étoffe ; chaque homme porte en lui tout entière la forme de la condition humaine.

LIVRE TROISIESME. 351

l'heure. Ie pourray tantoſt changer, non de fortune ſeulemẽt, mais auſſi d'intention : C'eſt vn contrerolle de diuers & muables accidens, & d'imaginations irreſoluës, & quand il y eſchet, contraires : ſoit que ie ſois autre moymeſme ; ſoit que ie ſaiſiſſe les ſubiects, par autres circonſtances, & conſideratiõs. Tant y a, que ie me contredits bien à l'aduenture, mais la verité, comme diſoit Demades, ie ne la contredy point. Si mon ame pouuoit prendre pied ~~& forme~~, ie ne m'eſſaierois pas, ie me reſoudrois : elle eſt touſiours en apprẽtiſſage, & en eſpreuue. Ie propoſe vne vie baſſe, & ſans luſtre : C'eſt tout vn, On attache auſſi bien toute la philoſophie morale, à vne vie populaire & priuée, que à vne vie de plus riche eſtoffe : Chaque hõme porte la forme entiere, de l'humaine condition. Mais eſt-ce raiſon, que ſi particulier en vſage, ie pretende me rendre public en cognoiſſance ? Eſt-il auſſi raiſon, que ie produiſe au monde, où la façon & l'art, ont tant de credit & de commandement, des effects de nature crus & ſimples, & d'vne nature encore bien foiblette ? Eſt-ce pas faire vne muraille ſans pierre, ou choſe ſemblable, que de baſtir des liures ſans ſciẽce ? Les fantaſies de la muſique, ſont conduictes par art, les miennes par ~~la fortune~~. Aumoins i'ay cecy ſelõ la diſcipline, que iamais

Exemplaire des Essais *dit «Exemplaire de Bordeaux».*
Essai 2 du livre III, Du repentir.

Questions

Compréhension

1. *La* « conférence », *ou dialogue par lequel se confrontent les opinions, est un exercice qu'apprécie beaucoup Montaigne. Quels penseurs de l'Antiquité et du* XVIe *siècle avaient déjà, avant lui, mis en application et recommandé cette pratique ? Citez au moins deux noms.*

2. *Quelles qualités apprécie en priorité Montaigne chez les* « esprits vigoureux et réglés » *avec lesquels il aime discuter ? À quels personnages réels ou de fiction peut-on penser en le voyant louer les qualités des* « galants hommes » *?*

3. *Quel péché mignon se fait jour chez Montaigne, dans les discussions où le but est d'avoir le dessus sur l'adversaire ? Trouvez-vous, comme Rousseau dans* Les Confessions, *que Montaigne,* « faisant semblant d'avouer ses défauts, a grand soin de ne s'en donner que d'aimables » *? Justifiez votre réponse.*

Écriture

4. *Peut-on douter de la bonne foi de Montaigne lorsqu'il écrit :* « Je pourrai tantôt changer, non de fortune seulement, mais aussi d'intention » *?*

Bilan

• Ce que nous savons

Montaigne, toute sa vie, a été porté par le goût de la vérité. Mais c'est une vérité concrète, tangible qu'il cherche, et non pas le seul résultat logique de théories et de démonstrations, trop souvent en décalage par rapport au réel. Car Montaigne se méfie de la raison humaine. De là son rejet des systèmes philosophiques si chers aux penseurs de l'Antiquité : l'idée, par exemple, de réduire Dieu (texte n° 21) ou même l'univers (texte n° 27) à quelques formules qui en définiraient les principes fondamentaux, lui paraît aberrante.

L'Apologie de Raimond Sebond, *censée répondre aux détracteurs du théologien espagnol, aboutit à invalider ses arguments en faveur de la supériorité de l'homme sur le reste de la création. Ce chapitre interminable, auquel on peut certes tant bien que mal s'efforcer de trouver un ordre, est, il faut l'avouer, avant tout un fatras, comportant nombre de retours et de redites, voire de contradictions, à l'image même des théories qu'il cherche à dénoncer. Cette épaisseur* « déconcertante », *cette lourdeur du recours* « aux arguments sceptiques les plus éculés », *selon les termes de Francis Jeanson, pourraient également s'interpréter, dans ce long essai, comme symboliques de la difficulté qu'éprouve Montaigne à se détacher de l'autorité des sages de l'Antiquité. Eux qui étaient investis, dans sa jeunesse, d'un prestige si rayonnant, il les découvre, à l'âge mûr, incapables d'expliquer la réalité de cette nature qu'il a quotidiennement sous les yeux. Voilà pourquoi, dès le début du deuxième livre, il insiste sur l'idée d'inconstance, et confirme fortement sa conviction en 1588 dans le troisième livre, en produisant l'ouverture solennelle et majestueuse de l'essai* Du repentir, *lui aussi l'un des premiers (III, 2) du volume tout entier placé de la sorte sous cet éclairage.*

• Ce que nous pouvons nous demander

1. *Montaigne croit-il à la possiblité d'avoir des certitudes ?*

2. *Quelle peut être l'influence des événements dont Montaigne fut témoin dans le scepticisme qu'il manifeste ? Ce scepticisme concerne-t-il uniquement le domaine de la connaissance ou s'étend-il à celui de l'action ? Justifiez votre réponse.*

MONTAIGNE ANTHROPOLOGUE, JOURNALISTE

L'ANTHROPOLOGUE, LE COMPILATEUR ET LA DÉCOUVERTE (I, 31) ET LES MASSACRES (III, 6)

30. Nous et les autres, barbarie et civilisation : un jeu de miroirs (*Des Cannibales*, I, 31)[1]

Quand le roi Pyrrhus[2] passa en Italie, après qu'il eut reconnu l'ordonnance de l'armée que les Romains lui envoyaient au-devant : « Je ne sais, dit-il, quels barbares sont ceux-ci (car les Grecs appelaient ainsi toutes les nations étrangères),
5 mais la disposition de cette armée que je vois n'est aucunement barbare. » Autant en dirent les Grecs de celle que Flaminius[3] fit passer en leur pays, **et Philippe[3], voyant d'un tertre l'ordre et distribution du camp romain en son royaume, sous Publius Sulpicius Galba[4]**. Voilà com-
10 ment il se faut garder de s'attarder aux opinions vulgaires, et les faut juger par la voie de la raison, non par la voix commune.

J'ai eu longtemps avec moi un homme qui avait demeuré dix ou douze ans en cet autre monde, qui a été découvert
15 en notre siècle, en l'endroit où Villegagnon prit terre, qu'il

---

1. Des Cannibales : c'est le nom donné aux habitants – les Tupinambas – de la côte du Brésil où l'amiral français Nicolas Durand de Villegagnon débarqua en 1555 à l'embouchure du rio de Janeiro, avec l'intention d'y fonder des colonies. Il était entré en contact avec les tribus voisines, ennemies des Portugais arrivés sur place à partir de 1500. La première expédition française dans la région remontait à 1505, elle avait été menée par le capitaine Paulmier de Gonneville, qui ramena au pape le fils d'un chef Tupi.
2. *Pyrrhus* (fin IVe-IIIe siècles av. J.-C.) : voir notre chronologie biographique des Anciens.
3. *Flaminius* (175 av. J.-C.) : personnage déjà rencontré dans le texte n° 12 ; il vainquit Philippe V de Macédoine à Cynocéphales en 197 av. J.-C. Voir chronologie biographique des Anciens.
4. *Galba* : ce personnage, consul en 200 av. J.-C., est un lointain ancêtre de l'empereur Servius Sulpicius Galba (qui succéda à Néron en 68-69 ap. J.-C.). Les événements de cette guerre de Macédoine sont retracés chez Tite-Live, *Histoires*, XXXI.

AVANT LA LETTRE, MORALISTE

LE JOURNALISTE AVANT LA LETTRE :
DU NOUVEAU MONDE

30. Nous et les autres, barbarie et civilisation : un jeu de miroirs (*Des Cannibales*, I, 31)

Quand le roi Pyrrhus pénétra en Italie, après avoir identifié l'ordre dans lequel était rangée l'armée que les Romains envoyaient au-devant de lui : « Je ne sais pas, dit-il, quel genre de barbares sont ces gens (car les Grecs appelaient ainsi toutes les nations étrangères), mais la disposition des troupes de cette armée n'est pas du tout barbare. » Les Grecs, à propos de celle que Flaminius fit pénétrer dans leur pays, en dirent autant, ainsi que Philippe quand il vit d'une hauteur l'ordonnance et la distribution du campement romain établi dans son royaume, sous Publius Sulpicius Galba. Voilà qui montre comment il faut se garder d'en rester aux opinions courantes, et qu'il faut les juger selon la voie de la raison, et non selon la voix commune.

J'ai eu longtemps auprès de moi un homme qui avait passé dix ou douze ans dans cet autre monde que notre siècle a découvert, à l'endroit où Villegagnon débarqua

surnomma la France Antarctique[1]. Cette découverte d'un pays infini semble être de considération[2]. Je ne sais si je me puis répondre qu'il ne s'en fasse à l'avenir quelqu'autre, tant de personnages plus grands que nous ayant été trom-
20 pés en celle-ci. J'ai peur que nous ayons les yeux plus grands que le ventre, et plus de curiosité que nous n'avons de capacité. Nous embrassons tout, mais n'étreignons que du vent. Platon[3] introduit Solon racontant avoir appris des prêtres de la ville de Saïs, en Égypte, que, jadis et avant le
25 déluge, il y avait une grande île, nommée Atlantide, droit à la bouche[4] du détroit de Gibraltar, qui tenait plus de pays que l'Afrique et l'Asie toutes deux ensemble, et que les rois de cette contrée-là, qui ne possédaient pas seulement cette île, mais s'étaient étendus dans la terre ferme[5] si avant
30 qu'ils tenaient[6] de la largeur d'Afrique jusques en Égypte, et de la longueur de l'Europe jusques en la Toscane, entreprirent d'enjamber jusques sur l'Asie et subjuguer toutes les nations qui bordent la mer Méditerranée jusques au golfe de la mer Majour[7] ; et, pour cet effet, traversèrent les
35 Espagnes[8], la Gaule, l'Italie, jusques en la Grèce, où les Athéniens les soutinrent[9] ; mais que, quelque temps après, et les Athéniens, et eux, et leur île furent engloutis par le déluge. Il est bien vraisemblable que cet extrême ravage d'eaux ait fait[10] des changements étranges aux[11] habita-
40 tions de la terre, comme on tient que la mer a retranché la Sicile d'avec l'Italie,

---

1. *France Antarctique* : c'est le moine André Thevet qui, avant une *Cosmographie universelle* (1575), écrivit en 1558 les *Singularités de la France Antarctique*, ouvrage fait à partir de l'expédition (à laquelle Thevet avait participé) de Villegagnon. Mais Montaigne, pour son essai, s'inspire du pasteur Jean de Léry – autre membre de l'expédition – et de son *Histoire d'un voyage fait en la terre du Brésil autrement dite Amérique* (1578), beaucoup plus enthousiaste et bienveillante à l'égard des Indiens.
2. *de considération* : d'importance, de grande portée.
3. *Platon* : dans le *Timée*. Ce rapprochement entre les Grandes Découvertes et les légendes antiques a déjà été fait par Thevet et par un écrivain chez lequel Montaigne puise aussi pour cet essai, l'espagnol Lopez de Gomara, auteur d'une *Histoire générale des Indes* où il se montrait un admirateur de Cortez au Mexique.
4. *la bouche* : non pas l'embouchure (expression qui conviendrait pour un fleuve) mais la pointe, le débouché.
5. *terre ferme* : ce terme désigne le pays non insulaire ; mais il semble difficile de le traduire par « continent ». En réalité, son emploi s'est très tôt généralisé, à la suite des capitulations accordées en 1492 à Christophe Colomb et qui parlaient des : « *Islas y Tierra Firme del Oceano* ».
6. *tenaient* : occupaient.
7. *mer Majour* : mer Noire.

et qu'il dénomma la France Antarctique. Cette découverte d'un pays infini semble être considérable. Je ne sais pas si je puis tenir pour assuré qu'on n'en fera pas une autre à l'avenir, puisque tant de personnages plus grands que nous se sont trompés sur celle-ci. J'ai peur que nous n'ayons les yeux plus grands que le ventre, et plus de curiosité que nous n'avons de capacité. Nous embrassons tout, mais ne retenons que du vent. Platon montre Solon racontant avoir appris des prêtres de la ville de Saïs, en Égypte, que, jadis, avant le déluge, il y avait juste au débouché du détroit de Gibraltar une grande île, nommée Atlantide, occupant plus de superficie que l'Afrique et l'Asie réunies ; et que les rois de cette contrée, qui ne possédaient pas seulement cette île mais s'étaient étendus si loin sur la terre ferme qu'ils occupaient, sur la largeur de l'Afrique, jusqu'à l'Égypte, et, sur la longueur de l'Europe, jusqu'à la Toscane, entreprirent de faire une enjambée jusqu'à l'Asie et de subjuguer toutes les nations qui bordent la mer Méditerranée jusqu'au golfe de la mer Noire ; et, à cette fin, qu'ils traversèrent les Espagnes, la Gaule, l'Italie, jusqu'à la Grèce, où les Athéniens les bloquèrent ; mais que quelque temps après, et les Athéniens et eux, et leur île furent engloutis par le déluge. Il est assez vraisemblable que ce ravage extrême provoqué par les eaux, a entraîné de singuliers changements dans les terres habitées, de même que la mer a séparé, dit-on, la Sicile et l'Italie,

---

8. *les Espagnes* : ce pluriel est peut-être une allusion – anachronique mais qui serait venue spontanément sous la plume de Montaigne – à la séparation des deux Espagnes de l'Empire romain (*Hispania citerior* et *Hispania ulterior*), cette séparation reprenant d'ailleurs les démarcations naturelles du peuplement de la péninsule entre Ibères et Celtibères. Mais, au temps de Platon et *a fortiori* de Solon, les Grecs ne s'aventuraient guère dans cette partie de l'Europe.
9. *les soutinrent* : les arrêtèrent.
10. *ait fait* : au XVIe siècle, le subjonctif de doute après « il est vraisemblable que » était courant ; aujourd'hui, on le trouve seulement en cas de négation : « il n'est pas vraisemblable que ».
11. *aux* : dans les.

Haec loca, vi quondam et vasta convulsa ruina,
Dissiluisse ferunt, cum protinus utraque tellus
Una foret,

45 Chypre d'avec la Syrie, l'île de Négrepont[1] de la terre ferme de la Béotie ; et joint[2] ailleurs les terres qui étaient divisées, comblant de limon et de sable les fossés d'entre-deux[3],

sterilisque diu palus aptaque remis
Vicinas urbes alit, et grave sentit aratrum.

50 Mais il n'y a pas grande apparence que cette île soit ce monde nouveau que nous venons de découvrir ; car elle touchait quasi l'Espagne, et ce serait un effet incroyable d'inondation de l'en avoir reculée, comme elle est, de plus de douze cents lieues[4] ; outre ce[5] que les navigations des 55 modernes ont déjà presque découvert que ce n'est point une île, ains[6] terre ferme et continente avec[7] l'Inde orientale d'un côté, et avec les terres qui sont sous les deux pôles[8] d'autre part ; ou, si elle en est séparée, que c'est d'un[9] si petit détroit[10] et intervalle qu'elle ne mérite pas d'être nom-60 mée île pour cela[11]. **Il semble qu'il y ait des mouvements, naturels les uns, les autres fiévreux, en ces grands corps comme aux[12] nôtres. Quand je considère l'impression[13] que ma rivière de Dordogne fait de mon temps[14] vers la rive droite de sa descente, et qu'en vingt ans elle a tant**

1. *Négrepont* : nom médiéval de l'Eubée (cf. carte de la Grèce, p. 269).
2. *et joint* : et que la mer a joint, a réuni.
3. *d'entre-deux* : de l'intervalle.
4. *douze cents lieues* : environ 3 600 milles nautiques. La lieue marine équivalait à 3 milles nautiques, soit environ 5,5 km. Le mille nautique est la 60ᵉ partie d'un degré équatorial et mesure 1 852 mètres. Des Canaries aux Antilles, C. Colomb avait parcouru 1 105 lieues, soit plus de 6 000 km, donc effectivement plus de 1 200 lieues depuis l'Espagne.
5. *outre ce* : outre le fait, sans compter le fait.
6. *ains* : mais.
7. *continente avec* : attenante à, rattachée à.
8. *deux pôles* : la précision numérique souligne le caractère récent de ces notions au XVIᵉ siècle. La publication des travaux de Copernic date de 1543.
9. *d'un* : par un.
10. *petit détroit* : probablement l'actuel détroit de Béring. Lorsque ce navigateur danois fut envoyé en mission pour la Russie sur les côtes du Kamchatka (1725-1728), il acquit la certitude qu'il n'y avait pas, comme on le croyait au XVIᵉ et encore au XVIIIᵉ siècle, jonction des deux continents asiatique et américain. C'est en 1741 qu'il découvrit le détroit qui porte aujourd'hui son nom.

« On raconte que ces terres se disloquèrent, arrachées jadis de leur base par une violente et énorme secousse, alors qu'elles ne formaient l'une et l'autre qu'un seul et même sol » (Virgile, *Énéide*, chant III),
Chypre et la Syrie, l'île d'Eubée et la terre ferme de Béotie ; et qu'elle a joint ailleurs les terres qui étaient divisées en comblant de limon et de sable les cuvettes de l'intervalle,
« un marais longtemps stérile et battu par les rames nourrit les villes voisines et sent la lourdeur de la charrue » (Horace, *Art poétique*, 65).
Mais il est peu probable que cette île soit ce monde nouveau que nous venons de découvrir ; car elle touchait quasiment l'Espagne, et ce serait un phénomène d'inondation incroyable que de l'en avoir éloignée, comme elle l'est, de plus de douze cents lieues ; sans parler du fait que les navigations des modernes ont déjà presque permis de découvrir que ce n'est point une île, mais une terre ferme et attenante à l'Inde orientale d'un côté et aux terres qui sont sous les deux pôles de l'autre, ou que, si elle en est détachée, c'est par un détroit, un espace si petits qu'elle ne mérite pas le nom d'île pour autant. Il semble qu'il y ait des mouvements, naturels pour les uns, pour les autres anormaux et fiévreux, dans ces grands corps comme dans les nôtres.
Quand je considère la poussée que ma rivière, la Dordogne, fait, en cette époque où je vis, vers la rive droite de son lit, et qu'en vingt ans elle a tant gagné, et détruit

11. *pour cela* : pour autant.
12. *aux* : dans les.
13. *impression* : poussée, pression.
14. *de mon temps* : à mon époque (expression fréquente chez Montaigne et qu'il oppose au *« temps de nos pères »*).

65 gagné, et dérobé le fondement à plusieurs bâtiments, je vois bien que c'est une agitation extraordinaire ; car, si elle fût toujours allée à ce train, ou dût[1] aller à l'avenir, la figure du monde serait renversée. Mais il leur prend des changements : tantôt elles s'épandent d'un côté, tantôt
70 d'un autre ; tantôt elles se contiennent. Je ne parle pas des soudaines inondations de quoi nous manions les causes. En Médoc, le long de la mer, mon frère, sieur d'Arsac[2], voit une sienne terre ensevelie sous les sables que la mer vomit devant elle ; le faîte d'aucuns[3] bâtiments paraît[4]
75 encore ; ses rentes et domaines se sont échangés en pacages bien maigres. Les habitants disent que, depuis quelque temps, la mer se pousse si fort vers eux qu'ils ont perdu quatre lieues de terre. Ces sables sont ses fourriers[5], et voyons des grandes mont-joies d'arène mou-
80 vante[6] ; qui marchent d'une demi-lieue devant elle, et gagnent pays.

L'autre témoignage de l'Antiquité, auquel on veut rapporter[7] cette découverte, est dans Aristote, au moins si ce petit livret *Des merveilles inouïes* est à lui[8]. Il raconte là que certains
85 Carthaginois, s'étant jetés au travers de la mer Atlantique, hors le[9] détroit de Gibraltar, et navigué longtemps, avaient découvert enfin une grande île fertile, toute revêtue de bois et arrosée de grandes et profondes rivières, fort éloignée de toutes terres fermes ; et qu'eux, et autres depuis, attirés par
90 la bonté et fertilité du terroir, s'y en allèrent avec leurs femmes et enfants, et commencèrent à s'y habituer. Les seigneurs de Carthage, voyant que leur pays se dépeuplait peu à peu, firent défense expresse, sur[10] peine de mort, que

---

1. *si elle fût* [...] *ou dût* : si elle était [...] ou devait.
2. *Arsac* : village situé à cinq lieues de Bordeaux. L'ensablement des côtes ne fut arrêté que par la fixation des dunes et la plantation de pins. Montaigne, s'il évoque souvent son père, parle peu de sa mère (cf. texte n° 20) et de ses frères et sœurs. Il s'agit ici de son frère Thomas, d'un an son cadet, qui avait épousé en secondes noces Jaquette d'Arsac, belle-fille de La Boétie, devenant ainsi sieur de Beauregard et d'Arsac.
3. *aucuns* : certains.
4. *paraît* : apparaît.
5. *fourriers* : éclaireurs, avant-garde (image militaire).
6. *mont-joies d'arène mouvante* : dunes de sables mouvants (latin *arena*). Une montjoie, au sens littéral, est un monceau de pierres ; ce terme désigne généralement un monument commémoratif ou une indication de chemin.

les fondations de plusieurs bâtiments, je vois bien que c'est une agitation extraordinaire ; car, si elle était
75 toujours allée à cette allure, ou si elle devait aller ainsi à l'avenir, la configuration du monde serait bouleversée. Mais il prend aux rivières des bouffées de changement : tantôt elles se répandent d'un côté, tantôt de l'autre ; tantôt elles se contiennent. Je ne parle pas des sou-
80 daines inondations dont nous maîtrisons les causes. Dans le Médoc, le long de la mer, mon frère le sieur d'Arsac voit une de ses terres ensevelie dans les sables que la mer vomit devant elle ; le sommet de certains bâtiments apparaît encore ; ses rentes et domaines se
85 sont transformés en pâturages bien maigres. Les habitants disent que, depuis quelque temps, la mer s'avance si fort vers eux qu'ils ont perdu quatre lieues de terre. Ces sables sont ses éclaireurs ; et nous voyons de grandes dunes de sables mouvants qui marchent à
90 une demi-lieue devant elle, et gagnent sur le pays.
L'autre témoignage de l'Antiquité, avec lequel on veut mettre en rapport cette découverte, est dans Aristote, du moins si ce petit livret intitulé *Des merveilles inouïes* est de lui. Il y raconte que des Carthaginois, s'étant lancés à
95 travers l'Atlantique au-delà du détroit de Gibraltar, et ayant navigué longtemps, avaient fini par découvrir une grande île fertile, tout habillée de bois et arrosée de grandes et profondes rivières, fort éloignée de toutes terres fermes ; et qu'eux et d'autres ensuite, attirés par la
100 qualité et la fertilité du terroir, y allèrent avec leurs femmes et leurs enfants, et commencèrent à s'y établir. Les seigneurs de Carthage, voyant que leur pays se dépeuplait peu à peu, firent, sous peine de mort,

7. *rapporter* : comparer, rapprocher de.
8. *à lui* : pour ce rapprochement, comme pour celui de l'Atlantide de Platon, Montaigne s'inspire de Girolamo Benzoni, *Histoire nouvelle du Nouveau Monde*.
9. *hors le* : au-delà du.
10. *sur* : sous.

nul n'eût plus à aller là, et en chassèrent ces nouveaux habi-
95 tants, craignant, à ce que l'on dit, que par succession de temps[1] ils ne vinssent à multiplier[2] tellement qu'ils les supplantassent eux-mêmes et ruinassent leur État. Cette narration d'Aristote n'a non plus[3] d'accord avec nos terres neuves. Cet homme que j'avais[4], était homme simple et grossier, qui
100 est[5] une condition propre à rendre véritable témoignage ; car les fines gens[6] remarquent bien plus curieusement et plus de choses, mais ils les glosent ; et, pour faire valoir leur interprétation et la persuader[7], ils ne se peuvent garder d'altérer un peu l'histoire ; ils ne vous représentent[8] jamais les choses
105 pures, ils les inclinent et masquent selon le visage qu'ils leur ont vu ; et, pour donner crédit à leur jugement et vous y attirer, prêtent volontiers de ce côté-là à la matière, l'allongent et l'amplifient. Ou il faut un homme très fidèle, ou si simple qu'il n'ait pas de quoi bâtir et donner de la vraisem-
110 blance à des inventions fausses, et qui n'ait rien épousé[9]. Le mien était tel ; et, outre cela, il m'a fait voir à diverses fois plusieurs matelots et marchands qu'il avait connus en ce voyage. Ainsi je me contente de cette information, sans m'enquérir de ce que les cosmographes en disent.
115 Il nous faudrait des topographes[10] qui nous fissent narration particulière des endroits où ils ont été. Mais, pour avoir cet avantage sur nous d'avoir vu la Palestine, ils veulent jouir de ce privilège de nous conter nouvelles de[11] tout le demeurant du monde. Je voudrais que chacun écrivît ce qu'il sait, et
120 autant qu'il en sait, non en cela seulement, mais en tous autres sujets : car tel peut avoir quelque particulière science ou expérience de la nature d'une rivière ou d'une fontaine, qui ne sait au reste que ce que chacun sait. Il entreprendra toutefois, pour faire courir[12] ce petit lopin, d'écrire toute la

---

1. *par succession de temps* : le temps passant.
2. *multiplier* : se multiplier.
3. *non plus* : pas non plus.
4. *Cet homme que j'avais* : Montaigne revient au personnage qu'il a évoqué au tout début du chapitre (l. 13-14).
5. *qui est* : ce qui est.
6. *fines gens* : on aurait pu laisser le féminin, employé uniquement quand l'adjectif précède le nom (ex. « de bonnes gens » par oppos. à « ces gens sont hospitaliers ») ; aujourd'hui, même cet emploi paraît un peu précieux.
7. *persuader* : rendre convaincante.
8. *représentent* : montrent, présentent.
9. *n'ait rien épousé* : n'ait épousé aucune cause.

expressément interdire d'aller là-bas désormais, et en
105 chassèrent ces nouveaux habitants, parce qu'ils craignaient, à ce que l'on dit, qu'avec le temps ils ne se multipliassent au point de les supplanter eux-mêmes et de ruiner leur État. Ce récit d'Aristote ne correspond pas non plus à nos terres neuves.
110 Cet homme que j'avais, était un homme simple et fruste, ce qui est un naturel propice à fournir un témoignage véridique ; car les gens fins remarquent bien plus de choses et avec plus de curiosité, mais ils les commentent ; et, pour faire valoir leur interprétation et l'imposer, ils ne
115 peuvent s'empêcher d'altérer un peu l'Histoire ; ils ne vous présentent jamais les choses telles quelles, ils les orientent et les masquent selon le visage qu'ils leur ont vu ; et, pour accréditer leur jugement et vous y gagner, ils ajoutent volontiers de ce côté-là à la matière, l'allongent
120 et l'amplifient. Ou il faut un homme très fidèle, ou un homme si simple qu'il n'ait pas la possibilité de forger et de rendre vraisemblables des inventions fausses ; et qui soit sans *a priori*. Le mien était comme cela ; et, de surcroît, il m'a fait voir, à diverses reprises, plusieurs mate-
125 lots et marchands qu'il avait connus durant ce voyage. Ainsi, je me contente de cette information, sans m'enquérir de ce que les cosmographes en disent.
Il nous faudrait des géographes qui nous relatent strictement les endroits où ils ont été. Mais, parce qu'ils ont sur
130 nous cet avantage d'avoir vu la Palestine, ils veulent jouir de ce privilège de nous conter nouvelles de tout le reste du monde. Je voudrais que chacun écrive ce qu'il sait, et pas plus qu'il ne sait, non seulement en la matière, mais sur tous les autres sujets : car tel individu peut avoir
135 quelque connaissance ou expérience particulière de la nature d'une rivière ou d'une source, et ne savoir par ailleurs que ce que chacun sait. Il entreprendra toutefois,

10. *topographes* : géographes spécialisés dans la description des pays étrangers.
11. *conter nouvelles de* : parler de, faire la chronique de.
12. *faire courir* : diffuser.

125 physique. De ce vice sourdent[1] plusieurs grandes incommodités.
Or je trouve, pour revenir à mon propos, qu'il n'y a rien de barbare et de sauvage en cette nation, à ce qu'on m'en a rapporté, sinon que chacun appelle barbarie ce qui n'est pas
130 de son usage ; comme de vrai[2], il semble que nous n'avons autre mire[3] de la vérité et de la raison que l'exemple et idée des opinions et usances du pays où nous sommes. Là est toujours la parfaite religion, la parfaite police, parfait et accompli usage de toutes choses. Ils sont sauvages, de
135 même que nous appelons sauvages les fruits que nature, de soi et de son progrès ordinaire, a produits : là où, à la vérité, ce sont ceux que nous avons altérés par notre artifice et détournés de l'ordre commun, que nous devrions appeler plutôt sauvages. En ceux-là sont vives et vigoureuses les
140 vraies et plus utiles et naturelles vertus et propriétés, lesquelles[4] nous avons abâtardies en ceux-ci[5], et les avons seulement accommodées au plaisir de notre goût corrompu. **Et si pourtant[6], la saveur même et délicatesse se trouve à notre goût excellente, à l'envi des nôtres, en divers fruits**
145 **de ces contrées-là sans culture.** Ce n'est pas raison que l'art gagne le point d'honneur[7] sur notre grande et puissante mère Nature. Nous avons tant rechargé la beauté et richesse de ses ouvrages par nos inventions que nous l'avons du tout[8] étouffée. Si est-ce que[9], partout où sa pureté reluit, elle fait
150 une merveilleuse honte à nos vaines et frivoles entreprises,

Et veniunt ederae sponte sua melius,
Surgit et in solis formosior arbutus antris,
Et volucres nulla dulcius arte canunt.

Tous nos efforts ne peuvent seulement arriver à représenter
155 le nid du moindre oiselet, sa contexture, sa beauté et l'utilité de son usage, non pas la tissure de la chétive araignée. **Toutes choses, dit Platon[10], sont produites par la nature**

---

1. *sourdent* : résultent, découlent.
2. *de vrai* : vraiment (sens fort).
3. *mire* : la mire (cf. «point de mire») est ce que l'on regarde, ce à quoi l'on se réfère, le modèle, et non pas le critère, c'est-à-dire un crible qui servirait à trier les éléments (même si «critère» vient spontanément à l'esprit comme équivalent).
4. *lesquelles* : que.
5. *ceux-ci* : nos fruits.
6. *Et si pourtant* : Et pourtant.
7. *point d'honneur* : ce qu'on regardait comme intéressant au premier chef l'honneur, et qui entraînait souvent des duels.

pour placer ce petit lopin, d'écrire toute la physique. De ce défaut découlent plusieurs grands inconvénients. Or je trouve, pour revenir à mon propos, qu'il n'y a rien de barbare et de sauvage dans cette nation, à ce qu'on m'en a rapporté, sinon que chacun appelle « barbarie » ce qui n'est pas de son usage ; de même que, vraiment, nous n'avons, semble-t-il, pas d'autre modèle de vérité et de raison à l'esprit que l'exemple et l'idée des opinions et des usages du pays où nous sommes. C'est toujours là qu'est la parfaite religion, le parfait système politique, l'usage parfait et définitif de toute chose. Ils sont sauvages, comme nous appelons « sauvages » les fruits que la nature, d'elle-même et dans sa marche ordinaire, a produits : alors qu'à la vérité, ce sont ceux que nous avons altérés par notre artifice et détournés de l'ordre commun, que nous devrions plutôt appeler « sauvages ». C'est dans les premiers que, vives et vigoureuses, se trouvent les vraies, les plus utiles et naturelles vertus et propriétés, celles que nous avons dégradées dans les seconds, et seulement accommodées aux exigences de notre goût corrompu. Et pourtant, il arrive que la saveur même et la délicatesse de divers fruits de ces contrées-là où ils poussent sans être cultivés soient excellentes à notre goût, comparées aux nôtres. Il n'est pas raisonnable que l'art prenne le pas sur notre grande et puissante mère Nature. Nous avons tant surchargé la beauté et la richesse de ses ouvrages par nos inventions que nous l'avons complètement étouffée. Néanmoins, partout où sa pureté resplendit, elle fait une honte fabuleuse à nos vaines et frivoles entreprises,

« Le lierre pousse mieux livré à lui-même, l'arbousier croît plus beau dans les antres solitaires, et les oiseaux, sans art, ont un chant plus doux » (Properce, *Élégies*, I, 2).

Tous nos efforts ne peuvent arriver ne serait-ce qu'à reproduire le nid du moindre oiselet, sa contexture, sa beauté et la commodité de son usage, ni même la toile de la chétive araignée. Toutes choses, dit Platon, sont produites par la

8. *du tout* : complètement, tout à fait.
9. *Si est-ce que* : Cependant, toutefois.
10. *Platon* : dans *Les Lois*, livre X.

ou par la fortune, ou par l'art ; les plus grandes et plus belles, par l'une ou l'autre des deux premières, les
160 moindres et imparfaites, par la dernière.
Ces nations me semblent donc ainsi barbares, pour avoir reçu fort peu de façon[1] de l'esprit humain, et être encore fort voisines de leur naïveté[2] originelle. Les lois naturelles leur commandent encore, fort peu abâtardies par les
165 nôtres ; mais c'est en telle pureté, qu'il me prend quelquefois déplaisir[3] de quoi la connaissance n'en soit venue plus tôt, du temps qu'il y avait des hommes qui en eussent su mieux juger que nous. Il me déplaît que Lycurgue et Platon[4] ne l'aient eue ; car il me semble que ce que nous voyons par
170 expérience en ces nations-là, surpasse non seulement toutes les peintures de quoi la poésie a embelli l'âge doré et toutes ses inventions à feindre une heureuse condition d'hommes, mais encore la conception et le désir même de la philosophie. Ils[5] n'ont pu imaginer une naïveté si pure et
175 simple, comme nous la voyons par expérience ; ni n'ont pu croire que notre société se peut maintenir avec si peu d'artifice et de soudure humaine[6]. C'est une nation, dirais-je à Platon, en laquelle il n'y a aucune espèce de trafic ; nulle connaissance de lettres ; nulle science de nombres ; nul
180 nom[7] de magistrat, ni de supériorité politique ; nuls usages de service, de richesse ou de pauvreté ; nuls contrats ; nulles successions ; nuls partages ; nulles occupations qu'oisives ; nul respect de parenté que commun ; nuls vêtements ; nulle agriculture ; nul métal ; nul usage de vin ou de
185 blé. Les paroles mêmes qui signifient le mensonge, la trahison, la dissimulation, l'avarice, l'envie, la détraction[8], le pardon, inouïes[9]. Combien trouverait-il la république qu'il a imaginée éloignée de cette perfection : *« viri a diis recentes ».*

---

1. *façon* : ce terme est pris en général, chez Montaigne, dans son sens artisanal (vestimentaire) de « confection » : il désigne le travail du tailleur sur un drap ou un tissu. On paye la façon d'un habit dont on a fourni le tissu. Mais, souvent, Montaigne applique cette image à l'esprit ou au langage : *« En notre langage je trouve assez d'étoffe mais un peu faute de façon »* (*Sur des vers de Virgile*, III, 5 : texte n° 42).
2. *naïveté* : voir l'avis *Au lecteur*, *« ma forme naïve »*, c'est-à-dire « native », « innée » et non pas « niaise ».
3. *déplaisir* : regret, tristesse.
4. *Lycurgue et Platon* : voir notre chronologie biographique des Anciens.
5. *ils* : Lycurgue et Platon.
6. *soudure humaine* : ciment humain, liaison humaine.
7. *nom* : dénomination, mais aussi : renom ; l'idée est à la fois qu'on n'entend pas parler de magistrat ni de hiérarchie politique et qu'il n'y a pas de termes pour désigner ces réalités.

nature ou par la fortune, ou par l'art ; les plus grandes et les
175 plus belles, par l'une ou l'autre des deux premières, les moindres et imparfaites par la dernière.

Donc, si ces nations me semblent barbares, c'est dans le sens où elles ont été fort peu façonnées par l'esprit humain et où elles sont encore très voisines de leur naï-
180 veté originelle. Les lois naturelles les gouvernent encore, fort peu dégradées par les nôtres ; mais c'est avec une telle pureté que j'en viens quelquefois à regretter que la connaissance n'en soit pas arrivée ici plus tôt, du temps où il y avait des hommes qui auraient su mieux en juger
185 que nous. Je regrette que Lycurgue et Platon n'aient pas eu cette connaissance, car il me semble que ce que nous voyons d'expérience chez ces nations-là surpasse non seulement toutes les peintures par lesquelles la poésie a embelli l'âge d'or, et toutes ses inventions pour figurer
190 une heureuse condition humaine, mais encore la conception et les vœux mêmes de la philosophie. Ils n'ont pu imaginer une naïveté aussi pure et simple que nous la voyons d'expérience ; et ils n'ont pu croire que notre société pouvait se maintenir avec si peu d'artifice
195 et de ciment humain. C'est une nation, dirais-je à Platon, dans laquelle il n'y a aucune espèce de commerce ; nulle connaissance de l'écriture ; nulle science des nombres ; nulle notion de magistrat, ni de hiérarchie politique ; nulle pratique de la domesticité, de la richesse ou de la
200 pauvreté ; ni contrats, ni successions, ni partages ; nulle occupation que de loisir, nul respect de la parenté que communautaire ; ni vêtements, ni agriculture, ni métal, ni usage de vin ou de blé. Les mots mêmes qui signifient le mensonge, la trahison, la dissimulation, l'avarice, l'en-
205 vie, la médisance, le pardon, sont inconnus. Combien Platon trouverait la république qu'il a imaginée éloignée de cette perfection : *« des hommes fraîchement formés de la main des dieux »* (Sénèque, lettre 90).

8. *détraction* : médisance, malveillance.
9. *inouïes* : on ne les entend jamais.

Hos natura modos primum dedit.

Au demeurant, ils vivent en une contrée de pays très plai-
190 sante et bien tempérée ; de façon qu'à ce que m'ont dit mes témoins, il est rare d'y voir un homme malade ; et m'ont assuré n'en y[1] avoir vu aucun tremblant, chassieux, édenté, ou courbé de vieillesse. Ils sont assis le long de la mer, et fermés[2] du côté de la terre de grandes et hautes
195 montagnes, ayant, entre-deux[3], cent lieues[4] ou environ d'étendue en large. Ils ont grande abondance de poissons et les mangent sans autre artifice que de les cuire, de chairs qui n'ont aucune ressemblance aux nôtres. Le premier qui y mena un cheval, quoiqu'il les eût pratiqués à[5] plusieurs
200 autres voyages, leur fit tant d'horreur[6] en cette assiette[7], qu'ils le tuèrent à coups de trait, avant que le pouvoir reconnaître. Leurs bâtiments sont fort longs, et capables de[8] deux ou trois cents âmes, étoffés d'écorce de grands arbres, tenant à terre par un bout et se soutenant et
205 appuyant l'un contre l'autre par le faîte, à la mode[9] d'aucunes[10] de nos granges, desquelles[11] la couverture pend jusques à terre, et sert de flanc[12]. Ils ont du bois si dur qu'ils en coupent[13], et en font leurs épées et des grils à cuire[14] leur viande. Leurs lits sont d'un tissu de coton, suspendus
210 contre le toit, comme ceux de nos navires, à chacun le sien ; car les femmes couchent à part des maris. Ils se lèvent avec le soleil, et mangent soudain[15] après s'être levés, pour toute la journée ; car ils ne font autre repas que celui-là. Ils ne boivent pas lors, comme Suidas[16] dit de quel-
215 ques autres peuples d'Orient, qui buvaient hors du manger ; ils boivent à plusieurs fois sur jour, et d'autant. Leur breuvage est fait de quelque racine, et est de la couleur de nos vins clairets[17]. Ils ne le boivent que tiède ; ce breuvage ne se

---

1. *n'en y* : n'y en.
2. *fermés* [...] *de* : enfermés dans des.
3. *entre-deux* : dans l'intervalle.
4. *cent lieues* : une lieue (terrestre) fait environ 4 km, même si les mesures diffèrent selon qu'il s'agit de « lieues de pays », de « lieues de poste » ou de la « lieue française » déjà rencontrée dans notre texte n° 3.
5. *à* : lors de.
6. *horreur* : terreur (latin *horror*).
7. *en cette assiette* : dans cette position.
8. *capables de* : capables d'abriter.
9. *à la mode* : à la manière.
10. *aucunes* : certaines.
11. *desquelles* : dont.
12. *flanc* : paroi.
13. *ils en coupent* : ils s'en servent pour couper.

« Voilà les premières règles que la nature donna » (Virgile, *Géorgiques*, chant II).
Au demeurant, ils vivent dans une zone de pays très agréable et bien tempérée ; de sorte qu'à ce que m'ont dit mes témoins, il est rare d'y voir un homme malade ; et ils m'ont assuré n'en avoir vu aucun souffrant de tremblements, les yeux chassieux, édenté ou courbé par la vieillesse. Ils sont installés sur le littoral et enfermés, côté terre, par de grandes et hautes montagnes ; il y a, entre les deux, environ cent lieues d'étendue en largeur. Ils ont une grande abondance de poissons qu'ils mangent sans autre préparation que la cuisson, de viandes qui n'ont aucune ressemblance avec les nôtres. Le premier qui mena là-bas un cheval, quoiqu'il les eût fréquentés lors de plusieurs autres voyages, leur inspira tant de frayeur dans cette posture qu'ils le tuèrent à coups de traits avant de pouvoir le reconnaître. Leurs bâtisses sont fort longues, et peuvent contenir deux ou trois cents âmes ; elles sont renforcées de bandes d'écorce de grands arbres, tenant à terre par un bout et se soutenant et s'appuyant les unes contre les autres par le faîte, à la façon de certaines de nos granges, dont la couverture pend jusqu'à terre et sert de paroi. Ils ont du bois si dur qu'ils s'en servent pour couper, et en font leurs épées et des grils pour cuire leur nourriture. Leurs lits, en tissu de coton, sont suspendus contre le toit, comme ceux de nos navires : à chacun le sien, car les femmes couchent à part des maris. Ils se lèvent avec le soleil, et mangent immédiatement après s'être levés, pour toute la journée, car ils ne font pas d'autre repas que celui-là. Ils ne boivent pas à ce moment-là : Suidas dit la même chose de quelques autres peuples d'Orient, qui buvaient hors des repas ; ils boivent plusieurs fois par jour et beaucoup. Leur breuvage est tiré d'une certaine racine, et il a la couleur de nos vins clairets. Ils ne le boivent que tiède ; ce breuvage ne se

14. *à cuire* : pour cuire.
15. *soudain* : aussitôt.
16. *Suidas* : voir notre chronologie biographique des Anciens.
17. *vins clairets* : vins peu colorés dont la robe est proche de celle du rosé. Cette appellation est réservée aux Bordeaux.

conserve que deux ou trois jours ; il a le goût un peu piquant, nullement fumeux[1], salutaire à l'estomac, et laxatif à ceux qui ne l'ont accoutumé ; c'est une boisson très agréable à qui y est duit[2]. Au lieu du pain, ils usent d'une
225 certaine matière blanche, comme du coriandre[3] confit. J'en ai tâté[4] : le goût en est doux et un peu fade. Toute la journée se passe à danser. Les plus jeunes vont à la chasse des bêtes à tout[5] des arcs. Une partie des femmes s'amusent cependant à chauffer leur breuvage, qui[6] est leur principal
230 office. Il y a quelqu'un des vieillards qui, le matin, avant qu'ils se mettent à manger, prêche en commun toute la grangée, en se promenant d'un bout à l'autre et redisant une même clause à plusieurs fois[7], jusques à ce qu'il ait achevé le tour (car ce sont bâtiments qui ont bien cent pas
235 de longueur). Il ne leur recommande que deux choses : la vaillance contre les ennemis et l'amitié à leurs femmes. Et ne faillent[8] jamais de remarquer cette obligation, pour leur refrain, que ce sont elles qui leur maintiennent leur boisson tiède et assaisonnée. Il se voit en plusieurs lieux, et entre
240 autres chez moi, la forme de leurs lits, de leurs cordons, de leurs épées et bracelets de bois de quoi[9] ils couvrent leurs poignets aux combats, et des grandes cannes[10], ouvertes par un bout, par le son desquelles ils soutiennent la cadence en leur danser[11]. Ils sont ras partout, et se font le poil beau-
245 coup plus nettement que nous, sans autre rasoir que de bois ou de pierre. Ils croient les âmes éternelles[12], et celles qui ont bien mérité des dieux, être logées à l'endroit du ciel où le soleil se lève ; les maudites, du côté de l'Occident. Ils ont je ne sais quels prêtres et prophètes, qui se pré-
250 sentent bien rarement au peuple, ayant leur demeure aux[13] montagnes. À leur arrivée, il se fait une grande fête et assemblée solennelle de plusieurs villages (chaque grange, comme je l'ai décrite, fait un village, et sont[14] environ à une

1. *fumeux* : capiteux.
2. *duit* : habitué à, conduit à.
3. *coriandre* : plante méditerranéenne.
4. *tâté* : essayé, testé.
5. *à tout* : avec.
6. *qui* : ce qui.
7. *à plusieurs fois* : à plusieurs reprises.
8. *Et ne faillent* : Et ils ne manquent.
9. *de quoi* : dont.
10. *cannes* : cannes de roseau.
11. *en leur danser* : dans leur danse.
12. *Ils croient les âmes éternelles* : Ils croient à l'éternité des âmes.

conserve que deux ou trois jours ; il a le goût un peu piquant, ne monte pas à la tête, il est bon pour l'estomac et laxatif pour ceux qui n'en ont pas l'habitude ; c'est une boisson très agréable pour celui qui y est accoutumé. Au lieu du pain, ils se servent d'une certaine matière blanche comparable à de la coriandre confite. J'en ai testé : le goût est doux et un peu fade. Toute la journée se passe à danser. Les plus jeunes vont chasser les bêtes sauvages avec des arcs. Une partie des femmes s'occupe, pendant ce temps, à faire chauffer leur breuvage, ce qui est leur principale fonction. Il y a un des vieillards qui, le matin, avant qu'ils se mettent à manger, prêche toute la grangée en même temps, en se promenant de long en large et en redisant plusieurs fois une même phrase jusqu'à ce qu'il ait fini son tour (car ce sont des bâtisses qui ont bien cent pas de longueur). Il ne leur recommande que deux choses : la vaillance contre les ennemis et l'amour pour leurs femmes. Et ils ne manquent jamais de souligner ce titre de reconnaissance envers elles, dans leur refrain, que ce sont elles qui leur maintiennent leur boisson tiède et assaisonnée. On peut voir en plusieurs lieux, et entre autres chez moi, comment sont faits leurs lits, leurs cordons, leurs épées et les bracelets de bois dont ils couvrent leurs poignets aux combats, et aussi les grandes cannes ouvertes par un bout, qui produisent le son qui leur fait tenir la cadence dans leurs danses. Ils sont rasés partout, et se font la barbe beaucoup plus nettement que nous, sans autre rasoir que de bois ou de pierre. Ils croient que les âmes sont éternelles, et que celles qui ont bien mérité des dieux sont logées à l'endroit du ciel où le soleil se lève, les maudites du côté de l'Occident.

Ils ont je ne sais quels prêtres et prophètes qui, ayant leur demeure dans les montagnes, se présentent bien rarement devant le peuple. À leur arrivée, on fait une grande fête et une assemblée solennelle de plusieurs villages (chaque grange, telle que je l'ai décrite, constitue un village, et elles sont distantes d'environ une lieue

13. *aux* : dans les.
14. *sont* : elles sont.

lieue française l'une de l'autre). Ce prophète parle à eux en public, les exhortant à la vertu et à leur devoir ; mais toute
255 leur science éthique ne contient que ces deux articles, de la résolution à la guerre et affection à leurs femmes. Celui-ci leur pronostique les choses à venir et les événements qu'ils doivent espérer de leurs entreprises, les achemine ou détourne de la guerre ; mais c'est par tel si que[1], où il faut[2]
260 à bien deviner, et s'il leur advient autrement qu'il ne leur a prédit, il est haché en mille pièces s'ils l'attrapent, et condamné pour faux prophète. À cette cause, celui qui s'est une fois mécompté, on ne le voit plus.

C'est don de Dieu que la divination ; voilà pourquoi ce
265 devrait être une imposture punissable d'en abuser. Entre les Scythes, quand les devins avaient failli de rencontre[3], on les couchait, enforgés[4] de pieds et de mains, sur des chariotes pleines de bruyère, tirées par des bœufs, en quoi on les faisait brûler. Ceux qui
270 manient les choses sujettes à la conduite[5] de l'humaine suffisance, sont excusables d'y faire ce qu'ils peuvent. Mais ces autres, qui nous viennent pipant[6] des assurances d'une faculté extraordinaire qui est hors de notre connaissance, faut-il pas les punir de ce
275 qu'ils ne maintiennent l'effet[7] de leur promesse, et de la témérité de leur imposture ?

Ils ont leurs guerres contre les nations qui sont au-delà de leurs montagnes, plus avant en la terre ferme, auxquelles ils vont tout nus, n'ayant autres armes que des arcs ou des
280 épées de bois, apointées[8] par un bout, à la mode[9] des langues de nos épieux. C'est chose émerveillable[10] que de la fermeté de leurs combats, qui ne finissent jamais que par meurtre et effusion de sang ; car, de déroutes et d'effroi, ils ne savent que c'est[11]. Chacun rapporte pour son trophée la
285 tête de l'ennemi qu'il a tué, et l'attache à l'entrée de son logis. Après avoir longtemps bien traité leurs prisonniers, et

1. *par tel si que* : à la condition que.
2. *où il faut* : quand il échoue, quand il ne parvient pas (verbe « faillir »).
3. *avaient failli de rencontre* : s'étaient trompés d'événement, de prévision.
4. *enforgés* : enchaînés.
5. *conduite* : peut se comprendre soit avec un sens réfléchi : « comportement », « manière de se conduire », soit – et c'est notre choix – comme appelant un complément (ici, « les choses ») et ayant alors le sens de « direction » (des affaires).
6. *pipant* : trompant.
7. *ne maintiennent l'effet* : n'obtiennent pas l'effet.
8. *apointées* : aiguisées.

française les unes des autres). Ce prophète leur parle en public, les exhortant à la vertu et à leur devoir ; mais toute leur science éthique ne contient que ces deux articles, la fermeté à la guerre et l'affection pour leurs femmes. Cet homme leur prédit l'avenir et les résultats qu'ils doivent espérer de leurs entreprises, les pousse à la guerre ou les en détourne ; mais c'est avec cette condition que, s'il se trompe dans ses divinations, et s'il leur arrive autre chose que ce qu'il leur a prédit, il est haché en mille morceaux dès qu'ils l'attrapent, et condamné comme faux prophète. Moyennant quoi, celui qui s'est trompé une fois, on ne le voit plus.
C'est un don de Dieu que la divination ; voilà pourquoi ce devrait être une imposture punissable que d'en abuser. Chez les Scythes, quand les devins s'étaient trompés de prédiction, on les couchait, pieds et poings liés dans les chaînes, sur des charrettes pleines de bruyère et tirées par des bœufs, dans lesquelles on les faisait brûler. Ceux qui manient les affaires dépendant, pour leur acheminement, de la capacité humaine, ont cette excuse d'y faire ce qu'ils peuvent. Mais ces autres, qui viennent nous bluffer des assurances d'une faculté extraordinaire échappant à notre connaissance, ne faut-il pas les punir de ce qu'ils ne tiennent pas leur promesse, et de la témérité de leur imposture ?
Les Cannibales font leurs guerres contre les nations qui sont au-delà de leurs montagnes, plus avant dans les terres, guerres où ils vont tout nus, n'ayant en fait d'armes que des arcs ou des épées de bois, aiguisées à un bout à la façon des fers de nos épieux. C'est une chose étonnante que la dureté de leurs combats, qui ne finissent jamais qu'en tueries et en effusion de sang ; car, les déroutes et l'effroi, ils ne savent pas ce que c'est. Chacun rapporte, en trophée personnel, la tête de l'ennemi qu'il a tué, et l'attache à l'entrée de son logis. Après une longue période où ils traitent bien leurs

9. *à la mode* : à la manière.
10. *émerveillable* : étonnante.
11. *que c'est* : ce que c'est.

de toutes les commodités dont ils se peuvent aviser, celui qui en est le maître, fait une grande assemblée de ses connaissants ; il attache une corde à l'un des bras du prisonnier, **par le bout de laquelle il le tient éloigné de quelques pas, de peur d'en être offensé**[1], et donne au plus cher de ses amis l'autre bras à tenir de même ; et eux deux, en présence de toute l'assemblée, l'assomment[2] à coups d'épée. Cela fait, ils le rôtissent et en mangent en commun et en envoient des lopins[3] à ceux de leurs amis qui sont absents. Ce n'est pas, comme on pense, pour s'en nourrir, ainsi que faisaient anciennement les Scythes ; c'est pour représenter une extrême vengeance. Et qu'il soit ainsi[4], ayant aperçu[5] que les Portugais, qui s'étaient ralliés à leurs adversaires, usaient d'une autre sorte de mort contre eux, quand ils les prenaient, qui était de les enterrer jusques à la ceinture, et tirer au demeurant du corps force coups de trait, et les pendre après, ils pensèrent que ces gens ici de l'autre monde, comme ceux qui[6] avaient semé la connaissance de beaucoup de vices parmi leur voisinage, et qui étaient beaucoup plus grands maîtres qu'eux en toute sorte de malice, ne prenaient pas sans occasion cette sorte de vengeance, et qu'elle devait être plus aigre que la leur, commencèrent de quitter leur façon ancienne pour suivre celle-ci. Je ne suis pas marri[7] que nous remarquons[8] l'horreur barbaresque qu'il y a en une telle action[9], mais oui bien[10] de quoi[11], jugeant bien de leurs fautes, nous soyons si aveugles aux nôtres. Je pense qu'il y a plus de barbarie à manger un homme vivant qu'à le manger mort, à déchirer par tourments[12] et par gênes un corps encore plein de sentiment, le faire rôtir par le menu, le faire mordre et meurtrir aux chiens et aux pourceaux[13] (comme nous l'avons non seulement lu, mais vu de fraîche mémoire, non entre des

1. *offensé* : attaqué, blessé (physiquement).
2. *l'assomment* : le massacrent.
3. *lopins* : morceaux. Cet emploi d'une image foncière est, déjà au XVIe siècle, pittoresque et cocasse, vu la gravité des actes en cause. Il y a là une volonté délibérée de présenter ces coutumes de manière amusante.
4. *qu'il soit ainsi* : la preuve qu'il en est ainsi, c'est que.
5. *aperçu* : remarqué, noté.
6. *comme ceux qui* : en hommes qui.
7. *marri* : chagriné, ennuyé.
8. *que nous remarquons* : que nous remarquions.
9. *une telle action* : l'anthropophagie.
10. *mais oui bien* : mais vraiment.

prisonniers avec tous les agréments auxquels ils peuvent penser, celui qui en est le maître, fait une grande assemblée des gens de sa connaissance ; il attache une corde à
120 l'un des bras du prisonnier, corde au bout de laquelle il le tient éloigné de quelques pas, de peur d'être blessé par lui, et donne au plus cher de ses amis l'autre bras à tenir de la même façon ; et eux deux, en présence de toute l'assemblée, le massacrent à coups d'épée. Cela
125 fait, ils le rôtissent, ils en mangent ensemble, et en envoient des lopins à ceux de leurs amis qui sont absents. Ce n'est pas, comme on pense, pour s'en nourrir, ainsi que faisaient, dans l'Antiquité, les Scythes ; c'est pour figurer une extrême vengeance. À preuve, le
130 fait qu'ayant remarqué que les Portugais, qui s'étaient alliés à leurs adversaires, usaient d'une autre sorte de mort contre eux quand ils les prenaient, laquelle consistait à les enterrer jusqu'à la ceinture et à leur tirer sur le reste du corps une pluie de traits, puis à les pendre, ils
135 pensèrent que ces représentants de l'Autre Monde, en hommes qui avaient semé la connaissance de beaucoup de vices dans leur voisinage et qui étaient beaucoup plus grands spécialistes qu'eux pour toute sorte de méchanceté, ne prenaient pas sans cause cette sorte de ven-
140 geance et qu'elle devait être plus amère que la leur ; et ils commencèrent à abandonner leur ancienne manière pour adopter celle-ci. Je ne suis pas fâché que nous soulignions l'horreur barbare qu'il y a dans une telle action, mais je le suis vraiment que, jugeant bien de
145 leurs fautes, nous soyons si aveugles sur les nôtres. Je pense qu'il y a plus de barbarie à manger un homme vivant qu'à le manger mort, à déchirer par des tortures et des supplices un corps ayant encore toute sa sensibilité, à le faire rôtir par le menu, à le faire mordre et
150 mettre à mort par les chiens et les pourceaux (comme nous l'avons non seulement lu, mais vu de fraîche date,

11. *de quoi* : du fait que, de ce que.
12. *tourments* : tortures.
13. *aux chiens et aux pourceaux* : par les chiens et les pourceaux.

ennemis anciens, mais entre des voisins et concitoyens, et,
320 qui pis est[1], sous prétexte de piété et de religion), que de le rôtir et manger après qu'il est trépassé.
Chrysippe et Zénon, chefs de la secte stoïque, ont bien pensé qu'il n'y avait aucun mal de[2] se servir de notre charogne à quoi que ce fût pour notre besoin, et d'en tirer
325 de la nourriture ; comme nos ancêtres, étant assiégés par César en la ville de Alésia, se résolurent de soutenir[3] la faim de ce siège par les corps des vieillards, des femmes et d'autres personnes inutiles au combat.

Vascones, fama est, alimentis talibus usi
330 *Produxere animas.*

Et les médecins ne craignent pas de s'en servir[4] à toute sorte d'usage pour notre santé ; soit pour l'appliquer au-dedans ou au-dehors ; mais il ne se trouva jamais aucune opinion si déréglée qui excusât la trahison, la déloyauté, la
335 tyrannie, la cruauté, qui sont nos fautes ordinaires.
Nous les pouvons donc bien appeler barbares, eu égard aux règles de la raison, mais non pas eu égard à nous, qui les surpassons en toute sorte de barbarie. Leur guerre est toute noble et généreuse, et a autant d'excuse et de beauté
340 que cette maladie humaine en peut recevoir ; elle n'a autre fondement parmi eux que la seule jalousie de la vertu. Ils ne sont pas en débat de[5] la conquête de nouvelles terres, car ils jouissent encore de cette uberté[6] naturelle qui les fournit sans travail et sans peine de toutes choses nécessaires, en
345 telle abondance qu'ils n'ont que faire d'agrandir leurs limites. Ils sont encore en cet heureux point, de ne désirer qu'autant que leurs nécessités naturelles leur ordonnent ; tout ce qui est au-delà est superflu pour eux. Ils s'entr'appellent[7] généralement, ceux de même âge, frères ; enfants,
350 ceux qui sont au-dessous ; et les vieillards sont pères à tous les autres. Ceux-ci[8] laissent à leurs héritiers en commun cette pleine possession de biens par indivis[9], sans autre titre

1. *qui pis est* : ce qui est pis (rare exemple d'adjectif existant encore au genre neutre – comme son contraire : « mieux »).
2. *de* : à.
3. *soutenir* : supporter, lutter contre.
4. *s'en servir* : se servir de la chair humaine.
5. *en débat de* : en lutte pour.
6. *uberté* : profusion, abondance (latin *ubertas*).
7. *s'entr'appellent* : s'appellent les uns les autres.
8. *Ceux-ci* : Les vieillards.
9. *par indivis* : dans l'indivision.

non pas entre des ennemis anciens, mais entre des voisins et des concitoyens et, ce qui est pis, sous prétexte de piété et de religion) que de le rôtir et de le manger
355 après son trépas.
Chrysippe et Zénon, chefs de l'école stoïcienne, n'ont-ils pas pensé qu'il n'y avait aucun mal à se servir de notre chair à quelque usage que ce fût pour notre besoin, et même à en tirer de la nourriture ; ainsi de nos
360 ancêtres qui, assiégés par César dans la ville d'Alésia, se résolurent à lutter contre la faim entraînée par ce siège avec les corps des vieillards, des femmes et d'autres personnes inutiles au combat.
« Les Gascons, dit-on, en faisant usage de tels aliments, pro-
365 *longèrent leur vie »* (Juvénal, *Satires*, XV)
Les médecins non plus ne craignent pas de s'en servir à toute sorte d'usage pour notre santé, que ce soit pour l'appliquer au-dedans ou au-dehors ; mais il ne se trouva jamais aucune opinion si déréglée qu'elle excusât la tra-
370 hison, la déloyauté, la tyrannie, la cruauté, qui sont nos fautes ordinaires.
Nous pouvons donc bien appeler ces hommes « barbares », au regard des règles de la raison, mais non au regard de nous-mêmes, qui les surpassons en toute sorte
375 de barbarie. Leur guerre est toute noble et généreuse, et a autant d'excuse et de beauté que cette maladie humaine peut en recevoir ; elle n'a d'autre fondement, chez eux, que la seule émulation pour la vertu. Ils ne sont pas en litige pour la conquête de nouvelles terres, car ils
380 jouissent de cette profusion naturelle qui les pourvoit sans travail et sans peine de toutes choses nécessaires, en telle abondance qu'ils n'ont que faire d'agrandir leurs limites. Ils sont encore en cet heureux état consistant à ne désirer qu'autant que leurs nécessités naturelles leur
385 ordonnent ; tout ce qui est au-delà est superflu pour eux. Ils s'appellent généralement « frères » entre gens du même âge ; « enfants » pour ceux qui sont au-dessous ; et les vieillards sont les « pères » de tous les autres. Ceux-ci laissent à leurs héritiers en commun cette pleine posses-
390 sion des biens dans l'indivision, sans autre titre que

que celui tout pur que nature donne à ses créatures, les produisant au monde[1]. Si leurs voisins passent les mon-
355 tagnes pour les venir assaillir, et qu'ils emportent la victoire sur eux, l'acquêt[2] du victorieux, c'est la gloire, et l'avantage d'être demeuré maître en valeur et en vertu ; car autrement ils n'ont que faire des biens des vaincus, et s'en retournent à leur pays, où ils n'ont faute[3] d'aucune chose nécessaire,
360 ni faute encore de cette grande partie[4], de savoir heureusement jouir de leur condition et s'en contenter. Autant en font ceux-ci[5] à leur tour. Ils ne demandent à leurs prisonniers autre rançon que la confession et reconnaissance d'être vaincus ; mais il ne s'en trouve pas un, en tout un
365 siècle, qui n'aime mieux la mort que de relâcher, ni par contenance, ni de parole un seul point d'une grandeur de courage invincible ; il ne s'en voit aucun qui n'aime mieux être tué et mangé, que de requérir seulement de ne l'être pas. Ils les traitent en toute liberté, et leur fournissent de[6]
370 toutes les commodités[7] de quoi ils se peuvent aviser, afin que la vie leur soit d'autant plus chère ; et les entretiennent communément des menaces de leur mort future, des tourments qu'ils y auront à souffrir, des apprêts qu'on dresse[8] pour cet effet, du détranchement[9] de leurs membres et du
375 festin qui se fera à leurs dépens. Tout cela se fait pour cette seule fin d'arracher de leur bouche quelque parole molle ou rabaissée, ou de leur donner envie de s'enfuir, pour gagner cet avantage de les avoir épouvantés, et d'avoir fait force à leur constance. Car aussi, à le bien prendre, c'est en ce seul
380 point que consiste la vraie victoire :

victoria nulla est
Quam quae confessos animo quoque subjugat hostes.

Les Hongres[10], très belliqueux combattants, ne poursuivaient jadis leur pointe, outre avoir rendu[11] l'ennemi

1. *les produisant au monde* : quand elle les met au monde.
2. *l'acquêt* : l'acquisition, le gain.
3. *n'ont faute* : ne manquent.
4. *cette grande partie* : cette grande qualité.
5. *ceux-ci* : les vaincus (quand ils sont vainqueurs).
6. *fournissent de* : pourvoient en, munissent de.
7. *commodités* : avantages.
8. *des apprêts qu'on dresse* : des préparatifs qu'on fait.
9. *détranchement* : tranchage.
10. *Les Hongres* : Les Hongrois.

celui, tout pur, que la nature donne à ses créatures en les mettant au monde. Si leurs voisins passent les montagnes pour venir les attaquer, et qu'ils remportent la victoire sur eux, le gain du vainqueur, c'est la gloire, et l'avantage d'être demeuré le maître en valeur et en vertu ; car, autrement, ils n'ont que faire des biens des vaincus, et ils s'en retournent dans leur pays où ils ne manquent d'aucun bien nécessaire, ni même de cet important élément qui est de savoir heureusement jouir de leur condition et de s'en contenter. Et ceux-ci en font autant à leur tour. Ils ne demandent à leurs prisonniers, en fait de rançon, que l'aveu et la reconnaissance qu'ils sont vaincus ; mais il ne s'en trouve pas un, durant tout un siècle, qui n'aime mieux la mort que d'abandonner, ni par la contenance, ni en parole, un seul point d'une grandeur de courage invincible ; il ne s'en voit aucun qui n'aime mieux être tué et mangé que de seulement demander à ne pas l'être. Ils les traitent d'une manière toute libérale, et les pourvoient de tous les agréments auxquels ils peuvent penser, afin que la vie leur soit d'autant plus chère ; et ils leur parlent couramment des menaces de leur mort future, des tortures qu'ils auront à y subir, des préparatifs qu'on dresse à cet effet, du découpage de leurs membres et du festin qui se fera à leurs dépens. Tout cela se fait à cette seule fin de leur arracher de la bouche une parole faible ou résignée, ou de leur donner envie de s'enfuir pour remporter sur eux cet avantage de les avoir épouvantés et d'avoir fait fléchir leur constance. Aussi bien, à tout prendre, est-ce en ce seul point que réside la vraie victoire :
« Il n'y a de véritable victoire que celle qui, domptant aussi l'âme, contraint l'ennemi à s'avouer vaincu » (Claudien, tiré de Juste Lipse, *Politiques*, livre V).
Les Hongrois, guerriers très combatifs, ne poussaient pas jadis leur avantage plus loin que de réduire l'ennemi

11. *ne poursuivaient jadis leur pointe, outre avoir rendu* : ne poussaient pas leur agression au-delà du point où ils avaient rendu.

385 à leur merci. Car, en ayant arraché cette confession[1], ils le laissaient aller sans offense[2], sans rançon, sauf, pour le plus[3], d'en tirer parole de ne s'armer dès lors en avant contre eux.

Assez d'avantages gagnons-nous sur nos ennemis, qui sont 390 avantages[4] empruntés, non pas nôtres. C'est la qualité d'un portefaix, non de la vertu, d'avoir les bras et les jambes raides ; c'est une qualité morte[5] et corporelle que la disposition[6] ; c'est un coup de la fortune de faire broncher notre ennemi et de lui éblouir les yeux par la lumière du soleil ; 395 c'est un tour d'art et de science, et qui peut tomber en[7] une personne lâche et de néant, d'être suffisant à l'escrime. L'estimation et le prix d'un homme consiste au cœur et en la volonté ; c'est là où gît[8] son vrai honneur ; la vaillance, c'est la fermeté non pas des jambes et des bras, mais du 400 courage et de l'âme ; elle ne consiste pas en la valeur de notre cheval, ni de nos armes, mais en la nôtre. Celui qui tombe obstiné en son courage, *« si succiderit, de genu pugnat »* ; qui, pour quelque[9] danger de la mort voisine, ne relâche aucun point de son assurance ; qui regarde encore, 405 en rendant l'âme, son ennemi d'une vue ferme et dédaigneuse, il est battu non pas de nous, mais de la fortune ; il est tué, non pas vaincu.

Les plus vaillants sont parfois les plus infortunés.

Aussi y a-t-il des pertes triomphantes à l'envi des[10] vic- 410 toires. Ni ces quatre victoires sœurs, les plus belles que le soleil ait onques vues de ses yeux, de Salamine[11], de Platées[11], de Mycale[11], de Sicile[12], osèrent onques[13] opposer toute leur gloire ensemble à la gloire de la déconfiture du roi Léonidas[14] et des siens, au pas[15] des 415 Thermopyles[16].

---

1. *cette confession* : cet aveu.
2. *offense* : blessure (physique).
3. *pour le plus* : tout au plus.
4. *avantages* : des avantages.
5. *morte* : neutre, inexistante (comme on parle d'un « poids mort »).
6. *disposition* : don, qualité physique.
7. *en* : sur.
8. *gît* : réside.
9. *pour quelque* : en présence d'un quelconque.
10. *à l'envi de* : comme, aussi bien que.
11. *Salamine, Platées, Mycale* : la première est une victoire navale (en 480 av. J.-C.) ; les deux suivantes sont des victoires terrestres (en 479) ; ces trois succès ayant été remportés sur les Perses de Xerxès.

à leur merci. Après lui avoir, en effet, arraché cet aveu, ils le laissaient partir sans mauvais traitement, sans rançon, sauf, tout au plus, à en tirer l'engagement qu'il ne prendrait plus désormais les armes contre eux.

30 Bon nombre d'avantages que nous prenons sur nos ennemis sont des avantages empruntés, et non pas nôtres. C'est la qualité d'un porteur, et non de la vertu, d'avoir les bras et les jambes raides ; c'est une qualité morte et corporelle que l'agilité ; c'est un coup de la fortune de

35 faire trébucher notre ennemi et de lui éblouir les yeux par la lumière du soleil ; c'est un trait d'adresse et de technique – et qui peut tomber sur une personne lâche et nulle – d'être habile à l'escrime. La valeur et le prix d'un homme résident dans son cœur et dans sa volonté ;

40 c'est là que se trouve son véritable honneur ; la vaillance, c'est la fermeté, non pas des jambes et des bras, mais du courage et de l'âme ; elle ne réside pas dans la valeur de notre cheval, ni de nos armes, mais dans la nôtre. Celui qui tombe indémontable dans son courage, *« s'il s'est*

45 *affaissé, il combat à genoux »* (Sénèque, *De providentia*, livre II) ; qui, devant un danger de mort proche, ne relâche aucun point de son assurance, qui regarde encore, en rendant l'âme, son ennemi d'un œil ferme et dédaigneux, celui-là est battu non par nous, mais par la

50 fortune ; il est tué, non pas vaincu.

Les plus vaillants sont parfois les plus infortunés.

Aussi y a-t-il des défaites triomphantes à l'égal des victoires. Et ces quatre victoires sœurs, les plus belles que le soleil ait jamais vues de ses yeux, de Salamine, de

55 Platées, de Mycale, de Sicile, n'osèrent jamais opposer toute leur gloire réunie à la gloire de la déconfiture du roi Léonidas et des siens au passage des Thermopyles.

---

12. *Sicile* : victoire remportée par les Spartiates sur l'expédition athénienne qui assiégeait Syracuse (415-413 av. J.-C.).
13. *onques* : jamais.
14. *Léonidas* : voir notre chronologie biographique des Anciens.
15. *au pas* : au défilé.
16. *Thermopyles* : le roi Léonidas et ses trois cents Spartiates périrent en défendant les Thermopyles en 480 av. J.-C., un berger grec ayant indiqué aux Perses le moyen de contourner ce passage.

Qui courut jamais d'une plus glorieuse envie[1] et plus ambitieuse au gain d'un combat, que le capitaine Ischolas[2] à la perte ? Qui plus ingénieusement et curieusement s'est assuré de son salut, que lui de sa
420 ruine ? Il était commis à[3] défendre certain passage du Péloponnèse contre les Arcadiens[4]. Pour quoi faire, se trouvant du tout[5] incapable[6], vu la nature du lieu et inégalité des forces, et se résolvant que tout ce qui se présenterait aux ennemis, aurait de nécessité à y
425 demeurer ; d'autre part, estimant indigne et de sa propre vertu et magnanimité et du nom lacédémonien de faillir à sa charge, il prit entre ces deux extrémités un moyen parti, de telle sorte[7]. Les plus jeunes et dispos de sa troupe, il les conserva à la tuition[8] et ser-
430 vice de leur pays, et les y renvoya ; et avec ceux desquels le défaut était moindre[9], il délibéra de soutenir ce pas[10], et, par leur mort, en faire acheter aux ennemis l'entrée la plus chère[11] qu'il lui serait possible : comme il advint. Car, étant tantôt environné[12] de
435 toutes parts par les Arcadiens, après en avoir fait une grande boucherie, lui et les siens furent tous mis au fil de l'épée. Est-il quelque trophée assigné pour les vainqueurs, qui ne soit mieux dû à ces vaincus ? Le vrai vaincre a pour son rôle[13] l'estour[14], non pas le salut ; et
440 consiste l'honneur de la vertu à combattre, non à battre.

Pour revenir à notre histoire, il s'en faut tant que ces prisonniers se rendent, pour tout ce qu'on leur fait, qu'au rebours, pendant ces deux ou trois mois qu'on les garde, ils
445 portent[15] une contenance gaie ; ils pressent leurs maîtres de

---

1. *envie* : enthousiasme, élan (latin *invidia* : « haine »).
2. *Ischolas* : voir notre chronologie biographique des Anciens.
3. *commis à* : chargé de.
4. *Arcadiens* : l'Arcadie est la région du Péloponnèse située au nord de Sparte (cf. carte, p. 269).
5. *du tout* : tout à fait.
6. *incapable* : sans moyen de résistance.
7. *de telle sorte* : de la manière suivante.
8. *tuition* : protection (latin *tueor*).
9. *le défaut était moindre* : la perte était moins grave.
10. *soutenir ce pas* : défendre ce passage.
11. *la plus chère* : le plus chèrement (cf. l'expression « vendre chèrement sa peau »).

Qui courut jamais avec une furie plus glorieuse et plus avide à gagner un combat que le capitaine Ischolas à le perdre ? Qui mit plus d'intelligence et de soin à garantir sa sécurité que lui son anéantissement ? Il était chargé de défendre tel passage du Péloponnèse contre les Arcadiens ; se trouvant totalement démuni pour y parvenir, vu la nature du lieu et l'inégalité des forces, et s'apercevant que tout ce qui se présenterait devant l'ennemi, aurait nécessairement à rester sur le terrain ; d'autre part, estimant indigne, aussi bien de sa propre valeur et de sa magnanimité que du nom lacédémonien, de faillir à sa charge, il choisit entre ces deux extrémités un moyen terme que voici. Les plus jeunes et les plus alertes de ses hommes, il les conserva pour la protection et le service de leur pays, et les y renvoya ; et, avec ceux dont on pouvait plus facilement se passer, il décida de défendre ce passage, et, par leur mort, d'en faire payer aux ennemis l'entrée le plus cher qu'il lui serait possible : ce qui arriva. Car, étant bientôt environnés de toutes parts par les Arcadiens, après avoir fait parmi eux un grand carnage, lui et les siens furent tous passés au fil de l'épée. Est-il quelque trophée réservé aux vainqueurs qui ne soit dû davantage à ces vaincus-là ? La vraie victoire s'inscrit dans l'assaut, non dans le salut ; et l'honneur de la valeur militaire consiste à combattre, non à battre.

Pour revenir à notre histoire, ces prisonniers sont si loin de s'avouer battus après tout ce qu'on leur fait subir qu'au contraire, pendant ces deux ou trois mois qu'on les garde, ils affichent une contenance gaie ; ils poussent leurs vainqueurs à se hâter de les soumettre à cette

12. *environné* : entouré.
13. *pour son rôle* : littéralement : « pour son registre » (cf. l'expression « *mettre en rôle* », dans le texte n° 7).
14. *l'estour* : le combat (cf. le mot « estocade » : coup d'épée final, coup de grâce, et « d'estoc » : avec la pointe de l'épée ; par opposition à « de taille » : avec la tranche).
15. *portent* : arborent.

se hâter de les mettre en cette épreuve ; ils les défient, les injurient, leur reprochent leur lâcheté et le nombre des batailles perdues contre les leurs. J'ai une chanson faite par un prisonnier, où il y a ce trait : qu'ils viennent hardiment
450 trétous[1] et s'assemblent pour dîner de lui ; car ils mangeront quant et quant[2] leurs pères et leurs aïeux, qui ont servi d'aliment et de nourriture à son corps. « Ces muscles, dit-il, cette chair et ces veines, ce sont les vôtres, pauvres fols[3] que vous êtes ; vous ne reconnaissez pas que la substance
455 des membres de vos ancêtres s'y tient[4] encore : savourez-les bien, vous y trouverez le goût de votre propre chair[5]. » Invention qui ne sent aucunement la barbarie. Ceux qui les peignent mourants, et qui représentent cette action quand[6] on les assomme[7], ils peignent le prisonnier crachant au
460 visage de ceux qui le tuent et leur faisant la moue[8]. De vrai, ils ne cessent jusques au dernier soupir de les braver et défier de parole et de contenance[9]. Sans mentir, au prix de[10] nous, voilà des hommes bien sauvages ; car, ou il faut qu'ils le soient bien à bon escient[11], ou que nous le soyons ;
465 il y a une merveilleuse distance entre leur forme et la nôtre. Les hommes y[12] ont plusieurs femmes, et en ont d'autant plus grand nombre qu'ils sont en meilleure réputation de vaillance ; c'est une beauté remarquable en leurs mariages, que la même jalousie que nos femmes ont pour nous empê-
470 cher de[13] l'amitié et bienveillance d'autres femmes, les leurs l'ont toute pareille pour la leur acquérir. Étant plus soigneuses[14] de l'honneur de leurs maris que de toute autre chose, elles cherchent et mettent leur sollicitude à avoir le plus de compagnes qu'elles peuvent, d'autant que[15] c'est
475 un témoignage de la vertu du mari.

---

1. *trétous* : absolument tous.
2. *quant et quant* : en même temps, dans le même mouvement.
3. *fols* : fous.
4. *s'y tient* : s'y trouve.
5. *votre propre chair* : André Thevet, au chapitre 40 des *Singularités de la France antarctique* (1558), rapporte une chanson analogue.
6. *cette action quand* : cette action s'exerçant dans le moment où (et non pas : « représentent, quand on les assomme, cette action »). Le *« quand »*, par un latinisme permettant un raccourci d'expression, précise le contenu instantané de *« cette action »*.
7. *assomme* : abat, massacre.
8. *la moue* : la figue (« faire la figue » signifie « donner des signes de mépris »).
9. *de parole et de contenance* : par la parole et la contenance.
10. *au prix de* : en comparaison de.

épreuve ; ils les défient, les injurient, leur reprochent leur lâcheté et le nombre des batailles perdues contre les leurs.
90 J'ai une chanson faite par un prisonnier où il y a cette insolence : qu'ils viennent absolument tous, hardiment, et s'assemblent pour faire de lui leur dîner, car ils mangeront en même temps leurs pères et leurs aïeux, qui ont alimenté et nourri son corps. « *Ces muscles,* dit-il, *cette*
95 *chair et ces veines, ce sont les vôtres, pauvres fous que vous êtes ; vous ne vous rendez pas compte que la substance des membres de vos ancêtres s'y trouve encore : savourez-les bien, vous y trouverez le goût de votre propre chair.* » Inspiration qui ne sent nullement la barbarie. Ceux qui les peignent
00 mourants et qui figurent le moment de leur exécution, peignent le prisonnier crachant au visage de ceux qui le tuent et leur faisant la figue. Vraiment, ils ne cessent jusqu'au dernier soupir de les braver et de les défier en parole et en contenance. Sans mentir, à côté de nous,
05 voilà des hommes bien sauvages ; car il faut ou qu'ils le soient bien à fond, ou que nous le soyons nous-mêmes ; il y a une étonnante distance entre leur façon d'être et la nôtre.

Les hommes ont là-bas plusieurs femmes, et les ont en
10 nombre d'autant plus grand qu'ils ont une meilleure réputation de vaillance ; c'est une remarquable beauté de leur mariage que le même soin jaloux que prennent nos femmes pour nous tenir à l'écart des sentiments et de la bienveillance d'autres femmes, les leurs l'ont à
15 l'identique pour les leur acquérir. Étant plus soucieuses de l'honneur de leurs maris que de toute autre chose, elles s'efforcent et mettent leur sollicitude à avoir le plus de camarades possibles, d'autant que c'est un témoignage de la valeur du mari.

11. *à bon escient* : complètement, pour de bon.
12. *y* : là-bas, dans ces pays.
13. *empêcher de* : garder de, faire obstacle à.
14. *soigneuses* : soucieuses.
15. *d'autant que* : dans la mesure où.

Les nôtres crieront au miracle ; ce ne l'est pas ; c'est une vertu proprement matrimoniale ; mais du plus haut étage. Et, en la Bible[1], Lia, Rachel, Sara et les femmes de Jacob fournirent leurs belles servantes à
480 leurs maris ; et Livie seconda les appétits d'Auguste, à son intérêt[2] ; et la femme du roi Dejotarus[3], Stratonique, prêta non seulement à l'usage de son mari une fort belle jeune fille de chambre qui la servait, mais en nourrit soigneusement les enfants, et leur fit épaule à
485 succéder aux états[4] de leur père.

Et, afin qu'on ne pense point que tout ceci se fasse par une simple et servile obligation à leur usance[5] et par l'impression[6] de l'autorité de leur ancienne coutume, sans discours[7] et sans jugement, et pour avoir l'âme si stupide que de[8] ne
490 pouvoir prendre autre parti, il faut alléguer quelques traits de leur suffisance[9]. Outre celui que je viens de réciter de[10] l'une de leurs chansons guerrières, j'en ai une autre, amoureuse, qui commence en ce sens :

« Couleuvre, arrête-toi ; arrête-toi, couleuvre, afin que ma
495 sœur tire sur le patron de ta peinture la façon et l'ouvrage d'un riche cordon que je puisse donner à m'amie : ainsi soit en tout temps ta beauté et ta disposition préférée à tous les autres serpents. »

Ce premier couplet, c'est le refrain de la chanson. Or, j'ai
500 assez de commerce avec la poésie[11] pour juger ceci, que non seulement il n'y a rien de barbarie en cette imagination[12], mais qu'elle est tout à fait anacréontique[13]. Leur langage, au demeurant, c'est un doux langage et qui a le son agréable, retirant aux terminaisons grecques.
505 Trois d'entre eux, ignorant combien coûtera un jour à leur

---

1. *Bible* : dans la Genèse (29), citée par saint Augustin dans *La Cité de Dieu* (XVI, xv, 38).
2. *à son intérêt* : à ses dépens, à son détriment. Livie était l'épouse de Tiberius Néron (de la famille du futur empereur) et la mère de Tibère ; Auguste s'en éprit, la contraignit au divorce et l'épousa. Elle supporta ses infidélités et y prêta la main.
3. *Dejotarus* : tétrarque de Galatie dont le sénat romain fit un roi ; il avait secondé Lucullus puis Pompée contre Mithridate (Ier siècle av. J.-C.).
4. *états* : biens, privilèges.
5. *obligation à leur usance* : conformité à leur usage.
6. *l'impression* : la pression.
7. *discours* : raison, raisonnement.
8. *si stupide que de* : assez stupide pour, assez demeurée pour.
9. *suffisance* : capacité.
10. *réciter de* : rapporter à propos de.

20 Les nôtres crieront au miracle ; ce n'en est pas un ; c'est une vertu proprement matrimoniale mais du plus haut degré. Et, dans la Bible, Léa, Rachel, Sara et les femmes de Jacob fournirent leurs belles servantes à leurs maris ; Livie aussi seconda les appétits d'Auguste à son propre
25 détriment ; et la femme du roi Déjotarus, Stratonique, non seulement mit à disposition de son mari une jeune femme de chambre, fort belle, qui la servait, mais en éleva soigneusement les enfants, et les épaula pour succéder aux fonctions de leur père.
30 Et, afin qu'on ne pense point que tout cela se fait par un simple et servile attachement à leur usage, en vertu de l'autorité de leur ancienne coutume, sans réflexion et sans jugement, et parce que ces gens auraient l'âme stupide au point de ne pouvoir prendre un autre parti, il
35 faut mettre en avant quelques aspects de leur mérite. Outre celui que je viens de citer dans l'une de leurs chansons de guerre, j'en ai une autre, d'amour, qui commence de cette manière :
« Couleuvre, arrête-toi ; arrête-toi, couleuvre, afin que ma
40 *sœur tire, en prenant modèle sur une peinture à ton effigie, la façon et les éléments d'un riche collier que je puisse donner à mon amie : qu'ainsi en tout temps ta beauté et ton dessin soient préférés à tous les autres serpents. »*
45 Ce premier couplet, c'est le refrain de la chanson. J'ai maintenant assez de commerce avec la poésie pour juger que non seulement il n'y a rien de barbare dans cette inspiration, mais qu'elle est tout à fait anacréontique. Leur langage, au demeurant, c'est un langage doux et qui
50 a une sonorité agréable, ressemblant aux terminaisons grecques.
Trois d'entre eux, ignorant combien coûtera un jour à

11. *commerce avec la poésie* : Montaigne adorait la poésie (cf. le texte n° 43) ; outre les *Vingt et neuf sonnets d'Étienne de la Boétie* qui constituaient le chapitre 29 du premier livre, il cite, au cours des *Essais*, Du Bellay, Ronsard, entre autres.
12. *imagination* : inspiration.
13. *anacréontique* : Anacréon (VIe siècle avant J.-C.) cultivait un style de poésie légère ; ici l'adjectif, assez pédant, semble avoir une coloration humoristique.

repos et à leur bonheur la connaissance des corruptions de deçà[1], et que de ce commerce naîtra leur ruine, comme je présuppose[2] qu'elle soit déjà avancée, bien misérables de s'être laissés piper au désir de la nouvelleté, et avoir quitté
510 la douceur de leur ciel pour venir voir le nôtre, furent à Rouen, du temps que le feu roi Charles neuvième y était[3]. Le roi parla à eux longtemps ; on leur fit voir notre façon[4], notre pompe, la forme d'une belle ville. Après cela, quelqu'un en[5] demanda leur avis, et voulut savoir d'eux ce qu'ils
515 y avaient trouvé de plus admirable ; ils répondirent trois choses, d'où[6] j'ai perdu[7] la troisième, et en suis bien marri[8], mais j'en ai encore deux en mémoire. Ils dirent qu'ils trouvaient en premier lieu fort étrange que tant de grands hommes, portant barbe, forts et armés, qui étaient autour
520 du roi (il est vraisemblable qu'ils parlaient des Suisses de sa garde), se soumissent à obéir à un enfant[9], et qu'on ne choisissait plutôt quelqu'un[10] d'entre eux pour commander ; secondement (ils ont une façon de leur langage telle, qu'il nomment les hommes moitié les uns des autres) qu'ils
525 avaient aperçu[11] qu'il y avait parmi nous des hommes pleins et gorgés de toutes sortes de commodités[12], et que leurs moitiés étaient mendiants à leurs portes, décharnés de faim et de pauvreté ; et trouvaient étrange comme ces moitiés ici nécessiteuses pouvaient souffrir[13] une telle injustice, qu'ils
530 ne prissent les autres à la gorge, ou missent[14] le feu à leurs maisons.

Je parlai à l'un d'eux fort longtemps ; mais j'avais un truchement[15] qui me suivait si mal et qui était si empêché[16] à recevoir mes imaginations par[17] sa bêtise, que je n'en pus

1. *de deçà* : de notre Continent, de ce côté-ci de l'Océan.
2. *je présuppose* : je présume (la construction avec le subjonctif marquant le doute est courante au XVIe siècle).
3. *y était* : en 1562, lorsque Rouen fut reprise aux protestants par le duc François de Guise (cf. le texte n° 33), Montaigne alors suivait la Cour dont il était gentilhomme ordinaire (cf. le texte n° 39 sur la mairie de Bordeaux).
4. *notre façon* : notre style, nos pratiques.
5. *en* : sur ce sujet.
6. *d'où* : dont.
7. *perdu* : oublié.
8. *marri* : désolé, agacé.
9. *un enfant* : Charles IX, né en 1550, avait alors douze ans et régnait depuis la mort de son frère François II en 1560.
10. *quelqu'un* : l'un.
11. *aperçu* : observé, remarqué.

leur repos et à leur bonheur la connaissance des corruptions de ce côté-ci de l'océan, et que de cet échange naîtra leur ruine : ruine dont je présume qu'elle est déjà avancée, bien misérables qu'ils sont de s'être laissé bluffer par le désir de la nouveauté et d'avoir quitté la douceur de leur ciel pour venir voir le nôtre, vinrent à Rouen au moment où le défunt roi Charles IX y était. Le roi leur parla longtemps ; on leur fit voir nos manières, notre faste, la configuration d'une belle ville. Après cela, quelqu'un demanda leur avis là-dessus, et voulut savoir d'eux ce qu'ils y avaient trouvé de plus surprenant ; ils répondirent trois choses, dont j'ai oublié la troisième – et j'en suis bien désolé – mais j'en ai encore deux en mémoire. Ils dirent qu'ils trouvaient en premier lieu très étrange que tant de grands hommes, barbus, forts et armés qui étaient autour du roi (il est vraisemblable qu'ils parlaient des Suisses de sa garde), se soumettent à obéir à un enfant, et qu'on ne choisisse pas plutôt l'un d'entre eux pour commander ; secondement (ils ont une tournure de leur langue, qui consiste à appeler les hommes « moitié les uns des autres »), qu'ils s'étaient aperçus qu'il y avait parmi nous des hommes repus et gorgés de toutes sortes de facilités et que leurs moitiés étaient mendiants à leurs portes, décharnés de faim et de pauvreté ; et ils trouvaient étrange que ces moitiés nécessiteuses pussent souffrir une telle injustice, au lieu de prendre les autres à la gorge ou de mettre le feu à leurs maisons.

Je parlai à l'un d'eux très longtemps, mais j'avais un interprète qui me suivait si mal et qui était si embarrassé à comprendre mes idées du fait de sa bêtise, que je ne

---

12. *commodités* : avantages.
13. *souffrir* : supporter, accepter.
14. *qu'ils ne prissent* [...] *ou missent* : sans prendre ou mettre (subjonctif imparfait).
15. *truchement* : interprète.
16. *empêché* : embarrassé, empoté.
17. *par* : à cause de.

535 tirer guère de plaisir. Sur ce que[1] je lui demandai quel fruit il recevait de la supériorité qu'il avait parmi les siens (car c'était un capitaine, et nos matelots le nommaient roi), il me dit que c'était marcher le premier à la guerre ; de combien d'hommes il était suivi, il me montra une espace[2] de lieu,
540 pour signifier que c'était autant qu'il en pourrait[3] en une telle espace, ce pouvait être quatre ou cinq mille hommes ; si, hors la guerre[4], toute son autorité était expirée, il dit qu'il lui en restait cela que, quand il visitait les villages qui dépendaient de lui, on lui dressait[5] des sentiers au travers des
545 haies de leurs bois, par où il pût passer bien à l'aise.
Tout cela ne va pas trop mal : mais quoi, ils ne portent point de hauts-de-chausses !

(I, 31, *Des Cannibales*)

Les cruautés des huguenots en France.

1. *Sur ce que* : Alors que, quand, au moment où.
2. *une espace* : un espace, une mesure (le mot était féminin au XVIe siècle).
3. *il en pourrait* : cela se pourrait («il» est impersonnel).
4. *hors la guerre* : en dehors de la guerre.
5. *dressait* : taillait.

pus guère y prendre de plaisir. Lorsque je lui demandai quel fruit il recueillait de la prééminence qu'il avait parmi les siens (car c'était un capitaine, et nos matelots le nommaient « roi »), il me dit que c'était de marcher le premier à la guerre ; de combien d'hommes il était suivi, il me délimita un espace, pour signifier que c'était autant qu'il pourrait y en avoir en un tel espace : ce pouvait être quatre ou cinq mille hommes ; si, en dehors du temps de guerre, toute son autorité disparaissait, il dit qu'il lui en restait ceci que, quand il visitait les villages qui dépendaient de lui, on lui ménageait des sentiers au travers des haies de leurs bois, par où il pût passer à son aise.

Tout cela ne va pas trop mal : mais quoi, ils ne portent point de hauts-de-chausses !

Scènes de cannibalisme dans le Nouveau Monde.

Questions

Compréhension

1. *Comment expliquer le titre* Des Cannibales*? Quelles intentions peut-il traduire chez Montaigne?*

2. *Que révèle l'allusion faite au mythe de l'Atlantide, sur la méthode de Montaigne et sur son état d'esprit face au Nouveau Monde?*

3. *Comment la comparaison avec la rivière de Dordogne s'inscrit-elle dans le propos? Est-elle justifiée au regard du projet général du chapitre? au regard du projet général des* Essais*?*

4. *Que viennent faire* « le nid du moindre oiselet » *et* « la tissure de la chétive araignée » *dans la démonstration de Montaigne?*

5. *Le choix d'*« un homme simple et grossier » *comme témoin du Nouveau Monde ayant vécu sur place, de préférence aux topographes, vous paraît-il légitime? Pourquoi cette précision n'arrive-t-elle qu'une fois indiqué l'état des connaissances sur la configuration du monde depuis l'Antiquité?*

6. *Montrez, par des exemples pris dans l'ensemble du chapitre, en quoi la phrase :* « Il semble que nous n'avons autre mire de la vérité que l'exemple et idée des opinions et usances du pays où nous sommes », *exprime la thèse centrale de cet essai. Montaigne s'intéresse-t-il aux Cannibales pour eux-mêmes? Que pensez-vous de sa définition de la barbarie? Motivez vos réponses à ces deux dernières questions.*

7. *Qu'apporte la remarque sur les abus de la divination par rapport à l'ensemble du propos de Montaigne sur le Nouveau Monde?*

8. *Que penser de la manière dont Montaigne résume l'éthique des Cannibales : vaillance contre les ennemis et amitié envers leurs femmes? et de son regard sur leurs comportements guerriers? Que veut montrer Montaigne? Êtes-vous d'accord avec lui? Pourquoi?*

9. *Quelle présentation Montaigne fait-il du cannibalisme des Tupinambas? Dans quel but? Ce but vous paraît-il tendancieux? Justifiez votre réponse.*

10. *Quel regard Montaigne porte-t-il sur les conquistadores dans cet essai? Est-il aussi négatif que dans l'essai* Des coches*? Peut-on, selon vous, interpréter le paragraphe sur les* « avantages empruntés, non pas nôtres » *dans cette perspective? ou dans un autre sens et, si oui, lequel?*

11. *Quel regard Montaigne porte-t-il sur le Vieux Continent, et en*

particulier sur la France, dans cet essai ? Citez au moins deux paragraphes où il soit fait allusion aux guerres de Religion.

12. *En quoi la mention de la défaite des Grecs aux Thermopyles se rattache-t-elle au thème du Nouveau Monde ?*

13. *Dans quelle mesure la rencontre des Cannibales à Rouen trouve-t-elle, notamment par ses conditions précaires et imparfaites (mauvais* « truchement »*), un écho dans le chapitre* Des coches *?*

14. *Que pensez-vous du regard que ces Cannibales de Rouen portent sur la société française ? de ce qu'on leur montre de cette société ? de la remarque de Montaigne à propos de ces trois hommes :* « ignorant combien coûtera un jour à leur repos et à leur bonheur la connaissance des corruptions de deçà » *? Quels personnages de fiction ces hommes du Nouveau Monde ont-ils pu inspirer dans la littérature ultérieure ? Citez au moins deux œuvres françaises.*

Écriture

15. *Faites un relevé méthodique des passages où l'on voit affleurer l'image du « bon sauvage », en procédant, par exemple, par domaines considérés (mise en valeur des terres, nourriture, guerre, mariage, etc.). Quels auteurs ultérieurs ont fait de ce « bon sauvage » un véritable mythe ? Citez au moins trois noms.*

16. *Que penser du jugement que porte Montaigne sur la poésie des Cannibales :* « Elle est tout à fait anacréontique » *?*

17. *D'après les connaissances que vous aurez glanées sur les Tupinambas du Brésil et sur l'expédition de Villegagnon en 1555, dites si les descriptions de Montaigne vous paraissent justes ou tendancieuses.*

31. Nous et les autres, Vieux Continent et Nouveau Monde : les miroirs se brisent

Il est bien aisé à vérifier que les grands auteurs, écrivant des[1] causes, ne se servent pas seulement de celles qu'ils estiment être vraies, mais de celles encore qu'ils[2] ne croient pas, pourvu qu'elles aient quelque invention et
5 beauté. Ils disent[3] assez véritablement et utilement, s'ils disent ingénieusement. Nous ne pouvons nous assurer de[4] la maîtresse cause ; nous en entassons plusieurs, voir si[5] par rencontre[6] elle se trouvera en ce nombre :

namque unam dicere causam
10 *Non satis est, verum plures, unde una tamen sit.*

Me demandez-vous d'où vient cette coutume de bénir ceux qui éternuent ? Nous produisons trois sortes de vents : celui qui sort par en bas est trop sale ; celui qui sort par la bouche porte[7] quelque reproche de gourman-
15 dise ; le troisième est l'éternuement. Et, parce qu'il vient de la tête et est sans blâme, nous lui faisons cet honnête recueil[8]. Ne vous moquez pas de cette subtilité : elle est, dit-on, d'Aristote[9].

Il me semble avoir vu en Plutarque[10] (qui est de tous les
20 auteurs que je connaisse celui qui a mieux[11] mêlé l'art à la nature et le jugement à la science), rendant la cause du soulèvement d'estomac qui advient[12] à ceux qui voyagent en mer, que[13] cela leur arrive de crainte, ayant trouvé quelque raison par laquelle il prouve que la crainte peut
25 produire un tel effet. Moi, qui y suis fort sujet, sais[14] bien

1. *des* : à propos des, sur les.
2. *qu'ils* : auxquelles ils.
3. *disent* : parlent.
4. *nous assurer de* : être sûrs de.
5. *voir si* : pour voir si.
6. *par rencontre* : par hasard.
7. *porte* : comporte, implique.

1. Nous et les autres, Vieux Continent et Nouveau Monde : es miroirs se brisent (III, 6, *Des coches*)

Il est assez aisé de vérifier que les grands auteurs, écrivant sur les causes des phénomènes, ne se servent pas seulement de celles qu'ils estiment être vraies, mais encore de celles auxquelles ils ne croient pas, pourvu qu'elles aient quelque originalité et quelque beauté. Ils s'expriment avec assez de vérité et d'utilité, s'ils s'expriment avec ingéniosité. Nous ne pouvons pas être sûrs de la cause maîtresse ; nous en entassons plusieurs pour voir si par hasard elle se trouvera dans ce nombre : « *Car il ne suffit pas non plus d'indiquer une seule cause, il faut en citer plusieurs dont une seule pourtant sera la vraie* » (Lucrèce, *De rerum natura*, Chant VI).
Me demandez-vous d'où vient cette coutume de bénir ceux qui éternuent ? Nous produisons trois sortes de vents : celui qui sort par en bas est trop sale ; celui qui sort par la bouche emporte quelque reproche de gourmandise ; le troisième est l'éternuement, et, parce qu'il vient de la tête et qu'il est sans blâme, nous lui faisons cet accueil honorable. Ne vous moquez pas de cette subtilité : elle est, dit-on, d'Aristote.
Il me semble avoir vu dans Plutarque (qui est de tous les auteurs que je connaisse celui qui a le mieux mêlé l'art à la nature et le jugement à la science), lorsqu'il explique la cause du soulèvement d'estomac qui survient chez ceux qui voyagent en mer, que cela leur arrive par crainte, car il a trouvé un raisonnement quelconque par lequel il prouve que la crainte peut produire un tel effet. Moi qui suis fort sujet à ce malaise, je sais bien que

8. *recueil* : accueil.
9. *Aristote* : dans les *Problemata*, question 9 de la section XXXIII.
10. *Plutarque* : dans le traité *Les Causes naturelles*, chapitre XI.
11. *mieux* : le mieux.
12. *advient* : arrive.
13. *que* : avoir vu en Plutarque [...] que.
14. *sais* : je sais.

que cette cause ne me touche pas, et le sais non par argument, mais par nécessaire expérience. Sans alléguer ce qu'on m'a dit, qu'il en arrive de même[1] souvent aux bêtes, et notamment aux pourceaux, hors de toute appréhension
30 de danger ; et ce qu'un mien connaissant m'a témoigné de soi, qu'y étant fort sujet, l'envie de vomir lui était passée deux ou trois fois, se trouvant pressé de frayeur en grande tourmente, comme à cet ancien : *« Pejus vexabar quam ut periculum mihi succurreret » ;* je n'eus jamais
35 peur sur l'eau, comme je n'ai aussi ailleurs (et s'en est assez souvent offert de justes[2], si la mort l'est[3]), qui m'ait au moins troublé ou ébloui. Elle naît parfois de faute de jugement, comme de faute de[4] cœur. Tous les dangers que j'ai vus, ç'a été les yeux ouverts, la vue libre, saine et
40 entière ; encore faut-il du courage à[5] craindre. Il me servit[6] autrefois, au prix d'autres[7], pour conduire et tenir en ordre ma fuite, qu'elle fut sinon sans crainte[8], toutefois sans effroi et sans étonnement ; elle était émue, mais non pas étourdie ni éperdue.
45 Les grandes âmes vont bien plus outre[9], et représentent des fuites non rassises seulement et saines, mais fières. Disons celle qu'Alcibiade récite[10] de Socrate, son compagnon d'armes : « Je le trouvai (dit-il) après la route[11] de notre armée, lui et Lachès, des derniers entre les fuyants ; et le
50 considérai[12] tout à mon aise et en sûreté, car j'étais sur un bon cheval et lui à pied, et avions[13] ainsi combattu. Je remarquai premièrement combien il montrait d'avisement

1. *il en arrive de même* : il arrive la même chose.
2. *s'en est* [...] *offert de justes* : il s'en est offert de justes (peurs), c'est-à-dire des peurs justifiées.
3. *si la mort l'est* : par contamination de sens, le *« l' »* renvoie non plus à la peur elle-même, mais à la cause qui l'occasionne.
4. *de faute de* : d'un manque de.
5. *à* : au moment de.
6. *Il me servit* : Il me fut utile.
7. *au prix d'autres* : par rapport à d'autres hommes.
8. *sinon sans crainte* : l'expression « peur sans crainte » peut paraître paradoxale au XXe siècle, où les deux mots sont quasiment synonymes ; ici, la peur, c'est la conscience du danger, et la crainte, l'affolement (qui peut ou non résulter de cette conscience, suivant la maîtrise et le tempérament de chacun ; le mot *« étonnement »* a, comme toujours, un sens fort : stupeur, paralysie morale).

cette cause ne me concerne pas, et je le sais non par argumentation, mais par expérience indubitable. Sans alléguer ce qu'on m'a dit, qu'il arrive souvent la même chose aux bêtes, et notamment aux pourceaux, hors de toute conscience du danger, ni ce qu'une de mes connaissances m'a affirmé pour sa part, qu'y étant fort sujette, l'envie de vomir lui était au contraire passée deux ou trois fois quand elle était oppressée par la crainte dans une grande tempête, comme cet Ancien : *« J'étais trop mal à l'aise pour songer au danger »* (Sénèque, lettre 53) ; personnellement je n'ai jamais eu peur sur l'eau, pas plus que je n'ai peur ailleurs (et il s'est toutefois assez souvent offert des occasions justifiées, si la mort en est une), du moins à un point qui ait pu me bouleverser ou m'aveugler. La peur naît parfois d'un manque de jugement comme elle naît d'un manque de cœur. Tous les dangers que j'ai vus, ç'a été les yeux ouverts, la vue libre, saine et entière ; il faut encore du courage à affronter la crainte. Il me fut utile autrefois, autant qu'à d'autres, pour conduire et maintenir en ordre ma fuite, de l'avoir menée sinon sans crainte, toutefois sans effroi et sans panique ; elle était troublée, mais pas étourdie ni éperdue.

Les grandes âmes vont bien plus loin et montrent des fuites non seulement calmes et saines, mais fières. Prenons la fuite qu'Alcibiade raconte de Socrate, son compagnon d'armes : *« Je le retrouvai,* dit-il, *après la déroute, lui et Lachès parmi les derniers de ceux qui fuyaient ; et je l'examinai tout à mon aise et en sécurité, car j'étais sur un bon cheval et lui à pied, et nous avions combattu ainsi. Je remarquai d'abord combien il montrait*

9. *bien plus outre* : bien plus loin.
10. *récite* : raconte (dans *Le Banquet* de Platon).
11. *route* : déroute.
12. *le considérai* : je le considérai.
13. *et avions* : et nous avions.

et de résolution au prix de Lachès, et puis la braverie[1] de son marcher, nullement différent du sien ordinaire, sa vue ferme et réglée, considérant et jugeant ce qui se passait autour de lui, regardant tantôt les uns, tantôt les autres, amis et ennemis, d'une façon qui encourageait les uns et signifiait aux autres qu'il était pour[2] vendre bien cher son sang et sa vie à qui essaierait de la lui ôter ; et se sauvèrent[3] ainsi : car volontiers[4] on n'attaque pas ceux-ci ; on court après les effrayés. » Voilà le témoignage de ce grand capitaine, qui nous apprend, ce que nous essayons[5] tous les jours, qu'il n'est rien qui nous jette tant aux dangers qu'une faim inconsidérée de nous en mettre hors[6]. *« Quo timoris minus est, eo minus ferme periculi est. »* Notre peuple a tort de dire : « Celui-là craint la mort », quand il veut exprimer qu'il y songe et qu'il la prévoit. La prévoyance convient également à ce qui nous touche en bien et en mal. Considérer et juger le danger est aucunement[7] le rebours[8] de s'en étonner[9].

Je ne me sens pas assez fort pour soutenir le coup et l'impétuosité de cette passion[10] de la peur, ni d'autre véhémente. Si j'en étais un coup vaincu et atterré, je ne m'en relèverais jamais bien entier. Qui aurait fait perdre pied à mon âme, ne la remettrait jamais droite en sa place ; elle se retâte[11] et recherche trop vivement et profondément, et pourtant[12], ne lairrait[13] jamais ressouder et consolider la plaie qui l'aurait percée. Il m'a bien pris qu'aucune maladie ne me l'ait encore démise. À chaque charge qui me vient, je me présente et oppose en mon haut appareil[14] ; ainsi, la première qui m'emporterait me mettrait sans ressource. Je n'en fais point à deux[15] : par

1. *braverie* : bravoure.
2. *pour* : homme à.
3. *et se sauvèrent* : et ils se sauvèrent.
4. *volontiers* : spontanément, de son propre fait.
5. *essayons* : expérimentons.
6. *mettre hors* : sortir.
7. *aucunement* : d'une certaine manière, en quelque sorte.
8. *rebours* : contraire.
9. *étonner* : sens très fort.
10. *passion* : émotion (latin *patior*).
11. *se retâte* : s'explore.

de présence d'esprit et de résolution par rapport à Lachès, puis la bravoure de sa démarche, nullement différente de celle qu'il a d'ordinaire, son regard ferme et précis, examinant et jugeant ce qui se passait autour de lui, considérant tantôt les uns, tantôt les autres, amis et ennemis, d'une façon qui encourageait les uns et signifiait aux autres qu'il était homme à vendre bien cher son sang et sa vie à qui essaierait de les lui ôter ; et ils se sauvèrent ainsi : car on n'attaque pas volontiers ces guerriers-ci ; on court après les effrayés.» Voilà le témoignage de ce grand capitaine : il nous apprend, ce que nous éprouvons tous les jours, qu'il n'est rien qui nous jette tant dans les dangers qu'un désir effréné de nous en sortir. *« D'ordinaire moins on a peur, moins on court de danger »* (Tite-Live, *Histoire*, XXII, 5). Notre peuple a tort de dire : « Celui-là craint la mort », quand il veut dire par là qu'il y songe et qu'il la prévoit. La prévoyance s'impose aussi bien pour ce qui nous touche en bien qu'en mal. Examiner et juger le danger, c'est d'une certaine manière le contraire de se paniquer à son approche.

Je ne me sens pas assez fort pour soutenir le coup et l'impétuosité de cette émotion qu'est la peur, ni d'une autre impression violente. Si j'étais un jour dominé et abattu par ce coup, je ne m'en relèverais jamais bien entier. Si l'on avait fait perdre pied à mon âme, on ne la remettrait jamais droite à sa place ; elle se teste et se recherche trop vivement et profondément, et de ce fait ne laisserait jamais refermer et cicatriser la blessure qui l'aurait percée. J'ai eu de la chance qu'aucune maladie ne me l'ait encore démise. À chaque attaque qui m'arrive, je me présente et m'oppose avec toute ma ligne de défense ; ainsi la première qui me renverserait me laisserait sans recours. Je n'y reviens pas à deux fois :

---

12. *et pourtant* : et de ce fait.
13. *ne lairrait* : ne laisserait.
14. *en mon haut appareil* : en grande tenue.
15. *Je n'en fais point à deux* : Je le dis sans ambages, je n'y vois pas d'ambiguité (latin *ambiguus* : « à deux voies, à double entente, incertain »). L'expression « il ne faut pas faire à deux » signifie « il ne faut pas considérer comme deux ce qui est un ».

quelque endroit que le ravage faussât ma levée[1], me voilà ouvert et noyé sans remède. Épicure dit que le sage ne peut jamais passer à un état contraire. J'ai quelque
85 opinion de l'envers de cette sentence, que, qui aura été une fois bien fol, ne sera nulle autre fois bien sage. Dieu donne le froid selon la robe[2], et me donne les passions selon le moyen que j'ai de les soutenir. Nature, m'ayant découvert d'un côté, m'a couvert de l'autre;
90 m'ayant désarmé de force, m'a armé d'insensibilité et d'une appréhension réglée ou mousse[3].

Or je ne puis souffrir longtemps (et les souffrais plus difficilement en jeunesse) ni coche[4], ni litière, ni bateau; et hais toute autre voiture[5] que de cheval[6], et en la ville et
95 aux champs. Mais je puis souffrir[7] la litière moins qu'un coche et, par même raison[8], plus aisément une agitation rude sur l'eau, d'où se produit la peur, que le mouvement qui se sent en temps calme. Par cette légère secousse que les avirons donnent, dérobant le vaisseau sous nous, je me
100 sens brouiller, je ne sais comment, la tête et l'estomac, comme je ne puis souffrir sous moi un siège tremblant. Quand la voile ou le cours de l'eau nous emporte également[9] ou qu'on nous toue[10], cette agitation unie ne me blesse aucunement : c'est un remuement interrompu qui
105 m'offense[11], et plus quand il est languissant. Je ne saurais autrement peindre sa forme. Les médecins m'ont ordonné de me presser et sangler d'une serviette le bas du ventre pour remédier à cet accident; ce que je n'ai point essayé[12], ayant accoutumé de lutter[13] les défauts qui sont en moi et
110 les[14] dompter par moi-même.

---

1. *faussât ma levée* : rompît ma digue (image d'un raz de marée ou de la crue d'un fleuve).
2. *robe* : pelage, épiderme.
3. *mousse* : émoussée, peu sensible.
4. *coche* : ce coche est l'ancêtre de la diligence; chez Montaigne, le terme a plus généralement le sens de «véhicule». Nous l'avons conservé dans la translation puisqu'il donne son titre à l'essai.
5. *voiture* : transport, moyen de transport.
6. *de cheval* : à cheval, le cheval (comme moyen de transport).
7. *souffrir* : supporter.
8. *par même raison* : pour la même raison.
9. *également* : de manière égale.

par quelque endroit que le ravage ait rompu ma digue, me voilà ouvert et noyé sans remède. Épicure dit que le
5 sage ne peut jamais passer à un état contraire. J'ai un vague sentiment de l'inverse de cette sentence : que celui qui aura été une fois bien fou ne sera plus aucune autre fois bien sage.

Dieu donne le froid selon la robe qu'on a, et me donne
00 des émotions selon le moyen que j'ai de les soutenir. La nature, m'ayant laissé d'un côté à découvert, m'a couvert de l'autre ; ne m'ayant pas muni de force, elle m'a muni d'insensibilité et d'une perception maîtrisée ou amortie.

05 Or je ne puis supporter longtemps (et je les supportais plus difficilement dans ma jeunesse) ni coche, ni litière, ni bateau ; et je hais tout autre moyen de transport que le cheval, à la ville comme aux champs. Mais je puis moins bien supporter le transport en litière qu'en coche, et,
10 pour la même raison, je supporte plus facilement une agitation rude sur l'eau, qui suscite la peur, que le mouvement qui se ressent en temps calme. Par cette légère secousse que donnent les avirons, dérobant le vaisseau sous nos pieds, je me sens, je ne sais comment, brouiller
15 la tête et l'estomac, comme je ne puis supporter sous mon corps un siège tremblant. Quand la voile ou le cours de l'eau nous emportent d'un rythme égal ou qu'on nous remorque, cette agitation unie ne me blesse aucunement : ce sont les mouvements par à-coups qui
20 m'atteignent, et davantage quand ils sont languissants. Je ne saurais décrire autrement leur aspect. Les médecins m'ont ordonné de me presser et de me sangler le bas-ventre avec une serviette pour remédier à ces ennuis ; ce dont je n'ai pas fait l'essai, car j'ai l'habitude
25 de lutter contre les défauts qui sont en moi et de les dompter par moi-même.

10. *toue* : remorque, tire.
11. *offense* : atteint.
12. *essayé* : expérimenté, tenté.
13. *lutter les défauts* : lutter contre les défauts.
14. *les* : de les.

Si j'en avais la mémoire suffisamment informée, je ne plaindrais mon temps[1] à dire ici l'infinie variété que les histoires nous présentent de l'usage des coches au service de la guerre, divers selon les nations, selon les
115 siècles, de grand effet[2], ce me semble, et nécessité ; si que[3] c'est merveille que nous en ayons perdu toute connaissance. J'en dirai seulement ceci, que tout fraîchement[4], du temps de nos pères, les Hongres[5] les mirent très utilement en besogne[6] contre les Turcs, en
120 chacun y ayant[7] un rondelier[8] et un mousquetaire, et nombre d'arquebuses rangées, prêtes et chargées : le tout couvert d'une pavesade[9] à la mode[10] d'une galiote[11]. Ils faisaient front à leur bataille[12] de trois mille tels coches[13], et, après que le canon avait joué, les
125 faisaient tirer avant[14] et avaler aux ennemis cette salve avant que de tâter le reste, qui[15] n'était pas un léger avancement ; ou les décochaient dans leurs escadrons pour les rompre et y faire jour, outre[16] le secours qu'ils en pouvaient tirer pour flanquer[17] en lieu
130 chatouilleux les troupes marchant en la campagne, ou à couvrir un logis à la hâte et le fortifier. De mon temps, un gentilhomme, en l'une de nos frontières, impost[18] de sa personne et ne trouvant cheval capable de[19] son poids, ayant une querelle, marchait
135 par pays en coche de même cette peinture[20], et s'en trouvait très bien. Mais laissons ces coches guerriers. Les rois de notre première race[21] marchaient en pays sur un chariot traîné par quatre bœufs.

---

1. *je ne plaindrais mon temps* : je ne regretterais pas, je ne compterais pas le temps que je prendrais.
2. *effet* : efficacité.
3. *si que* : si bien que.
4. *fraîchement* : récemment.
5. *Hongres* : Hongrois.
6. *besogne* : œuvre, service.
7. *en chacun y ayant* : car il y avait dans chaque coche.
8. *rondelier* : soldat protégé par un bouclier rond.
9. *pavesade* : rangée de pavois, c'est-à-dire de boucliers dont on garnissait le haut du bordage d'un navire pour protéger les rameurs contre les projectiles (le mot « pavois » vient de l'italien « *pavese* », « venu de Pavie », car ce style de grand bouclier long était en usage dans cette région, surtout aux XVe et XVIe siècles).
10. *à la mode* : à la manière.
11. *galiote* : petite galère.
12. *à leur bataille* : pour leurs troupes, pour leur armée rangée en ordre de bataille (ou peut-être « lors des affrontements », mais le singulier suggère bien plutôt la première interprétation).

Si j'en avais la mémoire suffisamment informée, je ne plaindrais pas mon temps à dire ici l'infinie variété d'emplois que les histoires nous présentent de coches au
30 service de la guerre, emplois divers selon les nations, selon les siècles, d'une grande efficacité, me semble-t-il, et d'une grande nécessité ; à tel point qu'il est étonnant que nous en ayons perdu toute connaissance. Là-dessus, je dirai seulement ceci : tout récemment, à l'époque de
35 nos parents, les Hongrois les mirent très utilement en action contre les Turcs, en plaçant dans chacun un soldat rondelier et un mousquetaire avec bon nombre d'arquebuses rangées, prêtes et chargées ; le tout protégé par une bande de pavois à la manière d'une galiote. Ils for-
40 maient pour leurs troupes un front de trois mille coches semblables ; et, après que le canon avait tonné, les ayant avancés, ils faisaient avaler à l'ennemi cette salve de coups de feu, ce qui n'était pas un mince avantage avant de lui faire tâter du reste ; ou bien ils les lançaient sur
45 les escadrons ennemis pour les rompre et y faire une ouverture, sans compter les secours qu'ils pouvaient en tirer pour couvrir, dans les lieux chatouilleux, les flancs des troupes en marche dans la campagne, ou pour protéger à la hâte un bâtiment ou le fortifier. À mon époque,
50 sur l'une de nos frontières, un gentilhomme qui était impotent et ne trouvait pas de cheval capable de porter son poids, se déplaçait, pour un litige qu'il avait, dans un coche identique à ceux que j'ai décrits, et s'en trouvait très bien. Mais laissons ces coches guerriers. Les rois de
55 notre première race se déplaçaient dans le pays sur un chariot tiré par quatre bœufs.

---

13. *trois mille tels coches* : ces coches sont les ancêtres des chars d'assaut.
14. *tirer avant* : tirer en avant.
15. *qui* : ce qui.
16. *outre* : sans compter.
17. *flanquer* : couvrir les flancs de.
18. *impost* : impotent.
19. *capable de* : capable de supporter.
20. *de même cette peinture* : conforme à cette description, semblable à ceux que je viens de décrire.
21. *les rois de notre première race* : les fameux rois fainéants.

Marc Antoine fut le premier qui se fit mener à Rome, et
140 une garce ménestrière[1] quant et[2] lui, par des lions attelés à un coche. Héliogabale en fit depuis autant, se disant Cybèle, la mère des dieux, et aussi par des tigres, contrefaisant le dieu Bacchus ; il attela aussi parfois deux cerfs à son coche, et une autre fois quatre chiens, et encore quatre
145 garces nues, se faisant traîner par elles en pompe tout nu. L'empereur Firmus fit mener son coche à des autruches de merveilleuse[3] grandeur, de manière qu'il semblait plus voler que rouler. L'étrangeté de ces inventions me met en tête cette autre fantaisie : que c'est une espèce de pusilla-
150 nimité aux monarques, et un témoignage de ne sentir point assez ce qu'ils sont, de travailler à se faire valoir et paraître par dépenses excessives. Ce serait chose excusable en pays étranger ; mais, parmi ses sujets, où il peut tout, il tire de sa dignité le plus extrême degré d'honneur où il
155 puisse arriver. Comme[4] à[5] un gentilhomme, il me semble qu'il est superflu de se vêtir curieusement[6] en son privé ; sa maison, son train, sa cuisine, répondent assez de lui. Le conseil qu'Isocrate donne à son roi[7] ne me semble sans raison : « Qu'il soit splendide en meubles et usten-
160 siles, d'autant que c'est une dépense de durée, qui passe jusques à ses successeurs ; et qu'il fuie toutes magnificences qui s'écoulent incontinent et de l'usage et de la mémoire. »
J'aimais à me parer, quand j'étais cadet[8], à faute[9] d'autre
165 parure, et me seyait bien ; il en est sur qui les belles robes pleurent. Nous avons des comptes merveilleux de la frugalité de nos rois autour de leur personne et en leurs dons ; grands rois en crédit, en valeur et en fortune.

1. *garce ménestrière* : fille musicienne (« garce » n'a pas, au XVIe siècle, le sens péjoratif qu'on lui connaît aujourd'hui, ce n'est que le féminin de « garçon » ; « *ménestrière* » signifie « instrumentiste » ; cf. le mot « ménestrel » : musicien et chanteur ambulant).
2. *quant et* : avec.
3. *merveilleuse* : extraordinaire, étonnante.
4. *Comme* : De même, de la même manière.
5. *à* : pour.
6. *curieusement* : avec recherche.

Marc-Antoine fut le premier qui se fit promener dans Rome, une donzelle citharède à ses côtés, par des lions attelés à un coche. Héliogabale en fit par la suite autant,
160 en disant qu'il était Cybèle, mère des dieux, et il se fit conduire aussi par des tigres en imitant le dieu Bacchus ; il attela aussi parfois deux cerfs à son char et, une autre fois, quatre chiens, et puis encore quatre donzelles nues, se faisant traîner par elles, en grande pompe, tout nu.
165 L'empereur Firmus fit mener son coche par des autruches d'une taille extraordinaire, de sorte qu'il semblait plus voler que rouler. L'étrangeté de ces inventions me met en tête cette autre idée, que c'est une espèce de pusillanimité, chez les monarques, et un témoignage
170 qu'ils ne sentent pas assez ce qu'ils sont, de s'efforcer à se faire valoir et parader par des dépenses excessives. Ce serait une chose excusable à l'étranger ; mais, parmi ses sujets, où il peut tout, un souverain tire déjà de sa dignité le plus extrême degré d'honneur où il puisse arri-
175 ver. De même, pour un gentilhomme, il me semble qu'il est superflu de se vêtir avec recherche dans son intérieur ; sa maison, son train, sa cuisine répondent assez de lui.

Le conseil qu'Isocrate donne à son roi ne me semble pas
180 dénué de raison : *« Qu'il soit splendide en meubles et en accessoires domestiques, dans la mesure où c'est une dépense de durée qui passe à ses successeurs ; et qu'il fuie toutes magnificences immédiatement volatilisées hors de l'usage et de la mémoire. »*

185 J'aimais à me parer de vêtements quand j'étais cadet, faute d'autre parure, et cela m'allait bien ; il est des gens sur qui les beaux habits pleurent. Nous avons des récits étonnants de la frugalité de nos rois touchant leur personne et leurs dons ; grands rois en crédit, en valeur et

---

7. *qu'Isocrate* [...] *son roi* : Isocrate, dans le *Discours à Nicoclès*, livre VI, chapitre 19.
8. *cadet* : le mot peut simplement signifier « jeune » ; ou alors il peut être employé au figuré avec le sens de « quand j'avais l'âge d'être un cadet », c'est-à-dire un gentilhomme qui servait comme soldat puis comme officier subalterne, pour apprendre le métier des armes.
9. *à faute* : à défaut.

Démosthène[1] combat à outrance la loi de sa ville qui assi-
170 gnait les deniers publics aux pompes des jeux et de leurs fêtes ; il veut que leur grandeur se montre en quantité de vaisseaux bien équipés et bonnes armées bien fournies. Et a-t-on[2] raison d'accuser Théophraste[3] d'avoir établi, en son livre *Des richesses,* un avis contraire, et
175 maintenu telle nature de dépense être le vrai fruit de l'opulence. Ce sont plaisirs, dit Aristote, qui ne touchent que la plus basse commune[4], qui s'évanouissent de mémoire aussitôt qu'on en est rassasié et desquels nul homme judicieux et grave ne peut faire
180 estime. L'emploitte[5] me semblerait bien plus royale comme plus utile, juste et durable, en ports, en havres, fortifications et murs, en bâtiments somptueux, en églises, hôpitaux, collèges, réformation[6] de rues et chemins. En quoi le pape Grégoire treizième[7] a laissé
185 sa mémoire recommandable de mon temps, et en quoi notre reine Catherine[8] témoignerait à longues années sa libéralité[9] naturelle et munificence, si ses moyens suffisaient à son affection. La fortune m'a fait grand déplaisir d'interrompre la belle structure du
190 Pont-Neuf de notre grande ville et m'ôter[10] l'espoir avant de mourir d'en voir en train l'usage.
Outre ce[11], il semble aux sujets, spectateurs de ces triomphes, qu'on leur fait montre de leurs propres richesses et qu'on les festoie à leurs dépens. Car les peuples
195 présument volontiers des rois, comme nous faisons de nos valets, qu'ils doivent prendre soin de nous apprêter en abondance tout ce qu'il nous faut, mais qu'ils n'y doivent aucunement toucher de leur part. Et pourtant[12]

1. *Démosthène* : dans la *IIIe Olynthienne*, où il exhorte les Athéniens à se réarmer.
2. *Et a-t-on* : Et l'on a.
3. *Théophraste* : d'après Cicéron, *De Officiis*, livre II, chapitre 16.
4. *la plus basse commune* : le plus bas peuple.
5. *emploitte* : emploi.
6. *réformation* : réfection.
7. Grégoire treizième (1502-1585) reçut Montaigne en audience le 29 décembre 1580.
8. *notre reine Catherine* : Catherine de Médicis.
9. *libéralité* : générosité matérielle (sens encore valable aujourd'hui).

en fortune. Démosthène combat à outrance la loi de sa ville qui consacrait les deniers publics aux pompes des jeux et de leurs fêtes ; il veut que la grandeur des Athéniens se montre en quantité de vaisseaux bien équipés et par de bonnes armées bien pourvues.
Et l'on a raison de critiquer Théophraste d'avoir donné autorité, dans son livre *Des richesses*, à un avis contraire, et soutenu qu'une telle nature de dépenses était le vrai fruit de l'opulence. Ce sont des plaisirs, dit Aristote, qui n'intéressent que le plus bas peuple, qui s'évanouissent de la mémoire aussitôt qu'on en est rassasié, et qu'aucun homme de jugement et de poids ne peut tenir en estime. À moi, l'emploi de cet argent me semblerait bien plus royal, comme plus utile, juste et durable, en construction de ports, fortifications et murailles, de bâtiments somptueux, d'églises, d'hôpitaux, de collèges ; en réfection de rues et de chemins. Sur ce point, le pape Grégoire XIII a laissé un souvenir digne d'estime à mon époque ; sur ce point aussi, notre reine Catherine témoignerait pour de longues années de sa libéralité naturelle et de sa munificence si ses moyens suffisaient à son désir. La Fortune m'a beaucoup chagriné en interrompant la belle construction du Pont-Neuf de notre grande ville et en m'ôtant l'espoir, avant de mourir, de le voir en service.
Outre cela, il semble aux sujets qui assistent à ces triomphes qu'on leur montre leurs propres richesses et qu'on les régale à leurs frais. Car les peuples attendent volontiers des rois, comme nous faisons de nos valets, qu'ils veillent à nous préparer en abondance tout ce qu'il nous faut, mais qu'ils n'y touchent en aucun cas

10. *et m'ôter* : et de m'ôter.
11. *Outre ce* : Outre cela.
12. *pourtant* : pour cette raison.

l'empereur Galba[1], ayant pris plaisir à un musicien pen-
200 dant son souper, se fit apporter sa boîte et lui donna en sa main une poignée d'écus qu'il y pêcha avec ces paroles : « Ce n'est pas du public, c'est du mien. » Tant y a[2] qu'il advient le plus souvent que le peuple a raison, et qu'on repaît ses yeux de ce de quoi il avait à paître son ventre.
205 La libéralité même n'est pas bien en son lustre en mains souveraines ; les privés y ont plus de droit ; car, à le prendre[3] exactement, un roi n'a rien proprement sien ; il se doit soi-même à autrui.
La juridiction[4] ne se donne point en faveur du juridi-
210 ciant[5], c'est en faveur du juridicié[5]. On fait un supérieur, non jamais pour son profit, ains[6] pour le profit de l'inférieur, et un médecin pour le malade, non pour soi. Toute magistrature, comme tout art jette sa fin hors d'elle : *« nulla ars in se versatur »*.
215 Par quoi les gouverneurs de l'enfance des princes, qui se piquent à[7] leur imprimer cette vertu de largesse, et les prêchent de ne savoir rien refuser et n'estimer rien si bien employé[8] que ce qu'ils donneront (instruction que j'ai vue en mon temps fort en crédit), ou ils regardent plus à leur
220 profit qu'à celui de leur maître, ou ils entendent[9] mal à qui ils parlent. Il est trop aisé d'imprimer la libéralité en celui qui a de quoi y fournir autant qu'il veut, aux dépens d'autrui. Et son estimation se réglant non à la mesure du présent, mais à la mesure des moyens de celui qui
225 l'exerce, elle vient à être vaine en mains si puissantes. Ils[10] se trouvent prodigues avant qu'ils soient[11] libéraux. Pourtant est-elle de peu de recommandation, au prix d'autres vertus royales, et la seule, comme disait le tyran Denys[12],

1. *l'empereur Galba* : il régna entre 68 et 69 ap. J.-C. (on l'a déjà évoqué au texte n° 30 à propos de son ancêtre).
2. *Tant y a* : Toujours est-il.
3. *prendre* : interpréter.
4. *La juridiction* : Le jugement, le fait de dire le droit (latin *juris dictio*).
5. *juridiciant, juridicié* : juge, justiciable.
6. *ains* : mais.
7. *se piquent à* : se piquent de.
8. *si bien employé* : être si bien employé, que rien n'est si bien employé.
9. *entendent* : comprennent.
10. *Ils* : Les princes.

pour leur part. Et voilà pourquoi l'empereur Galba, ayant pris plaisir à entendre un musicien pendant son souper, se fit apporter sa cassette personnelle et lui mit dans la main une poignée d'écus qu'il y pêcha avec ces
225 mots : *« Ce n'est pas du public, c'est du mien. »* Toujours est-il qu'il arrive le plus souvent que le peuple a raison et qu'on repaît ses yeux de ce dont il avait à repaître son ventre. La libéralité même n'est pas dans sa bonne lumière en mains souveraines ; les particuliers y ont plus
230 de titres ; car, à le prendre avec exactitude, un roi n'a rien qui lui appartienne en propre ; lui-même, il se doit à autrui.

Le prononcé des jugements ne se fait point en faveur du juge, mais en faveur du justiciable. Si l'on crée un supé-
235 rieur, ce n'est jamais pour son propre profit mais pour le profit de l'inférieur, et un médecin pour le malade, non pour lui-même. Toute magistrature, comme tout art, projette sa fin hors d'elle-même : *« Aucun art ne s'enferme en lui-même »* (Cicéron, *De finibus*, V, 6).
240 C'est pourquoi les précepteurs des jeunes princes qui mettent leur point d'honneur à leur inculquer cette vertu de largesse, et leur préconisent de ne savoir rien refuser et d'estimer que rien n'est si bien employé que ce qu'ils donneront (instruction que j'ai vue très en faveur à mon
245 époque), ou bien regardent davantage à leur profit qu'à celui de leur maître, ou ils comprennent mal à qui ils parlent. Il est trop aisé d'inculquer la libéralité à celui qui a de quoi y fournir autant qu'il veut aux frais d'autrui. Et la valeur de la libéralité s'estimant non à la
250 mesure du présent mais à la mesure des moyens de celui qui l'exerce, elle devient insignifiante dans des mains si puissantes. Ils se retrouvent prodigues avant d'être généreux. Aussi est-ce une vertu de peu de considération en comparaison d'autres vertus royales ; et c'est la seule,
255 comme disait le tyran Denys, qui s'accorde bien avec la

11. *avant qu'ils soient* : avant d'être.
12. *le tyran Denys* : d'après Plutarque, *Les Dits notables des anciens rois*.

qui se comporte bien avec la tyrannie même. Je lui
230 apprendrais plutôt ce verset du laboureur ancien : Τῇ χειρὶ δεῖ σπείρειν, ἀλλὰ μὴ ὅλῳ τῷ θυλαχῷ, qu'il faut, à qui en veut retirer fruit, semer de la main, non pas verser du sac (*il faut épandre le grain, non pas le répandre*) ; et qu'ayant à donner ou, pour mieux dire, à
235 payer et rendre à tant de gens selon qu'ils l'ont desservi[1], il en doit être loyal et avisé dispensateur. Si la libéralité d'un prince est sans discrétion[2] et sans mesure, je l'aime mieux avare.

La vertu royale semble consister le plus en la justice ; et
240 de toutes les parties de la justice celle-là remarque[3] mieux[4] les rois, qui accompagne la libéralité : car ils l'ont particulièrement réservée à leur charge, là où toute autre justice, ils l'exercent volontiers par l'entremise d'autrui. L'immodérée largesse est un moyen faible à[5] leur acquérir
245 bienveillance ; car elle rebute plus de gens qu'elle n'en pratique[6] : « *Quo in plures usus sis, minus in multos uti possis. Quid autem est stultius quam quod libenter facias, curare ut id diutius facere non possis ?* » Et, si elle est employée sans respect du mérite, fait vergogne[7] à
250 qui la reçoit ; et se reçoit sans grâce. Des tyrans ont été sacrifiés à la haine du peuple par les mains de ceux mêmes lesquels[8] ils avaient iniquement avancés[9], telle manière d'hommes[10] estimant assurer la possession des biens indûment reçus en montrant avoir à mépris et
255 haine[11] celui de qui ils les tenaient, et se ralliant au jugement et opinion commune en cela.

Les sujets d'un prince excessif en dons se rendent excessifs en demandes ; ils se taillent non à la raison, mais à l'exemple[12]. Il y a certes souvent de quoi rougir de notre

---

1. *desservi* : servi (cf. anglais « *to deserve* » : mériter).
2. *discrétion* : perspicacité, discernement.
3. *remarque* : signale.
4. *mieux* : le mieux.
5. *faible à* : faible pour.
6. *pratique* : amadoue, rend « praticables », c'est-à-dire avenants.
7. *vergogne* : honte.
8. *lesquels* : que.
9. *avancés* : favorisés.

tyrannie elle-même. À mon prince, j'apprendrais plutôt ce verset du laboureur antique : *« C'est avec la main qu'il faut semer et non à plein sac »* (Corinne, VIe siècle avant J.-C.) ; que celui qui veut faire une bonne récolte, doit semer avec la main, non verser du sac (il faut épandre le grain, non pas le répandre) ; et que, comme il a à donner ou, pour mieux dire, à payer et restituer à tant de gens en fonction de leurs services rendus, il doit être un dispensateur loyal et avisé de ses faveurs. Si la libéralité d'un prince est sans discernement et sans mesure, je l'aime mieux avare.

La vertu royale semble résider principalement dans la justice ; et, de toutes les parties de la justice, celle qui distingue le mieux les rois est celle qui accompagne la libéralité ; car elle est attachée en propre à leurs devoirs, alors que tout le reste de leur justice s'exerce volontiers par l'intermédiaire d'autrui. La largesse immodérée est un moyen faible pour leur acquérir de la bienveillance ; car elle rebute plus de gens qu'elle n'en gagne. *« Plus on l'a exercée, moins on peut le faire. Or quoi de plus sot que d'agir de manière telle qu'on ne puisse pas faire plus longtemps ce qu'on fait avec plaisir ? »* (Cicéron *De officiis*, II, 15). Et si elle est accordée sans considération de mérite, elle fait honte à celui qui la reçoit ; et se reçoit sans reconnaissance. Des tyrans ont été sacrifiés à la haine du peuple de la main même de ceux qu'ils avaient iniquement promus, car de telles sortes d'hommes pensent s'assurer la possession des biens indûment reçus en montrant qu'ils méprisent et haïssent celui de qui ils les tenaient, et en se ralliant au jugement et à l'opinion commune en cela.

Les sujets d'un prince excessif en dons se rendent excessifs en demandes ; ils taillent leurs exigences non suivant la raison, mais suivant l'exemple. Il y a certes souvent de quoi rougir de notre impudence ; nous

10. *telle manière d'hommes* : telle sorte de gens.
11. *montrant à mépris et haine* : montrant du mépris et de la haine pour celui, désignant comme méprisable et haïssable.
12. *à la raison, à l'exemple* : suivant la raison, suivant l'exemple.

260 impudence ; nous sommes surpayés selon justice quand la récompense égale notre service, car n'en devons-nous rien à nos princes d'obligation naturelle ? S'il porte notre dépense, il fait trop ; c'est assez qu'il l'aide ; le surplus s'appelle bienfait, lequel ne se peut exiger, car le nom
265 même de libéralité sonne[1] liberté. À notre mode, ce n'est jamais fait ; le reçu ne se met plus en compte ; on n'aime la libéralité que future ; par quoi plus un prince s'épuise en donnant, plus il s'appauvrit d'amis.

Comment assouvirait-il des envies qui croissent à
270 mesure qu'elles se remplissent ? Qui a sa pensée à prendre, ne l'a plus à ce qu'il a pris. La convoitise n'a rien si propre que d'être ingrate. L'exemple de Cyrus[2] ne duira[3] pas mal en ce lieu pour servir aux rois de ce temps de touche à[4] reconnaître leurs dons bien ou
275 mal employés, et leur faire voir combien cet empereur les assenait[5] plus heureusement qu'ils ne font. Par où ils sont réduits de faire leurs emprunts sur les sujets inconnus, et plutôt sur ceux à qui ils ont fait du mal, que sur ceux à qui ils ont fait du bien ; et n'en
280 reçoivent[6] aides où il y ait rien de gratuit que le nom. Crésus lui reprochait sa largesse et calculait à combien se monterait son trésor, s'il eût eu les mains plus restreintes. Il eut envie de justifier sa libéralité ; et, dépêchant[7] de toutes parts vers les grands de son
285 État, qu'il avait particulièrement avancés[8], pria chacun de le secourir d'autant d'argent qu'il pourrait à une sienne nécessité[9], et le lui envoyer par déclaration. Quand tous ces bordereaux lui furent apportés, chacun de ses amis, n'estimant pas que ce fût assez
290 faire de lui en offrir autant seulement qu'il en avait reçu de sa munificence, y en mêlant du sien plus propre[10] beaucoup, il se trouva que cette somme se

1. *sonne* : sonne comme.
2. *Cyrus* : d'après la *Cyropédie* (en grec, « Éducation de Cyrus ») de Xénophon, livre VIII, chapitre 2.
3. *duira* : conviendra, siéra.
4. *touche à* : pierre de touche pour.
5. *assenait* : distribuait, assignait (sens étymologique : latin *adsignare*).
6. *et n'en reçoivent* : et ils n'en reçoivent.
7. *dépêchant* : envoyant des dépêches.
8. *avancés* : favorisés.
9. *à une sienne nécessité* : pour un besoin qu'il avait.

sommes surpayés selon la justice quand la récompense est égale à nos services, car n'y en a-t-il pas une partie que nous devons à nos princes par obligation naturelle ? S'il assume notre dépense, il fait trop ; c'est assez qu'il l'aide ; le surplus s'appelle bienfait, et il ne peut s'exiger, car le terme même de libéralité a la résonance liberté. Avec nos pratiques ce n'est jamais fini ; ce qui a été reçu ne se prend plus en compte ; on n'aime la libéralité que future : moyennant quoi plus un prince s'épuise à donner, plus il s'appauvrit d'amis.

Comment assouvirait-il des envies qui croissent à mesure qu'elles sont comblées ? Celui qui pense à prendre, ne pense plus à ce qu'il a pris. La convoitise n'a rien de si caractéristique que d'être ingrate. L'exemple de Cyrus ne siéra pas mal à cette place pour servir aux rois de notre époque de pierre de touche à reconnaître le bon ou le mauvais emploi de leurs dons, et leur faire voir combien cet empereur les distribuait plus heureusement qu'ils ne font. De fait, ils en sont réduits à emprunter auprès des sujets inconnus, et plutôt auprès de ceux à qui ils ont fait du mal qu'auprès de ceux à qui ils ont fait du bien ; et ils n'en reçoivent pas d'aide où il y ait quelque chose de gratuit, si ce n'est le mot. Crésus reprochait à Cyrus sa largesse et calculait à combien se monterait son trésor s'il avait eu la main plus réservée. Cyrus eut envie de justifier sa libéralité : dépêchant des courriers de tous côtés vers les grands de son État qu'il avait particulièrement favorisés, il pria chacun de le secourir d'autant d'argent qu'il pourrait, pour faire face à une difficulté dans laquelle il se trouvait, et de lui en envoyer déclaration écrite. Quand tous ces bordereaux lui furent apportés, chacun de ses amis n'estimant pas que c'était assez de lui en proposer autant qu'il avait reçu de sa munificence et y ajoutant beaucoup d'argent personnel, il se trouva que cette

---

10. *y en mêlant du sien plus propre* : mêlant aussi à cet argent du sien pris sur ses réserves plus personnelles.

montait bien plus que l'épargne de Crésus. Sur quoi lui dit Cyrus : « Je ne suis pas moins amoureux des richesses que les autres princes et en suis plutôt plus
295 ménager[1]. Vous voyez à combien peu de mise[2] j'ai acquis le trésor inestimable de tant d'amis ; et combien ils me sont plus fidèles trésoriers que ne seraient des hommes mercenaires sans obligation, sans affection, et ma chevance[3] mieux logée qu'en
300 des coffres, appelant sur moi la haine, l'envie et le mépris des autres princes. »

Les empereurs tiraient excuse à la superfluité de leurs jeux et montres publiques, de ce que leur autorité dépendait aucunement[4] (au moins par[5] apparence) de la volonté
305 du peuple romain, lequel avait de tout temps accoutumé d'être flatté par telle sorte de spectacles et excès. Mais c'étaient particuliers[6] qui avaient nourri cette coutume de gratifier leurs concitoyens et compagnons principalement sur leur bourse par telle profusion[7] et magnificence : elle
310 eut tout autre goût quand ce furent les maîtres qui vinrent à l'imiter.

« Pecuniarum translatio a justis dominis ad alienos non debet liberalis videri. » Philippe, de ce que[8] son fils essayait par présents[9] de gagner la volonté des
315 Macédoniens, l'en tança par une lettre en cette manière : « Quoi ? as-tu envie que tes sujets te tiennent pour leur boursier[10], non pour leur roi ? Veux-tu les pratiquer[11] ? pratique-les des bienfaits de ta vertu, non des bienfaits de ton coffre. »

320 C'était pourtant une belle chose, d'aller faire apporter et planter en la place aux arènes[12] une grande quantité de gros arbres, tout branchus et tout verts, représentant une grande forêt ombrageuse, départie en[13] belle symétrie, et, le premier jour jeter là-dedans mille autruches, mille

---

1. *ménager* : économe.
2. *à combien peu de mise* : avec quelle faible mise initiale.
3. *chevance* : fortune, richesse.
4. *aucunement* : quelque peu, en quelque sorte.
5. *par* : en.
6. *c'étaient particuliers* : c'étaient des particuliers.
7. *par telle profusion* : avec une telle profusion de richesses.
8. *de ce que* : voyant que.
9. *par présents* : par des présents.

somme se montait bien plus haut que l'épargne de Crésus. Sur quoi Cyrus lui dit : « *Je ne suis pas moins amoureux des richesses que les autres princes et m'en montre plutôt plus économe. Vous voyez avec quelle faible mise j'ai*
330 *acquis le trésor inestimable de tant d'amis, comme ils se montrent plus fidèles trésoriers à mon égard que ne seraient des hommes touchant salaire, sans obligation, sans affection, et comme mon bien est mieux logé que dans des coffres, où il appellerait sur moi la haine, l'envie et le*
335 *mépris des autres princes.* »
Les empereurs tiraient une excuse au caractère superflu de leurs jeux et démonstrations publiques, de ce que leur autorité dépendait quelque peu (au moins en apparence) de la volonté du peuple romain, lequel depuis toujours
340 était habituellement flatté par de tels spectacles et excès. Mais c'étaient des particuliers qui avaient nourri cette habitude de gratifier leurs concitoyens et leurs amis pour l'essentiel sur leur propre bourse avec une telle profusion et une telle magnificence : elle eut un tout autre goût
345 quand ce furent les maîtres qui vinrent à l'imiter.
« *Le transfert de sommes d'argent de leurs légitimes détenteurs à des étrangers ne doit pas passer pour un acte de libéralité* » (Cicéron, *De officiis*, I, 14). Philippe, voyant que son fils essayait par des présents de se rendre popu-
350 laire auprès des Macédoniens, l'en tança par une lettre tournée de cette manière : « *Quoi ? as-tu envie que tes sujets te tiennent pour leur trésorier, et non pour leur roi ? veux-tu te les gagner ? Gagne-les par les bienfaits de ta vertu, et non par ceux de ton coffre.* »
355 C'était pourtant une belle chose que d'aller faire transporter et planter dans l'espace des arènes une grande quantité de gros arbres tout branchus et tout verts, figurant une grande forêt ombreuse, se découpant avec une belle symétrie, et, le premier jour, de jeter là-dedans
360 mille autruches, mille cerfs, mille sangliers et mille

10. *boursier* : trésorier, banquier.
11. *les pratiquer* : les rendre aimables à ton égard, te les accommoder.
12. *en la place aux arènes* : sur la piste des arènes.
13. *départie en* : distribuée, répartie, découpée suivant.

325 cerfs, mille sangliers et mille daims, les abandonnant à piller au peuple ; le lendemain, faire assommer[1] en sa présence cent gros lions, cent léopards, et trois cents ours, et, pour le troisième jour, faire combattre à outrance trois cents paires[2] de gladiateurs, comme fit l'empereur Pro-
330 bus[3]. C'était aussi belle chose à voir ces grands amphithéâtres encroûtés[4] de marbre au-dehors, labourés[5] d'ouvrages et statues, le dedans reluisant de plusieurs rares enrichissements,

Baltheus en gemmis, en illita porticus auro,

335 tous les côtés de ce grand vide remplis et environnés, depuis le fond jusques au comble, de soixante ou quatre-vingts rangs d'échelons[6], aussi de marbre, couverts de carreaux[7],

exeat, inquit,
340 *Si pudor est, et de pulvino surgat equestri,*
Cujus res legi non sufficit ;

où se peut ranger cent mille hommes assis à leur aise ; et la place du fond, où les jeux se jouaient, la faire première-
345 ment, par art[8], entrouvrir et fendre en crevasses représentant des antres qui vomissaient les bêtes destinées au spectacle ; et puis secondement, l'inonder d'une mer profonde, qui charriait force monstres marins, chargée de vaisseaux armés, à représenter une bataille navale ; et,
350 tiercement[9], l'aplanir et assécher de nouveau pour le combat des gladiateurs ; et, pour la quatrième façon[10], la sabler[11] de vermillon et de storax, au lieu d'arène[12], pour y dresser un festin solemne[13] à tout ce nombre infini de peuple, le dernier acte d'un seul jour ;

---

1. *assommer* : massacrer.
2. *paires* : combats singuliers, duels.
3. *Probus* (IIIe siècle après J.-C.) : d'après Crinitus, *De honesta disciplina*, Livre XII, chapitre 7. Sur cet empereur, voir notre chronologie biographique des Anciens.
4. *encroûtés* : incrustés.
5. *labourés* : ornés, décorés, travaillés (image forte).
6. *échelons* : gradins.
7. *carreaux* : coussins.

daims, en les abandonnant en butin au peuple ; le lendemain, de faire massacrer devant lui cent gros lions, cent léopards et trois cents ours, et pour le troisième jour de faire combattre sans merci trois cents duels de gladia-
365 teurs, comme le fit l'empereur Probus. C'était aussi une belle chose à voir, que ces grands amphithéâtres incrustés de marbre au-dehors, labourés d'ouvrages et de statues, l'intérieur reluisant de beaucoup de rares enrichissements,
370 *« Voici la barrière de pierres précieuses, voici le portique enrichi d'or »* (Calpurnius, *Églogues*, VII),
tous les côtés de ce grand espace vide remplis et environnés, depuis le fond jusqu'aux combles, de soixante ou quatre-vingts rangs de gradins, faits aussi de marbre
375 et munis de coussins,
« Qu'il sorte ! dit-il, *s'il a de la pudeur, qu'il se lève de la rangée réservée aux chevaliers, lui qui n'est pas soumis au cens imposé par la loi »* (Juvénal, *Satires*, III),
gradins où peuvent se ranger cent mille hommes assis à
380 leur aise ; et, pour la place du fond où les jeux se déroulaient, de la faire, premièrement, par des procédés, entrouvrir et fendre en crevasses figurant des antres qui vomissaient des bêtes destinées au spectacle ; et puis, ensuite, de l'inonder et d'en faire une mer profonde qui
385 charriait force monstres marins, chargée de vaisseaux armés pour représenter une bataille navale ; et, troisièmement, de l'aplanir et l'assécher de nouveau pour le combat des gladiateurs ; et, pour la quatrième présentation, de l'ensabler de vermillon et de storax, au lieu de
390 gravier, pour y dresser un festin solennel à tout ce nombre infini de gens : le dernier acte d'un seul jour ;

---

8. *par art* : par des techniques, artificiellement.
9. *tiercement* : troisièmement.
10. *façon* : présentation, décor.
11. *sabler* : ensabler, garnir.
12. *arène* : sable (latin *arena*).
13. *solemne* : solennel.

355 *quoties nos descendentis arenae*
Vidimus in partes, ruptaque voragine terrae
Emersisse feras, et iisdem saepe latebris
Aurea cum croceo[1] *creverunt arbuta libro.*
Nec solum nobis silvestria cernere monstra
360 *Contigit, aequoreos ego cum certantibus ursis*
Spectavi vitulos, et equorum nomine dignum,
Sed deforme pecus.

Quelquefois on y a fait naître une haute montagne pleine de fruitiers et arbres verdoyants, rendant par[2] son faîte[3]
365 un ruisseau d'eau, comme de la bouche d'une vive fontaine. Quelquefois on y promena un grand navire qui s'ouvrait et déprenait[4] de soi-même, et, après avoir vomi de son ventre quatre ou cinq cents bêtes à combat[5], se resserrait et s'évanouissait, sans aide. Autrefois[6], du bas de
370 cette place, ils faisaient élancer des surgeons[7] et filets d'eau qui rejaillissaient contremont[8], et, à cette hauteur infinie, allaient arrosant et embaumant cette infinie multitude. Pour se couvrir de l'injure du temps[9], ils faisaient tendre cette immense capacité[10], tantôt de voiles de
375 pourpre labourés à l'aiguille, tantôt de soie d'une ou autre couleur, et les avançaient et retiraient en un moment, comme il leur venait en fantaisie[11] :

Quamvis non modico caleant spectacula sole,
Vela[12] *reducuntur, cum venit Hermogenes.*

380 Les rets[13] aussi qu'on mettait au-devant du[14] peuple, pour le défendre[15] de la violence de ces bêtes élancées, étaient tissus d'or :

auro quoque torta refulgent
Retia.

---

1. croceo : le safran est une couleur jaune tirée de la plante couramment appelée « crocus », dont les fleurs portent des stygmates orangés.
2. *rendant par* : laissant s'écouler depuis.
3. *faîte* : sommet.
4. *déprenait* : se découpait, se scindait.
5. *à combat* : de combat, sauvages.
6. *Autrefois* : Une autre fois, à d'autres occasions.
7. *surgeons* : pousses, jaillissements (en principe, ce terme est aujourd'hui réservé aux plantes : par exemple, « surgeons d'un rosier »).
8. *contremont* : en l'air.

« Que de fois avons-nous vu l'arène s'affaisser et se compartimenter, et de l'abîme entrouvert surgir des bêtes sauvages et de ces mêmes profondeurs s'élever des arbres d'or à
395 *l'écorce de safran. Non seulement il nous est arrivé de contempler les monstres des forêts, mais moi j'ai aperçu des phoques parmi les combats d'ours et un hideux troupeau d'animaux qui n'avaient de chevaux que le nom »* (Calpurnius, *Églogues*, VII).
400 Quelquefois on y a fait naître une haute montagne pleine d'arbres fruitiers ou verdoyants, qui déverse depuis son sommet un ruisseau d'eau comme échappée de la bouche d'une source vive. Quelquefois on y promena un grand navire qui s'ouvrait et se séparait de lui-même et qui,
405 après avoir vomi quatre ou cinq cents bêtes de combat, se refermait et s'évanouissait, sans aide. D'autres fois, du bas de cette place, ils faisaient élancer des fontaines et des lignes d'eau qui rejaillissaient en l'air et, à cette hauteur infinie, allaient arrosant et embaumant cette infinie mul-
410 titude. Pour se protéger des rigueurs du temps, ils faisaient tendre cet immense espace, tantôt de voiles de pourpre travaillés à l'aiguille, tantôt de soie d'une ou d'autre couleur, et ils les avançaient et les reculaient en un moment, selon qu'il leur en prenait fantaisie :
415 *« Bien qu'un ardent soleil brûle l'amphithéâtre, on retire le velum dès qu'arrive Hermogène »* (Martial, *Épigrammes*, XII, 29).
Les filets aussi que l'on mettait devant le public pour le défendre de la violence de ces bêtes déchaînées, étaient
420 tissés d'or :
« Les rets aussi brillent de l'or dont ils sont tressés » (Calpurnius, *Églogues*, VII).

---

9. *se couvrir de l'injure du temps* : se protéger des averses, du mauvais temps.
10. *capacité* : espace.
11. *en fantaisie* : à l'esprit.
12. Vela : le *« velum »* était une grande toile tendue, en hauteur, au-dessus des gradins et de l'arène, pour protéger, comme sous une tente, les spectateurs et les gladiateurs de l'ardeur du soleil. Hermogène était un voleur célèbre à Rome.
13. *rets* : filets, mailles.
14. *au-devant du* : devant (entre les gradins et l'arène).
15. *défendre* : protéger.

S'il y a quelque chose qui soit excusable en tels excès, c'est où[1] l'invention et la nouveauté fournit d'admiration[2], non pas la dépense.
En ces vanités mêmes, nous découvrons combien ces siècles étaient fertiles d'autres esprits[3] que ne sont les nôtres. Il va[4] de cette sorte de fertilité comme il fait de toutes autres productions de la nature. Ce n'est pas à dire qu'elle y ait lors[5] employé[6] son dernier effort. Nous n'allons point, nous rôdons plutôt, et tournoyons çà et là. Nous nous promenons sur nos pas. Je crains que notre connaissance soit faible en tous sens, nous ne voyons ni guère loin, ni guère arrière[7] ; elle embrasse peu et vit peu, courte et en étendue de temps et en étendue de matière :

Vixere fortes ante Agamemnona
Multi, sed omnes illachrimabiles
Urgentur ignotique longa
Nocte.
Et supera bellum Trojanum et funera Trojae,
Multi alias alii quoque res cecinere poetae.

Et la narration de Solon[8], sur ce qu'il avait appris des prêtres d'Égypte de la longue vie de leur État et manière[9] d'apprendre et conserver les histoires étrangères, ne me semble témoignage de refus[10] en cette considération[11]. *« Si interminatam in omnes partes magnitudinem regionum videremus et temporum, in quam se injiciens animus et intendens ita late longeque peregrinatur ut nullam oram ultimi videat in qua possit insistere : in hac immensitate infinita vis innumerabilium appareret formarum. »*

1. *c'est où* : c'est lorsque.
2. *fournit d'admiration* : remplit d'admiration.
3. *d'autres esprits* : d'esprits autrement brillants.
4. *Il va* : Il en va.
5. *lors* : alors.
6. *employé* : fait, accompli.
7. *arrière* : en arrière.

S'il y a quelque chose qui soit excusable dans de tels excès, c'est lorsque l'invention et la nouveauté rem-
25 plissent d'admiration, et non pas la dépense.
Jusque dans ces vanités nous découvrons combien ces siècles étaient fertiles d'esprits d'une autre qualité que ne sont les nôtres. Il en va de cette sorte de fertilité comme de toutes les autres productions de la nature.
30 Cela ne veut pas dire qu'elle ait alors fait là son suprême effort. Nous n'allons pas en avant, nous rôdons plutôt, et tournoyons çà et là. Nous nous promenons sur nos pas. Je crains que notre connaissance ne soit faible en tous sens, nous ne voyons guère loin et guère en arrière ; elle
35 embrasse peu et vit peu, courte et en étendue de temps et en étendue de matière :
« Les héros qui précédèrent Agamemnon vécurent nombreux, mais tous sont privés de nos larmes, ensevelis dans une nuit profonde » (Horace, *Odes*, IV, 9)
40 *« Avant la guerre de Troie et le deuil de cette cité, quantité de poète, ont chanté bien d'autres exploits »* (Lucrèce, *De rerum natura*, chant V).
Et le récit de Solon sur ce qu'il avait appris des prêtres d'Égypte, touchant la longue vie de leur État et leur
45 manière d'apprendre et de conserver les histoires des pays étrangers, ne me semble pas un témoignage à refuser à ce point de vue. *« Si nous pouvions voir dans toutes leurs parties l'ampleur illimitée des pays et du temps, où notre esprit pût à son gré, se projetant et se dilatant, errer*
50 *en tous sens sans rencontrer aucun bord ultime qui le fixe, dans cette immensité infinie nous apparaîtrait une quantité de formes innombrables. »*

8. *Solon* : dans le *Timée* de Platon.
9. *et manière* : et (sur ce qu'il avait appris) de leur manière.
10. *de refus* : à refuser, à écarter.
11. *en cette considération* : en ce sujet, en l'occurrence.

Quand tout ce qui est venu par rapport du passé jusques à
415 nous serait vrai et serait su par quelqu'un, ce serait moins que rien au prix de[1] ce qui est ignoré. Et de cette même image du monde qui coule pendant que nous y sommes, combien chétive et raccourcie est la connaissance des plus curieux ! Non seulement des événements particuliers que
420 fortune[2] rend souvent exemplaires et pesants, mais de l'état des grandes polices et nations, il nous en échappe cent fois plus qu'il n'en vient à notre science. Nous nous écrions du[3] miracle de l'invention de notre artillerie, de notre impression[4] ; d'autres hommes, un autre bout du
425 monde à la Chine, en jouissaient mille ans auparavant. Si nous voyons[5] autant du monde comme nous n'en voyons pas, nous apercevrions, comme il est à croire, une perpétuelle multiplication et vicissitude[6] de formes. Il n'y a rien de seul[7] et de rare eu égard à nature, oui bien[8] eu
430 égard à notre connaissance, qui est un misérable fondement de nos règles et qui nous représente volontiers[9] une très fausse image des choses. Comme vainement nous concluons[10] aujourd'hui l'inclination[11] et la décrépitude du monde par les arguments que nous tirons de notre
435 propre faiblesse et décadence,

Jamque adeo affecta est œtas, affectaque tellus ;

ainsi vainement concluait celui-là sa naissance et jeunesse, par la vigueur qu'il voyait aux[12] esprits de son temps, abondants en nouvelletés[13] et inventions de divers
440 arts :

1. *au prix de* : par rapport à.
2. *fortune* : la fortune (voir le texte n° 34). Montaigne met alternativement une majuscule et une minuscule à ce mot.
3. *nous nous écrions du* : nous crions au.
4. *de notre impression* : de notre imprimerie (Gutenberg, 1434).
5. *Si nous voyons* : Si nous voyions, si nous pouvions voir.
6. *vicissitude* : modification, changement.

Quand bien même toutes les relations du passé qui sont venues jusqu'à nous, seraient vraies et seraient sues par 455 quelqu'un, ce serait moins que rien en comparaison de ce qui est ignoré. Et même de l'aspect actuel du monde qui s'écoule pendant que nous y sommes, combien la connaissance qu'en ont les plus curieux est chétive et raccourcie ! Il nous échappe, non seulement des événe-460 ments particuliers que la fortune rend souvent exemplaires et significatifs, mais, de l'état des grands systèmes politiques et des grandes nations, cent fois plus qu'il n'en tombe sous notre science. Nous crions au miracle à propos de l'invention de notre artillerie, de 465 notre imprimerie ; d'autres hommes, à l'autre bout du monde, en Chine, en jouissaient mille ans auparavant. Si nous voyions du monde autant que nous n'en voyons pas, nous apercevrions vraisemblablement une perpétuelle multiplication et mutation de formes. Il n'y a rien 470 d'isolé et de rare au regard de la nature, mais bien au regard de notre connaissance, qui est un misérable fondement de nos règles et qui nous présente volontiers une très fausse image des choses. De même que nous concluons vainement aujourd'hui au déclin et à la décré-475 pitude du monde par les arguments que nous tirons de notre propre faiblesse et de notre décadence,

« Tant il est vrai que notre âge est affecté et que la terre est affectée » (Lucrèce, *De rerum natura*, chant II),

de même celui-là concluait-il à sa naissance et à sa jeu-480 nesse par la vigueur qu'il voyait chez les esprits de son temps, qui foisonnaient en nouveautés et en inventions de divers arts :

7. *de seul* : d'unique.
8. *oui bien* : mais bien.
9. *nous représente volontiers* : nous présente facilement.
10. *Comme vainement nous concluons* : De même qu'il est vain que nous concluions, vain de conclure (construction : « comme ... ainsi » = « de même que ... de même »).
11. *l'inclination* [...] *sa naissance* : au déclin [...] à sa naissance.
12. *aux* : chez les.
13. *nouvelletés* : innovations.

Verum, ut opinor, habet novitatem summa, recensque
Natura est mundi, neque pridem exordia coepit :
Quare etiam quaedam nunc artes expoliuntur,
Nunc etiam augescunt, nunc addita navigiis sunt
445 *Multa.*

Notre monde vient d'en trouver un autre[1] (et qui nous répond si c'est le dernier de ses frères, puisque les Démons, les Sibylles et nous, avons ignoré celui-ci jusqu'asteure[2] ?) non moins grand, plein et membru[3] que
450 lui, toutefois si nouveau et si enfant qu'on lui apprend encore son a, b, c ; il n'y a pas cinquante ans qu'il ne savait[4] ni lettres, ni poids, ni mesure, ni vêtements, ni blés, ni vignes. Il était encore tout nu au giron[5], et ne vivait que des moyens de sa mère nourrice. Si nous
455 concluons bien de notre fin[6], et ce poète de la jeunesse de son siècle, cet autre monde ne fera qu'entrer en lumière quand le nôtre en sortira. L'univers tombera en paralysie ; l'un membre sera perclus[7], l'autre en vigueur.
Bien crains-je que nous aurons bien fort hâté sa déclinai-
460 son[8] et sa ruine par notre contagion, et que nous lui aurons bien cher vendu nos opinions et nos arts. C'était un monde enfant ; si[9] ne l'avons-nous pas fouetté et soumis à notre discipline par l'avantage de notre valeur et forces[10] naturelles, ni ne l'avons pratiqué[11] par notre jus-
465 tice et bonté, ni subjugué par notre magnanimité. La plupart de leurs réponses et des négociations faites avec eux témoignent qu'ils ne nous devaient rien en clarté d'esprit naturelle et en pertinence. L'épouvantable[12] magnificence des villes de Cusco et de Mexico, et, entre plusieurs choses

1. *un autre* : allusion au Nouveau Monde (plusieurs parallèles sous-jacents avec *Des Cannibales* ont préparé ce jeu de miroir plus direct : notamment *« les Hongres »* et l'expression *« eu égard à »* opposant, ici, la nature et notre connaissance, dans l'autre essai, la raison et notre barbarie).
2. *jusqu'asteure* : jusqu'à cette heure.
3. *membru* : charpenté (l'image de l'organisme reprend celle de l'enfant dans *Des Cannibales*).
4. *savait* : connaissait.
5. *au giron* : de sa mère (la nature). Nous dirions : « au berceau ».
6. *de* : à.
7. *l'un membre sera perclus* : l'une des parties (de l'univers) sera immobilisée.

« Mais à mon sens tout est nouveau et récente est la nature de l'univers : c'est depuis peu qu'il a commencé à sourdre.
485 *C'est pourquoi, encore maintenant, certains arts se perfectionnent, encore maintenant ils progressent et beaucoup d'agrès ont maintenant été ajoutés aux navires » (id., ibid.,* chant V).

Notre monde vient d'en trouver un autre (et qui nous
490 répond si c'est le dernier de ses frères, puisque les Démons, les Sibylles et nous-mêmes avons ignoré celui-ci jusqu'à cette heure ?). Non moins grand, plein et membru que le nôtre, il est toutefois si nouveau et si enfant qu'on lui apprend encore son a, b, c ; il n'y a pas cinquante ans
495 qu'il ne connaissait ni lettres, ni poids, ni mesure, ni vêtements, ni blés, ni vignes. Il était encore tout nu au giron de sa mère nourricière, et ne vivait que par les moyens qu'elle lui fournissait. Si nous avons raison de conclure à notre fin et ce poète à la jeunesse de son siècle,
500 cet autre monde ne fera qu'entrer dans la lumière quand le nôtre en sortira. L'univers tombera en paralysie ; le premier membre sera perclus, l'autre dans sa vigueur. Nous aurons bien fortement hâté, j'en ai bien peur, son déclin et sa ruine par notre contagion et nous lui aurons
505 vendu bien cher nos idées et nos techniques. C'était un monde enfant ; pourtant nous ne l'avons pas fouetté et soumis à notre enseignement par l'avantage de notre valeur et de nos forces naturelles, ni ne l'avons gagné par notre justice et notre bonté, ni subjugué par notre magna-
510 nimité. La plupart de leurs réponses et des négociations faites avec eux témoignent que ces hommes ne nous devaient rien en clarté d'esprit naturelle et en pertinence. L'époustouflante magnificence des villes de Cuzco et de Mexico, et parmi beaucoup d'autres semblables choses,

8. *sa déclinaison* : son déclin.
9. *si* : pourtant.
10. *et forces* : et de nos forces.
11. *pratiqué* : amadoué, civilisé.
12. *épouvantable* : qui laisse stupéfait, bouche bée (latin *paveo* : être paralysé d'effroi). Cf. notre emploi des adjectifs « monstrueux » et « hallucinant » dans un sens analogue d'éloge.

470 pareilles, le jardin de ce roi, où tous les arbres, les fruits et toutes les herbes, selon l'ordre et grandeur qu'ils ont en un jardin, étaient excellemment formés en or ; comme, en son cabinet, tous les animaux qui naissaient en son État et en ses mers ; et la beauté de leurs ouvrages en pierrerie, en 475 plume, en coton, en la peinture, montrent qu'ils ne nous cédaient non plus en l'industrie[1]. Mais, quant à la dévotion, observance des lois, bonté, libéralité, loyauté, franchise, il nous a bien servi de n'en avoir pas tant qu'eux ; ils se sont perdus par cet avantage, et vendus et trahis eux-mêmes. 480 Quant à la hardiesse et courage, quant à la fermeté, constance, résolution contre les douleurs et la faim et la mort, je ne craindrais pas d'opposer les exemples que je trouverais parmi eux aux plus fameux exemples anciens que nous ayons aux mémoires de notre monde par-deçà[2]. 485 Car, pour ceux qui les ont subjugués, qu'ils ôtent les ruses et batelages[3] de quoi ils se sont servis à les piper[4], et le juste étonnement qu'apportait à ces nations-là de voir arriver si inopinément des gens barbus, divers[5] en langage, religion, en forme et en contenance, d'un endroit du 490 monde si éloigné et où ils n'avaient jamais imaginé qu'il y eût habitation quelconque, montés sur des grands monstres inconnus, contre ceux qui n'avaient non seulement jamais vu de cheval, mais bête quelconque duite[6] à porter et soutenir homme ni autre charge ; garnis d'une 495 peau luisante et dure et d'une arme tranchante et resplendissante, contre ceux qui, pour le miracle de la lueur[7] d'un miroir ou d'un couteau, allaient échangeant une grande richesse en or et en perles, et qui n'avaient ni science ni matière par où tout à loisir ils sussent[8] percer notre acier ; 500 ajoutez-y les foudres et tonnerres de nos pièces et arquebuses, capables de troubler César même, qui l'en eût[9]

1. *en l'industrie* : pour le talent, l'ingéniosité.
2. *de notre monde par-deçà* : de notre monde de ce côté de l'Océan.
3. *batelages* : tours de passe-passe.
4. *piper* : tromper, bluffer.
5. *divers* : différents.
6. *duite* : exercée, habituée.
7. *pour le miracle de la lueur* : pour la lueur extraordinaire.

515 le jardin de ce roi, où tous les arbres, les fruits et toutes les herbes, selon l'ordre et la dimension qu'ils ont d'ordinaire dans un jardin, étaient en or, rendus à la perfection comme, dans son cabinet, tous les animaux naissant sur son territoire et dans ses mers ; et la beauté de leurs
520 ouvrages de pierreries, de plume, de coton, en peinture, tout cela montre qu'ils ne nous le cédaient pas non plus en habileté. Mais pour ce qui est de la dévotion, de l'observance des lois, de la bonté, libéralité, loyauté, franchise, il nous a bien servi de n'en avoir pas autant qu'eux ;
525 ils ont été perdus par cet avantage, vendus et trahis par eux-mêmes.

Quant à la hardiesse et au courage, quant à la fermeté, à la constance, à la résolution contre les douleurs et la faim et la mort, je ne craindrais pas d'opposer les exemples que
530 je trouverais parmi eux aux plus fameux exemples antiques que nous ayons conservés dans nos annales de ce côté-ci de l'Océan. Car pour ceux qui les ont subjugués, qu'ils ôtent les ruses et tours d'adresse dont ils se sont servis pour les tromper, le bouleversement légitime
535 qu'apportait à ces nations-là le fait de voir arriver de manière si inattendue des gens barbus, différents par leur langage, leur religion, par l'aspect extérieur et le comportement, d'un endroit du monde si éloigné et où ils n'avaient jamais imaginé qu'il y eût des habitants, gens
540 montés sur des grands monstres inconnus, contre eux qui n'avaient non seulement jamais vu de cheval, mais de bête quelconque dressée à porter et soutenir un homme ou une autre charge ; équipés d'une peau luisante et dure et d'une arme tranchante et resplendissante, contre eux
545 qui, pour le miracle que leur semblait la lueur d'un miroir ou d'un couteau, allaient échanger une grande profusion d'or et de perles, et qui n'avaient ni science ni matériau avec quoi, même à loisir, il fussent capables de percer notre acier ; ajoutez-y les foudres et les tonnerres de nos
550 pièces d'artillerie et de nos arquebuses, qui eussent troublé César lui-même, si on l'avait surpris avec la même

8. *tout à loisir ils sussent* : même en y mettant le temps, ils fussent capables de.
9. *qui l'en eût* : si quelqu'un l'avait.

surpris autant inexpérimenté, et à cette heure, contre des peuples nus, si ce n'est où l'invention était arrivée de quelque tissu de coton, sans autres armes, pour le plus,
505 que d'arcs[1], pierres, bâtons et boucliers de bois ; des peuples surpris, sous couleur d'amitié et de bonne foi, par la curiosité de voir des choses étrangères et inconnues : comptez, dis-je, aux conquérants cette disparité, vous leur ôtez toute l'occasion de tant de victoires.
510 Quand je regarde cette ardeur indomptable de quoi tant de milliers d'hommes, femmes et enfants, se présentent et rejettent à tant de fois aux dangers inévitables, pour la défense de leurs dieux et de leur liberté ; cette généreuse obstination de souffrir toutes extrémités et difficultés, et
515 la mort, plus volontiers que de se soumettre à la domination de ceux de qui ils ont été si honteusement abusés, et aucuns[2] choisissant plutôt de se laisser défaillir par faim et par jeûne, étant pris, que d'accepter le vivre[3] des mains de leurs ennemis, si vilement victorieuses, je prévois que, à
520 qui les eût attaqués pair à pair[4], et d'armes, et d'expérience, et de nombre, il y eût fait aussi dangereux, et plus, qu'en autre guerre que nous voyons.
Que n'est tombée sous Alexandre ou sous ces anciens Grecs et Romains une si noble conquête, et une si grande muta-
525 tion et altération de tant d'empires et de peuples sous des mains qui eussent doucement poli et défriché ce qu'il y avait de sauvage, et eussent conforté[5] et promu les bonnes semences que nature y avait produites, mêlant non seulement à la culture des terres et ornement des villes les arts de
530 deçà[6], en tant qu'elles[7] y eussent été nécessaires, mais aussi mêlant les vertus grecques et romaines aux originelles du pays ! Quelle réparation eût-ce été, et quel amendement à toute cette machine, que les premiers exemples et déportements nôtres, qui se sont présentés par-delà, eussent

1. *que d'arcs* : que des arcs.
2. *aucuns* : certains.
3. *le vivre* : la nourriture, la vie.
4. *pair à pair* : d'égal à égal.
5. *conforté* : renforcé, fortifié.
6. *de deçà* : de chez nous (cf. note 2, page 196).

inexpérience de ces armes, et en l'occurrence contre des peuples nus, sauf aux endroits où était arrivée l'invention de quelque pièce de coton, sans autres armes, tout
55 au plus, que des arcs, pierres, bâtons et boucliers de bois ; des peuples pris, sous couleur d'amitié et de bonne foi, au piège de la curiosité de voir des choses étrangères et inconnues : mettez, dis-je, sur le compte des conquérants cette inégalité, et vous leur ôtez toute l'opportunité
60 de tant de victoires.
Quand je regarde cette ardeur indomptable avec laquelle tant de milliers d'hommes, de femmes et d'enfants, se présentent tant de fois devant des dangers inévitables et s'y rejettent pour la défense de leurs dieux et de leur
65 liberté ; cette généreuse obstination à souffrir toutes les extrémités et les difficultés, et même la mort, plutôt que de se soumettre à la domination de ceux par qui ils ont été si honteusement abusés, et certains préférant se laisser défaillir de faim et de jeûne, s'ils étaient pris, que
70 d'accepter la nourriture des mains de leurs ennemis, si vilement victorieuses, je présume que, pour qui les eût attaqués d'égal à égal, en armes, en expérience et en nombre, il y aurait eu autant de danger, et même plus, qu'en toute autre guerre que nous voyons.
75 Que n'est tombée sous l'autorité d'Alexandre et de ces Anciens grecs et romains une si noble conquête, et une si grande mutation et altération de tant d'empires et de peuples sous des mains qui auraient poli et défriché en douceur ce qu'il y avait de sauvage, et auraient fortifié et
80 promu les bonnes semences que la nature y avait produites, associant non seulement à la culture des terres et à l'ornementation des villes les techniques de ce côté-ci de l'océan, quand elles y auraient été nécessaires, mais associant aussi les vertus grecques et romaines aux originelles
85 du pays ! Quelle réparation c'eût été, et quelle amélioration pour toute cette machine du monde, si les premiers exemples et comportements que nous avons montrés sur

7. *en tant qu'elles* : dans la mesure où elles.

535 appelé ces peuples à l'admiration et présentés imitation de la vertu et eussent dressé entre eux et nous une fraternelle société et intelligence ! Combien il eût été aisé de faire son profit d'âmes si neuves, si affamées d'apprentissage, ayant pour la plupart de si beaux commencements naturels !
540 Au rebours[1], nous nous sommes servis de leur ignorance et inexpérience à les plier plus facilement vers la trahison, luxure, avarice[2] et vers toute sorte d'inhumanité et de cruauté, à l'exemple et patron de nos mœurs. Qui mit jamais à tel prix le service de la mercadence[3] et de la
545 trafic[4] ? Tant de villes rasées, tant de nations exterminées, tant de millions de peuples passés au fil de l'épée, et la plus riche et belle partie du monde bouleversée pour la négociation des perles et du poivre ! mécaniques[5] victoires. Jamais l'ambition, jamais les inimitiés publiques[6] ne poussèrent
550 les hommes les uns contre les autres à si horribles hostilités et calamités si misérables.

En côtoyant la mer à la quête de leurs mines, aucuns[7] Espagnols prirent terre en une contrée fertile et plaisante, fort habitée, et firent à ce peuple leurs remontrances accou-
555 tumées : « Qu'ils étaient gens paisibles[8], venant de lointains voyages, envoyés de la part du roi de Castille, le plus grand prince de la terre habitable, auquel le pape, représentant Dieu en terre[9], avait donné la principauté de toutes les Indes ; que, s'ils voulaient lui être tributaires, ils seraient
560 très bénignement traités ; leur demandaient des vivres pour leur nourriture et de l'or pour le besoin de quelque médecine ; leur remontraient[10] au demeurant la créance d'un seul Dieu et la vérité de notre religion, laquelle ils leur conseillaient d'accepter, y ajoutant quelques menaces. »

---

1. *Au rebours* : Au contraire.
2. *avarice* : cupidité, avidité, matérialisme.
3. *mercadence* : commerce.
4. *la trafic* : ce mot, d'origine inconnue, peut-être italienne, est au féminin sous la plume de Montaigne, mais a déjà le sens que nous lui connaissons aujourd'hui.
5. *mécaniques* : viles. Dans son *Traité des ordres* (1610), qui dresse une fresque de la société du temps, le juriste Loyseau écrira, au chapitre des producteurs manuels : *« nous appelons communément mécanique ce qui est vil et abject. Les artisans étant proprement mécaniques sont réputés viles personnes. »*

l'autre rive de l'océan, avaient appelé ces peuples à l'admiration et à l'imitation de la vertu et avaient établi entre
590 eux et nous des échanges et une compréhension fraternels ! Combien il eût été aisé de profiter d'âmes si neuves, si affamées d'apprendre, et qui avaient pour la plupart de si beaux rudiments naturels !

Au contraire, nous nous sommes servis de leur igno-
595 rance et de leur inexpérience pour les plier plus facilement vers la trahison, la luxure, la cupidité et vers toute sorte d'inhumanité et de cruauté à l'exemple et sur le modèle de nos mœurs. Qui mit jamais à un tel prix les nécessités du commerce et du trafic ? Tant de villes
600 rasées, tant de nations exterminées, tant de millions de gens passés au fil de l'épée, et la plus riche et belle partie du monde bouleversée pour la négociation des perles et du poivre ! Victoires de bas étage ! Jamais l'ambition, jamais les animosités entre peuples ne pous-
605 sèrent les hommes les uns contre les autres à de si horribles hostilités et à des calamités si lamentables.

En naviguant le long des côtes à la recherche de leurs mines, certains Espagnols prirent terre en une contrée fertile et plaisante, présentant de nombreuses habita-
610 tions, et firent à ces peuples leurs allégations habituelles. Ils étaient des gens pacifiques, arrivant après de longs voyages, envoyés par le roi de Castille, le plus grand prince de la terre habitable, auquel le pape, représentant de Dieu sur terre, avait donné la principauté de toutes
615 les Indes ; s'ils voulaient accepter de payer tribut à ce roi, ils seraient très bien traités ; ils leur demandaient des vivres pour se nourrir et de l'or dont ils avaient besoin pour quelque médication ; ils leur alléguaient au demeurant la croyance en un dieu unique et la vérité de
620 notre religion, qu'ils leur conseillaient d'accepter en y ajoutant quelques menaces.

---

6. *inimitiés publiques* : hostilités, aversions entre peuples.
7. *aucuns* : certains.
8. *gens paisibles* : peuples pacifiques (latin *gens*).
9. *en terre* : sur terre.
10. *leur remontraient* : ils leur remontraient.

565 La réponse fut telle : « Que, quant à être paisibles, ils n'en portaient pas la mine, s'ils l'étaient ; quant à leur roi, puisqu'il demandait, il devait être indigent et nécessiteux ; et celui qui lui avait fait cette distribution, homme aimant dissension[1], d'aller donner à un tiers chose qui
570 n'était pas sienne, pour le mettre en débat contre[2] les anciens possesseurs ; quant aux vivres, qu'ils leur en fourniraient ; d'or, ils en avaient peu, et que c'était chose qu'ils mettaient en nulle estime[3], d'autant qu'elle était inutile au service de leur vie, là où tout leur soin regardait
575 seulement à la passer heureusement et plaisamment ; pourtant[4], ce qu'ils en pourraient trouver, sauf ce qui était employé au service de leurs dieux, qu'ils le prissent hardiment ; quant à un seul Dieu, le discours leur en avait plu, mais qu'ils ne voulaient changer leur religion, s'en étant[5]
580 si utilement servis si longtemps, et qu'ils n'avaient accoutumé prendre conseil que de leurs amis et connaissants ; quant aux menaces, c'était signe de faute de jugement d'aller menaçant ceux desquels la nature et les moyens étaient inconnus ; ainsi[6] qu'ils se dépêchassent prompte-
585 ment de vider leur terre, car ils n'étaient pas accoutumés de prendre en bonne part les honnêtetés et remontrances de gens armés et étrangers ; autrement, qu'on ferait d'eux comme de ces autres », leur montrant les têtes d'aucuns[7] hommes justiciés[8] autour de leur ville. Voilà un exemple
590 de la balbutie[9] de cette enfance. Mais tant y a que[10] ni en ce lieu-là, ni en plusieurs autres, où les Espagnols ne trouvèrent les marchandises qu'ils cherchaient, ils ne firent arrêt[11] ni entreprise, quelque autre commodité[12] qu'il y eût, témoin mes Cannibales.

1. *aimant dissension* : aimant les oppositions, les affrontements.
2. *le mettre en débat contre* : l'opposer à, susciter un différend.
3. *qu'ils mettaient en nulle estime* : qu'ils n'estimaient aucunement, pour laquelle ils n'avaient aucune estime.
4. *pourtant* : dans ces conditions, ceci posé (pour tant).
5. *s'en étant* : puisqu'ils s'en étaient.
6. *ainsi* : par conséquent.
7. *d'aucuns* : de certains.
8. *justiciés* : suppliciés.
9. *la balbutie* : le balbutiement.

La réponse fut la suivante. Pour ce qui était d'être pacifiques, ils n'en portaient pas la mine, s'ils l'étaient ; pour ce qui était de leur roi, puisqu'il faisait des demandes, il devait être dans l'indigence et la nécessité, et celui qui lui avait fait cette attribution de territoire, un homme aimant la dissension, pour aller donner à un tiers une chose qui ne lui appartenait pas et le mettre ainsi en conflit avec les anciens possesseurs ; pour ce qui était des vivres, ils leur en fourniraient ; de l'or, ils en avaient peu et c'était une chose pour laquelle ils n'avaient aucune estime, d'autant qu'elle leur était inutile pour leur vie, alors que tout leur soin consistait seulement à la passer heureusement et plaisamment ; après cela, l'or qu'ils pourraient trouver, sauf ce qui en était employé au service de leurs dieux, ils pouvaient le prendre sans hésiter ; pour ce qui était d'un dieu unique, l'idée leur en avait plu, mais ils ne voulaient pas changer leur religion, puisqu'ils s'en étaient si utilement servis si longtemps, et ils n'avaient pour habitude de prendre conseil que de leurs amis et connaissances ; pour ce qui était des menaces, c'était un signe de manque de jugement que d'aller menacer ceux dont la nature et les moyens vous sont inconnus ; ainsi, ils allaient se dépêcher de vider rapidement les lieux, car on n'avait pas ici l'habitude de prendre bien les civilités et les allégations de gens armés et étrangers ; sinon, on les traiterait comme ces autres : et ils leur montraient les têtes d'hommes exécutés autour de leur ville.

Voilà un exemple des balbutiements de ces enfants. Mais toujours est-il que ni en cet endroit-là, ni en plusieurs autres où les Espagnols ne trouvèrent pas les marchandises qu'ils cherchaient, ils ne firent d'arrêt ou d'opération militaire – quelque autre avantage qu'il y eût : témoin mes Cannibales.

---

10. *tant y a que* : toujours est-il que.
11. *arrêt* : escale. On peut aussi, peut-être, interpréter ce terme dans son sens juridique de « décision », par allusion au juridisme dont les conquistadores accompagnaient leur progression dans les territoires, mais ce sens paraît moins probable.
12. *commodité* : avantage.

595 Des deux les plus puissants monarques[1] de ce monde-là, et, à l'aventure[2], de celui-ci, rois de tant de rois, les derniers[3] qu'ils en chassèrent, celui du Pérou[4], ayant été pris en une bataille et mis à une rançon si excessive qu'elle surpasse toute créance[5], et celle-là[6] fidèlement payée, et
600 avoir donné par sa conversation signe d'un courage franc, libéral et constant, et d'un entendement net et bien composé, il prit envie aux vainqueurs, après en avoir tiré un million trois cent vingt-cinq mille cinq cents pesants[7] d'or, outre l'argent et autres choses qui ne montèrent pas
605 moins, si que[8] leurs chevaux n'allaient plus ferrés que d'or massif, de voir encore, au prix de quelque déloyauté que ce fût, quel pouvait être le reste des trésors de ce roi et jouir librement de ce qu'il avait réservé. On lui apposta[9] une fausse accusation et preuve, qu'il desseignait[10] de faire
610 soulever ses provinces pour se remettre en liberté. Sur quoi, par beau jugement de ceux mêmes qui lui avaient dressé cette trahison, on le condamna à être pendu et étranglé publiquement, lui ayant fait racheter[11] le tourment d'être brûlé tout vif par le baptême qu'on lui donna
615 au supplice même. Accident horrible et inouï, qu'il souffrit pourtant sans se démentir[12] ni de contenance, ni de parole, d'une forme et gravité vraiment royale. Et puis, pour endormir les peuples étonnés[13] et transis de chose si étrange, on contrefit un grand deuil de sa mort, et lui
620 ordonna-t-on[14] de somptueuses funérailles.

---

1. *Des deux les plus puissants monarques* : Des deux plus puissants monarques.
2. *à l'aventure* : peut-être.
3. *les derniers* : qui furent les derniers.
4. *celui du Pérou* : le roi Atahualpa est évoqué par Jean Bodin dans *La République*, livre V, sous le nom d'Attabalipa.
5. *créance* : vraisemblance.
6. *et celle-là* : et même celle-là, et toutefois (latin *etiam*).
7. *pesants* : besants (le besant était une monnaie byzantine répandue en Europe lors des Croisades et hispanisée en « pesos »).
8. *si que* : à tel point que.
9. *apposta* : fabriqua, inventa.
10. *desseignait* : avait dessein.
11. *racheter* : échanger. En échange du baptême, il n'est que pendu au lieu d'être brûlé vif (ce qui – mais Montaigne l'ignorait – était une différence majeure dans les conceptions andines, car la destruction, selon les Incas, barrait aux défunts la voie de l'ancestralité).

Des deux plus puissants monarques de ce monde-là et peut-être du nôtre, rois de tant de rois, et les derniers à avoir été chassés de leur trône par les Espagnols, celui du Pérou ayant été capturé lors d'une bataille et soumis à une rançon si excessive qu'elle surpasse toute vraisemblance, mais qui, telle qu'elle était, fut tout de même fidèlement payée, après qu'il eut donné par sa conversation les signes d'un cœur franc, libéral et constant et d'une intelligence nette et bien formée, il prit envie aux vainqueurs – qui en avaient tiré un million trois cent vingt-cinq mille cinq cents besants d'or, sans compter l'argent et d'autres choses dont la valeur n'était pas moindre, si bien que leurs chevaux n'allaient plus que ferrés d'or massif – de voir encore, au prix de quelque déloyauté que ce fût, quel pouvait être le reste des trésors de ce roi et de jouir librement de ce qu'il avait gardé en réserve. On fabriqua contre lui une fausse accusation et une preuve, selon lesquelles il avait pour dessein de soulever ses provinces pour recouvrer sa liberté. Sur quoi, en vertu d'un beau jugement fabriqué par ceux-là mêmes qui avaient monté contre lui cette trahison, on le condamna à être pendu et étranglé publiquement, lui ayant fait racheter le tourment d'être brûlé vif par le baptême qu'on lui donna lors du supplice même. Malheur horrible et inouï, qu'il supporta pourtant sans se renier ni dans sa contenance, ni dans ses paroles, avec une attitude et une gravité vraiment royales. Et puis, pour endormir les populations stupéfaites et étourdies par une chose aussi extraordinaire, on contrefit un grand deuil de sa mort et on lui fit de somptueuses funérailles.

---

12. *sans se démentir* : sans se renier, sans être infidèle à soi-même (sur l'importance du démentir, cf. le texte n° 9). On aurait pu imaginer aussi la construction : « sans se démentir [...] d'une forme et gravité », signifiant : « sans se départir [...] d'une allure et d'une gravité », mais le verbe « *se démentir* », par son sens très particulier (« s'imposer un démenti »), semble exclure une telle construction.
13. *étonnés* : frappés d'étonnement.
14. *et lui ordonna-t-on* : et on lui ordonna.

L'autre, roi de Mexico[1], ayant longtemps défendu sa ville assiégée et montré en[2] ce siège tout ce que peut et la souffrance et la persévérance, si onques[3] prince et peuple le montra, et son malheur l'ayant rendu vif entre les mains
625 des ennemis avec capitulation[4] d'être traité en roi (aussi ne leur fit-il rien voir, en la prison, indigne de ce titre) ; ne trouvant point après cette victoire tout l'or qu'ils s'étaient promis, après avoir tout remué et tout fouillé, se mirent à en chercher des nouvelles par les plus âpres gênes[5] de quoi[6]
630 ils se purent aviser, sur les prisonniers qu'ils tenaient. Mais, n'ayant rien profité[7], trouvant des courages plus forts que leurs tourments[8], ils en vinrent enfin à telle rage que, contre leur foi[9] et contre tout droit des gens[10], ils condamnèrent le roi même et l'un des principaux seigneurs de sa
635 Cour à la gêne en présence l'un de l'autre. Ce seigneur, se trouvant forcé de la douleur, environné de brasiers ardents, tourna sur la fin piteusement sa vue vers son maître, comme pour lui demander merci[11] de ce qu'il[12] n'en pouvait plus. Le roi, plantant fièrement et rigoureusement[13] les
640 yeux sur lui, pour reproche[14] de sa lâcheté et pusillanimité, lui dit seulement ces mots, d'une voix rude et ferme : « Et moi, suis-je dans un bain ? suis-je pas[15] plus à mon aise que toi ? » Celui-là, soudain après[16], succomba aux douleurs et mourut sur la place. Le roi, à demi rôti, fut emporté de là,
645 non tant par pitié (car quelle pitié toucha jamais des âmes qui, pour la douteuse information de quelque vase d'or à

1. *L'autre, roi de Mexico* : ce roi, Cuauhtemoc, était le neveu de Moctezuma, souverain régnant lors de la première incursion de Cortés chez les Aztèques. Cuauhtemoc était effectivement plein d'énergie et de courage, mais son oncle Moctezuma – dont Montaigne ne dit pas un mot (ce qui est tout de même révélateur) et qui était mort massacré par sa population après le départ provisoire des Européens – s'était montré un homme faible, superstitieux et influençable face aux conquistadores.
2. *en* : durant.
3. *si onques* : si jamais.
4. *avec capitulation* : avec clause.
5. *gênes* : tortures.
6. *de quoi* : dont.
7. *n'ayant rien profité* : n'ayant retiré aucun profit (de ces actes).
8. *tourments* : supplices.
9. *foi* : parole donnée.

685 L'autre, roi de Mexico, ayant longtemps défendu sa ville assiégée, et montré durant ce siège tout ce que peuvent et l'endurance et la persévérance, si jamais prince ni peuple le montrèrent, et son malheur l'ayant livré vivant entre les mains des ennemis avec la convention qu'il
690 serait traité en roi (aussi bien ne leur fit-il rien voir, dans sa prison, d'indigne de ce titre) ; comme ils ne trouvaient point après cette victoire tout l'or qu'ils s'étaient promis, après avoir tout remué et tout fouillé, les Espagnols se mirent à chercher là-dessus des informations
695 par les plus âpres tortures dont ils purent s'aviser sur les prisonniers qu'ils détenaient. Mais n'ayant rien obtenu et trouvant des courages plus forts que leurs tourments, ils en vinrent pour finir à une telle rage que, contrairement à leur engagement et à tout droit des gens, ils
700 condamnèrent le roi lui-même et l'un des principaux seigneurs de sa cour à être torturés en présence l'un de l'autre. Ce seigneur, se trouvant accablé par la douleur, environné de brasiers ardents, tourna à la fin les yeux vers son maître d'un air malheureux, comme pour
705 demander grâce parce qu'il n'en pouvait plus. Le roi, plantant fièrement et sévèrement son regard sur lui, en guise de reproche à sa lâcheté et à sa pusillanimité, lui dit seulement ces mots d'une voix rude et ferme : « Et moi, suis-je dans un bain ? C'est vrai que je suis plus à
710 mon aise que toi peut-être ? » L'autre, aussitôt après, succomba aux douleurs et mourut à l'endroit même. Le roi, à moitié rôti, fut enlevé de là, non certes par pitié (car quelle pitié toucha jamais des âmes qui, pour une douteuse information sur tel ou tel vase d'or à dérober dans

10. *droit des gens* : droit international (latin *jus gentium* : droit des peuples).
11. *merci* : pitié.
12. *de ce qu'il* : parce qu'il.
13. *rigoureusement* : avec sévérité.
14. *pour reproche* : en signe de reproche.
15. *suis-je pas* : n'est-il pas vrai que je suis... (sens ironique).
16. *soudain après* : aussitôt après.

piller, fissent griller devant leurs yeux un homme, non qu'un roi[1] si grand et en fortune et en mérite ?) mais ce fut que[2] sa constance rendait de plus en plus honteuse[3] leur
650 cruauté. Ils le pendirent depuis[4], ayant courageusement entrepris[5] de se délivrer par armes d'une si longue captivité et sujétion, où il fit sa fin digne d'un magnanime prince. À une autre fois[6], ils mirent brûler pour un coup[7], en même feu, quatre cent soixante hommes tout vifs, les
655 quatre cents du commun peuple, les soixante des principaux seigneurs d'une province, prisonniers de guerre simplement. Nous tenons d'eux-mêmes ces narrations, car ils ne les avouent pas seulement, ils s'en vantent et ils les prêchent. Serait-ce pour témoignage de leur justice ? ou
660 zèle envers la religion ? Certes, ce sont voies trop diverses[8] et ennemies d'une si sainte fin. S'ils se fussent proposé d'étendre notre foi, ils eussent considéré que ce n'est pas en possession de terres qu'elle s'amplifie, mais en possession d'hommes, et se fussent trop contentés des meurtres[9]
665 que la nécessité de la guerre apporte, sans y mêler indifféremment une boucherie, comme[10] sur des bêtes sauvages, universelle, autant que le fer et le feu y ont pu atteindre, n'en ayant conservé[11] par leur dessein qu'autant qu'ils en ont voulu faire de misérables esclaves pour l'ou-
670 vrage[12] et service de leurs minières ; si que plusieurs des chefs ont été punis à mort, sur les lieux de leur conquête, par ordonnance des rois de Castille[13], justement offensés de l'horreur de leurs déportements[14] et quasi tous désestimés

1. *non qu'un roi* : bien plus, un roi.
2. *ce fut que* : le fait est que ; la vérité, c'était que.
3. *honteuse* : odieuse, intenable.
4. *depuis* : par la suite.
5. *ayant entrepris* : alors qu'il avait entrepris.
6. *À une autre fois* : En une autre occasion. Ce massacre est relaté par Gomara, *Histoire générale des Indes*, livre II, chapitre 61.
7. *pour un coup* : en une seule fois.
8. *diverses de* : opposées à, différentes de.
9. *meurtres* : tueries, morts (sans l'idée de préméditation criminelle que comporte le meurtre aujourd'hui).
10. *comme* : la comparaison est motivée par le terme « boucherie », très fort déjà au XVIe siècle.

15 un pillage, étaient capables de faire griller sous leurs yeux un homme, bien plus, un roi si grand et par sa fortune et par son mérite ?), mais parce que sa constance rendait de plus en plus honteuse leur cruauté. Ils le pendirent par la suite alors qu'il avait courageusement 20 entrepris de se délivrer par les armes d'une captivité et d'un assujettissement si longs, en quoi il rendit sa fin digne d'un prince magnanime.

Une autre fois, il firent brûler d'un seul coup, dans un même bûcher, quatre cent soixante hommes bien 25 vivants : quatre cents tirés de la population civile, soixante parmi les principaux seigneurs d'une province ; des prisonniers de guerre simplement. Nous tenons d'eux-mêmes ces récits, car ils n'avouent pas seulement les faits, ils s'en vantent et ils les prêchent. Serait-ce pour 30 témoigner de leur justice ? ou de leur zèle envers la religion ? Assurément, ce sont des voies trop divergentes et ennemies d'une si sainte fin. S'ils s'étaient proposé d'étendre notre foi, ils auraient réfléchi que ce n'est pas à la mesure des possessions en terres que croît son 35 ampleur, mais à la mesure des possessions en hommes, et ils ne se seraient que trop contentés des tueries que les nécessités de la guerre apportent, sans y mêler avec indifférence une boucherie – comme sur des bêtes sauvages – universelle autant que le fer et le feu ont pu y parvenir, 40 quand on sait qu'ils n'ont épargné à dessein que le nombre d'hommes dont ils ont voulu faire de misérables esclaves pour l'exploitation et le service de leurs mines ; au point que plusieurs des chefs ont été punis de mort, sur les lieux de leur conquête, par ordre des rois de 45 Castille, qui étaient à juste titre choqués par l'horreur de leurs actes, chefs presque tous déconsidérés et haïs.

11. *n'en ayant conservé* [...] *que* : puisque les conquistadores n'ont laissé d'indigènes en vie [...] que.
12. *l'ouvrage* : l'exploitation.
13. *rois de Castille* : le représentant de Charles Quint fit décapiter, en 1548, Gonzalo Pizarro, frère de Francisco Pizarro et gouverneur du Pérou après la mort de ce dernier, pour avoir refusé d'obéir aux ordres de la Couronne.
14. *déportements* : actes, comportements.

et mal-voulus[1]. Dieu a méritoirement permis que ces
675 grands pillages se soient absorbés par la mer en les transportant, ou par les guerres intestines de quoi ils se sont entremangés[2] entre eux, et la plupart s'enterrèrent sur les lieux, sans aucun fruit de leur victoire.

Quant à ce que la recette, et entre les mains d'un prince
680 ménager et prudent[3], répond si peu à l'espérance qu'on en donna à ses prédécesseurs, et à cette première ordonnance de richesses qu'on rencontra à l'abord de ces nouvelles terres (car, encore qu'on en retire beaucoup, nous voyons que ce n'est rien au prix de ce qui s'en devait attendre),
685 c'est que l'usage de la monnaie était entièrement inconnu, et que par conséquent leur or se trouva tout assemblé[4], n'étant en autre service que de montre et de parade, comme un[5] meuble[6] réservé de père en fils par plusieurs puissants Rois, qui épuisaient toujours leurs mines pour
690 faire ce grand monceau de vases et statues à l'ornement de leurs palais et de leurs temples, au lieu que notre or est tout en emploitte[7] et en commerce. Nous le menuisons[8] et altérons en mille formes, l'épandons et dispersons. Imaginons que nos rois amoncelassent ainsi tout l'or qu'ils
695 pourraient trouver en plusieurs siècles, et le gardassent immobile.

Ceux du royaume de Mexico étaient aucunement[9] plus civilisés et plus artistes que n'étaient les autres nations de là[10]. Aussi jugeaient-ils, ainsi que nous, que l'univers fût[11]
700 proche de sa fin, et en prirent pour signe la désolation que nous y apportâmes. Ils croyaient que l'être du monde[12] se

1. *mal-voulus* : honnis, haïs.
2. *entremangés* : entretués. Diego de Almagro, compagnon de F. Pizarro, avait été éliminé en 1538 parce qu'il revendiquait pour lui, à son retour du Chili, la ville de Cusco ; son fils, en représailles, organisa l'assassinat de Pizarro en 1541.
3. *prince ménager et prudent* : allusion à Philippe II, roi d'Espagne, sur le trône depuis 1555 (abdication de Charles Quint, son père) et qui était surnommé *El Discreto* ou *El Prudente*.
4. *tout assemblé* : d'un seul bloc, par blocs.
5. *comme un* : en qualité de, en tant que.
6. *meuble* : bien meuble, bien mobilier.
7. *emploitte* : emplette, dépense.
8. *menuisons* : réduisons.

Dieu, appréciant les mérites, a permis que ces grands pillages aient été engloutis par la mer durant leur transport, ou par les guerres intestines dont ils se sont entre-
50 mangés entre eux, et la plupart de ces hommes furent enterrés sur les lieux, sans aucun fruit de leur victoire. Quant au fait que le butin – même entre les mains d'un prince économe et prudent – réponde si peu à l'espérance qu'on en avait donnée à ses prédécesseurs, et à ce
55 premier étalage de richesses qu'on rencontra en abordant ces nouvelles terres (car, encore qu'on en retire beaucoup, ce n'est rien à côté de ce que l'on devait en attendre), il tient à ce que l'usage de la monnaie était là-bas entièrement inconnu, et à ce que par conséquent
60 leur or fut trouvé tout amassé car il ne servait qu'à l'ostentation et à la parade, simple bien conservé de père en fils par plusieurs rois puissants, lesquels épuisaient toujours leurs mines à constituer ce grand monceau de vases et de statues pour l'ornementation de leurs palais
65 et de leurs temples, là où notre or est tout en achats et en commerce. Nous l'amenuisons et l'altérons en mille formes, le répandons et le dispersons. Imaginons que nos rois aillent amonceler ainsi tout l'or qu'ils pourraient trouver durant plusieurs siècles, et qu'ils le
70 gardent immobile.
Les habitants du royaume de Mexico étaient sensiblement plus civilisés et plus artistes que n'étaient les autres nations de là-bas. Aussi jugeaient-ils, comme nous, que l'univers était proche de sa fin, et ils en
75 prirent pour signes les ravages que nous y apportâmes. Ils avaient pour croyance que l'être du monde se partage

9. *aucunement* : dans une mesure certaine (latin *aliquantum* : en une quantité notable, assez fortement).
10. *de là* : de là-bas, d'Amérique.
11. *fût* : était.
12. *l'être du monde* : l'essence du monde, la nature de l'univers.

départ[1] en cinq âges[2] et en la vie de cinq soleils consécutifs, desquels les quatre avaient déjà fourni leur temps, et que celui qui leur[3] éclairait était le cinquième. Le pre-
705 mier périt avec toutes les autres créatures par universelle[4] inondation d'eaux ; le second, par la chute du ciel sur nous, qui étouffa toute chose vivante, auquel âge ils assignent[5] les géants, et en firent voir aux Espagnols des ossements à la proportion desquels la stature des hommes
710 revenait à vingt paumes[6] de hauteur ; le troisième, par feu qui embrasa et consuma tout ; le quatrième, par une émotion d'air et de vent qui abattit jusques à plusieurs montagnes ; les hommes n'en moururent point, mais ils furent changés en magots[7] (quelles impressions ne souffre la
715 lâcheté de l'humaine créance !) ; après la mort de ce quatrième soleil, le monde fut vingt-cinq ans en perpétuelles ténèbres, au quinzième desquels fut créé un homme et une femme qui refirent l'humaine race ; dix ans après, à certain de leur jours[8], le soleil parut nouvellement créé ; et
720 commence, depuis, le compte de leurs années par ce jour-là. Le troisième jour de sa création moururent les dieux anciens ; les nouveaux sont nés depuis, du jour à la journée. Ce qu'ils estiment de la manière que ce dernier soleil périra, mon auteur n'en a rien appris. Mais leur
725 nombre[9] de ce quatrième changement rencontre à[10] cette grande conjonction des astres qui produisit, il y a huit cents tant d'ans[11], selon que les astrologiens estiment, plusieurs grandes altérations et nouvelletés au monde.

Quant à la pompe et magnificence, par où je suis entré en
730 ce propos, ni Grèce, ni Rome, ni Égypte ne peut, soit en utilité, ou difficulté, ou noblesse, comparer aucun de ses

1. *se départ* : se partage, se compose de.
2. *âges* : époques (cf. l'âge d'or). Ce sens est valable encore aujourd'hui.
3. *leur* : les.
4. *par universelle* : par une universelle, une totale.
5. *auquel âge ils assignent* : âge auquel ils rattachent.
6. *vingt paumes* : une paume équivaut environ à 10 cm, ce qui fait une hauteur de 2 m, mais peut-être s'agit-il de la paume italienne *(palma)* qui valait de 22 à 30 cm.
7. *magots* : singes.
8. *à certain de leurs jours* : à une date précise pour eux.

en cinq périodes correspondant à la durée de vie de cinq soleils consécutifs, dont les quatre premiers avaient déjà accompli leur temps ; et que celui qui les éclairait était le cinquième. Le premier avait péri avec toutes les autres créatures à cause d'une universelle inondation des eaux ; le second, à cause de la chute du ciel sur nos têtes, étouffant toute vie : c'est à cette période qu'ils rattachent les géants ; et ils en firent voir aux Espagnols des ossements en proportion desquels la taille reconstituée de ces hommes atteignait vingt paumes de haut ; le troisième, à cause du feu qui embrasa et consuma tout ; le quatrième à cause d'un mouvement d'air et de vent qui abattit jusqu'à plusieurs montagnes : les hommes n'en moururent pas mais ils furent changés en singes (à quelles impressions la veulerie de la croyance humaine ne se résout-elle pas !) ; après la mort de ce quatrième soleil, le monde fut plongé dans des ténèbres permanentes pendant vingt-cinq années, dont la quinzième vit la création d'un homme et d'une femme qui refirent la race humaine ; dix ans après, un jour précis pour eux, le soleil nouvellement créé apparut ; et, depuis, le compte de leurs années commence par ce jour-là. Le troisième jour suivant la création du soleil, les dieux anciens moururent, les nouveaux sont nés depuis, au jour le jour. Ce qu'ils présument de la manière dont ce dernier soleil périra, mon auteur n'en a rien appris. Mais leur calcul sur ce quatrième changement concorde avec cette grande conjonction des astres qui produisit, il y a quelque huit cents ans, selon les estimations des astrologues, plusieurs grands bouleversements et nouveautés dans le monde.

Quant à l'apparat et à la magnificence, par où j'ai entamé ce propos, ni la Grèce, ni Rome, ni l'Égypte ne peuvent, que ce soit en utilité, en difficulté ou en

---

9. *nombre* : datation, calcul.
10. *rencontre à* : correspond à.
11. *il y a huit cents tant d'ans* : il y a quelque huit cents ans.

ouvrages au chemin qui se voit au Pérou, dressé par les rois du pays, depuis la ville de Quito[1] jusques à celle de Cusco (il y a trois cents lieues[2]), droit, uni, large de vingt-
735 cinq pas, pavé, revêtu de côté et d'autre de belles et hautes murailles, et le long d'icelles, par le dedans, deux ruisseaux pérennes[3], bordés de beaux arbres qu'ils nomment moly[4]. Où ils ont trouvé des montagnes et rochers ils les ont taillés et aplanis, et comblé les fondrières[5] de pierre et
740 chaux[6]. Au chef[7] de chaque journée[8], il y a de beaux palais fournis de vivres, de vêtements et d'armes, tant pour les voyageurs que pour les armées qui ont à y passer. En l'estimation[9] de cet ouvrage, j'ai compté[10] la difficulté, qui est particulièrement considérable en ce lieu-là[11]. Ils ne
745 bâtissaient point de moindres pierres que de dix pieds en carré[12], ils n'avaient autre moyen de charrier qu'à force de bras, en traînant leur charge ; et pas seulement[13] l'art d'échafauder, n'y sachant autre finesse que de hausser autant de terre contre leur bâtiment, comme il s'élève,
750 pour l'ôter après.

Retombons à nos coches. En leur place[14], et de toute autre voiture, ils se faisaient porter par les hommes et sur leurs épaules. Ce dernier roi du Pérou, le jour qu'il fut pris, était ainsi porté sur des brancards d'or, et assis dans une
755 chaise d'or, au milieu de sa bataille[15]. Autant qu'on tuait

---

1. Le royaume de Quito fut conquis en 1533 par les Espagnols qui, depuis, en ont fait l'Équateur.
2. *trois cents lieues* : environ 1 200 km (la distance à vol d'oiseau est, en fait, plutôt de 1 600 km).
3. *pérennes* : éternels, constants.
4. *moly* : d'après P. Michel, ces arbres correspondraient à une espèce d'ail réputée également pour avoir des vertus magiques dans la Grèce antique.
5. *fondrières* : trous pleins d'eau ou de boue dans un chemin défoncé, affaissements de terrain.
6. *de pierre et chaux* : de pierre et de chaux.
7. *Au chef* : À la tête, c'est-à-dire au bout (latin *caput*).
8. *journée* : étape (anglais *journey*).
9. *En l'estimation* : Pour apprécier la valeur de.
10. *j'ai compté* : j'ai pris en compte.

noblesse, comparer aucun de leurs ouvrages à la route que l'on voit au Pérou, aménagée par les rois du pays, depuis la ville de Quito jusqu'à celle de Cusco (il y a trois-cents lieues), droite, unie, large de vingt-cinq pas,
15 pavée, revêtue, de part et d'autre, de belles et hautes murailles le long desquelles, vers l'intérieur, deux ruisseaux s'écoulent intarissables, bordés de beaux arbres qu'ils nomment *moly*. Là où ils ont trouvé des montagnes et des rochers, ils les ont taillés et aplanis, et ils
20 ont comblé les fondrières de pierre et de chaux. Au terme de chaque étape, il y a de beaux palais pourvus en vivres, en vêtements et en armes, tant pour les voyageurs que pour les armées qui ont à y passer. Dans l'appréciation de cet ouvrage d'art, j'ai compté la difficulté,
25 qui est particulièrement à prendre en considération dans cette contrée-là. Ils ne bâtissaient point avec des pierres de moins de dix pieds de côté ; ils n'avaient pas d'autre moyen de charrier qu'à la force des bras, en traînant leur charge ; et ignoraient même la technique de l'échafau-
30 dage, n'ayant d'autre astuce que de faire un remblai de terre contre leur bâtiment à mesure qu'il s'élève, pour l'enlever après.
Retombons sur nos coches. Au lieu de ces véhicules et de toute autre voiture, ils se faisaient porter par des
35 hommes et sur leurs épaules. Le dernier roi du Pérou, que nous avons évoqué plus haut, le jour où il fut pris était ainsi porté sur des brancards d'or et assis sur une chaise d'or, au milieu de son corps de bataille. Autant on tuait de ces porteurs pour le mettre à bas (car on voulait

11. *ce lieu-là* : la cordillère des Andes.
12. *en carré* : de côté. Un pied valait environ 30 cm.
13. *et pas seulement* : et ils ne connaissaient pas même.
14. *En leur place* : Au lieu d'utiliser des coches (au sens précis du terme).
15. *sa bataille* : son armée rangée en bataille.

de ces porteurs pour le faire choir à bas (car on le voulait prendre vif), autant d'autres, et à l'envi, prenaient la place des morts, de façon qu'on ne le put onques[1] abattre[2], quelque meurtre[3] qu'on fît de ces gens-là, jusques à ce qu'un 760 homme de cheval[4] l'alla saisir au corps, et l'avala[5] par terre.

(III, 6, *Des coches*)

1. *onques* : jamais.
2. *abattre* : mettre à bas, jeter bas, faire tomber.
3. *meurtre* : tuerie.
4. *homme de cheval* : cavalier.
5. *l'avala* : le jeta.

840 le prendre vivant), autant d'autres prenaient à l'envi la place des morts, de sorte qu'on ne pouvait jamais l'abattre, quelque carnage que l'on fît de ces gens-là, jusqu'au moment où un cavalier alla le saisir par le corps et le jeta par terre.

Questions

Compréhension

• Sur le chapitre *Des coches* (texte n° 31)

1\. *Justifiez le titre* Des coches *au regard de la réflexion de Montaigne sur le luxe, la civilisation, le pouvoir et la guerre. Ce titre donne-t-il, selon vous, son unité au chapitre ?*

2\. *Quel est l'intérêt de la réflexion sur les causes (l. 1 à 44) au regard du thème du Nouveau Monde ? et au regard du thème « Nous et les Autres » ?*

3\. *Comment expliquer le ton badin du paragraphe sur les* « trois sortes de vent » *(l. 11 à 18) par rapport à la gravité du fond de cet essai ? En trouve-t-on d'autres exemples dans le cours du chapitre ?*

4\. *Dans quelle mesure les remarques sur* « cette passion de la peur » *(l. 71) et sur Alcibiade évoquant Socrate peuvent-elles être rattachées à la fois à la conquête du Nouveau Monde et au thème « Nous et les Autres » ?*

5\. *Quel élément permet de faire le lien entre la liste hétéroclite que propose Montaigne des différents véhicules répertoriables avec leurs usages à travers les âges (l. 92 à 148) et la découverte de l'Amérique ? Citez un passage où cet élément est explicitement signalé.*

6\. *Pourquoi parler de la tactique guerrière des* « Hongres » *(l. 118) dans le cadre de ce chapitre ? Donnez au moins deux raisons envisageables pour Montaigne.*

7\. *Quel est l'intérêt de la réflexion sur le luxe des rois (l. 148 à 387) dans l'ensemble du chapitre ? du livre III ? des* Essais *?*

8\. *En matière de dépense,* « l'exemple de Cyrus » *(l. 272) et celui des empereurs romains (Marc-Antoine, l. 139 ; Héliogabale, l. 141 ; Firmus, l. 146 ; Galba, l. 199 ; tous, l. 302 à 390) s'inscrivent-ils dans le propos de Montaigne sur son époque et sur le Nouveau Monde ? Justifiez votre réponse.*

9\. *Ces phrases de Montaigne sur la Grèce et la Rome antiques vous paraissent-elles lucides :* « En ces vanités même, nous découvrons combien ces siècles étaient fertiles d'autres esprits que ne sont les nôtres » *(l. 388 à 390) ?* « Que n'est tombée sous Alexandre ou sous ces anciens Grecs et Romains une si noble conquête » *(l. 523-524) ? Et celle-ci sur l'évolution de l'humanité :* « Nous n'allons point, nous rôdons plutôt, et tournoyons çà et là » *(l. 392-393) ? Justifiez vos réponses.*

10. *Dans quelle mesure la découverte de l'Amérique permet-elle de – mais ne suffit-elle pas à – motiver cette phrase :* « Et de cette même image du monde qui coule pendant que nous y sommes, combien chétive et raccourcie est la connaissance des plus curieux ! » *(l. 416 à 419) ? Pourquoi Montaigne avait-il une intuition historique exacte lorsqu'il écrivit, à propos du continent américain :* « et qui nous répond si c'est le dernier de ses frères ? » *(l. 446-447) ?*

11. *Quel texte officiel désigne les* « remontrances accoutumées » *(l. 554-555) dont parle Montaigne ? Qui est, historiquement, à l'origine de ce texte ? À quoi servait-il pour les conquistadores ?*

12. *Quelle peinture Montaigne fait-il respectivement des conquistadores et des peuples du Nouveau Monde dans ce chapitre ? Ce récit vous paraît-il objectif ? représentatif de l'ensemble des conquêtes menées sur le continent latino-américain ? Justifiez vos commentaires par des informations précises.*

13. *Comment interpréter la formule* « Retombons à nos coches » *(l. 751) à la fin de l'essai ?*

• Sur les deux chapitres (textes n°s 30 et 31)

14. *Quelles leçons Montaigne tire-t-il de la découverte du Nouveau Monde pour la connaissance que l'homme a de l'univers ? Citez des passages précis à l'appui de votre réponse.*

15. *Que penser de la description géographique que fait Montaigne du Nouveau Monde : est-elle approximative ? tendancieuse ? variable dans son contenu et ses intentions d'un essai à l'autre ? Citez des passages précis à l'appui de votre réponse.*

16. *Faites, dans chaque chapitre d'abord pris séparément, puis dans les deux ensemble, un relevé des points de rencontre (mêmes détails de comportement, croyances ou mythologies semblables, etc.) et des points de rupture (traditions opposées, traits de mœurs incompatibles, etc.) entre les civilisations du Vieux Continent et du Nouveau Monde. Qu'en concluez-vous sur les intentions de Montaigne ? sur la connaissance que ces deux mondes ont l'un de l'autre à la fin du XVIe siècle ? sur ce que vous en avez appris par rapport à ce que vous saviez avant de lire ces chapitres ?*

Écriture / Réécriture

• Sur le chapitre *Des Coches* (texte nº 31)

17. *En quoi l'addition* « et jouir librement de ce qu'il avait réservé » *(l. 607-608) traduit-elle un raffinement dans la cruauté ? Cette sévérité à l'égard de Pizarro vous paraît-elle historiquement justifiée ? et l'éloge d'Atahualpa ?*

18. *Pourquoi Hernan Cortès et Francisco Pizarro ne sont-ils jamais mentionnés nommément ? et les princes aztèques et incas ?*

19. *À partir de vos connaissances sur les conditions historiques dans lesquelles Hernan Cortès au Mexique et Francisco Pizarro au Pérou ont mené leurs conquêtes, imaginez un récit circonstancié (décors, personnages, figurants, etc.) des scènes auxquelles Montaigne fait allusion à propos* « des deux les plus puissants monarques de ce monde-là ».

• Sur les deux chapitres (textes nºs 30 et 31)

20. *Faites un relevé des mises en regard implicites ou explicites (allusions historiques identiques ou voisines, notations géographiques proches, jugements moraux similaires, remarques analogues dans leur contenu ou leur formulation, reprises littérales de termes, etc.) perceptibles d'un essai à l'autre, en précisant les cas où il s'agit d'additions (état B ou C du texte pour* Des Cannibales, *état C pour* Des coches*). Ces mises en regard vous semblent-elles nombreuses ? Qu'en concluez-vous sur l'art de Montaigne comme écrivain ?*

21. *Les motivations que Montaigne prête à Cortès pour avoir fait torturer l'aztèque Cuauhtemoc sont-elles historiquement vraisemblables ? et exactes pour ce qu'on peut en savoir ?*

22. *D'après les informations que vous aurez glanées sur les grandes civilisations du Nouveau Monde (aztèques et incas essentiellement, mais aussi mayas par exemple), dites si les descriptions de Montaigne vous paraissent justes ou tendancieuses.*

Mise en perspective

23. *En quoi Montaigne est-il un compilateur ?*

Bilan

- **Ce que nous savons**

La composition des Essais *montre que les deux chapitres* Des Cannibales *(I, 31) et* Des coches *(III, 6) sont placés – l'un à peine décentré vers l'avant par rapport au cœur du premier livre (chapitre 29,* Vingt et neuf sonnets d'Étienne de La Boétie*), l'autre vers l'arrière par rapport au cœur du livre III (chapitre 7,* De l'incommodité de la grandeur*) – de manière concertée pour créer à la fois un effet d'écho et de miroir. Cet effet est souligné par le rappel explicite que Montaigne fait de l'essai le plus ancien dans le plus récent :* « témoin mes Cannibales. »

*Suivant une esthétique maniériste, la symétrie n'est pas parfaite, elle est légèrement déformée. Mais cela ne tend que davantage à prouver l'importance capitale de ces deux essais dans la réflexion générale de Montaigne, leur valeur de piliers pour l'ensemble de l'œuvre, encadrant, si l'on peut dire, le monument dédié non plus à l'enquête humaine et géographique mais au savoir spéculatif et philosophique, que constitue – elle aussi décentrée par rapport au cœur du livre II – l'*Apologie de Raimond Sebond*. Fidèle aux recommandations des grands architectes et sculpteurs de l'Antiquité classique, Montaigne sait que la belle œuvre d'art exige que l'on prenne une certaine liberté avec la réalité des choses, qu'elle soit matérielle ou mathématique. Songeons aux colonnes du Parthénon, aux chefs-d'œuvre de Phidias ou de Myron...*

En outre, ce pont jeté entre les deux livres des Essais *à huit ans d'intervalle marque la pérennité de ces préoccupations chez notre auteur. On a vu qu'il avait déjà mentionné les peuplades du Nouveau Monde,* « ces nations qu'on dit vivre encore sous la douce liberté des premières lois de nature »*, en un endroit aussi stratégique que l'avis* Au lecteur*. C'est dire la place essentielle qu'il leur réserve dans son œuvre, peut-être par dépit de constater le désastre que fut la conquête du continent latino-américain et l'accueil indigne que l'on réservait généralement aux indigènes amenés de là-bas en Europe : ils furent exploités sans le moindre égard soit comme marchandise, soit comme esclaves dans les fameuses mines péruviennes du Potosi, soit comme objets de spectacle.*

Sur le fond, le propos de Montaigne consiste donc en un virulent plaidoyer en faveur des peuples d'Amérique et contre les conquistadores. Mais, alors que le chapitre Des Cannibales *tire une vision essentiellement suave et bienheureuse de la lecture de Jean de Léry, l'essai* Des coches *– qui ne concerne plus des peuplades* *disséminées sur le littoral de la côte brésilienne, mais les civilisations extrêmement structurées et centralisées du Mexique et de la Cordillère des Andes (actuels Pérou, Équateur et sud de la Colombie), sur le versant pacifique du continent cette fois – est beaucoup plus sombre et macabre.*

Vraisemblablement, Montaigne a eu accès à l'œuvre du dominicain espagnol Bartolomé de Las Casas, Brevissima Relacion de la Destruccion de las Indias *(1542), traduite en français en 1579. Las Casas avait été évêque de Chiappa au Mexique ; il protestait contre le système des* encomiendas *(mise en tutelle, définie par le droit, pour les conquistadores, de bénéficier de corvées et d'un tribut imposés aux Indiens à l'intérieur de grandes propriétés), assimilable, dans la pratique, à un pur et simple asservissement, et fut directement à l'origine des « Nouvelles lois » adoptées en 1542 dans le but d'une colonisation plus humaine de l'Amérique. Ces lois ne furent guère appliquées sur le terrain.*

De là, pour revenir à Montaigne, l'écart qu'on peut constater entre le ton plutôt serein de l'essai de 1580, celui d'une Amérique heureuse et libre, et le ton beaucoup plus grave de l'essai de 1588, visiblement marqué par la lecture des écrits de Las Casas, celui d'une Amérique anéantie par l'Europe. Les épisodes sanglants que furent l'agonie de l'inca Atahualpa, supplicié le 29 août 1533, et celle de l'empereur aztèque Cuauhtemoc, torturé par le feu puis pendu après le siège si difficile et meurtrier de Mexico (été 1521), ne peuvent que frapper l'imagination. Le professeur Géralde Nakam a été des premiers à relier fortement les deux essais. Rendons-lui-en ici hommage.

« En 1580, *écrit-elle, Des Cannibales* est un hymne à une civilisation vivante, quoique déjà contaminée par la maladie de la nôtre. En 1588, *Des coches* déroule par paliers successifs le poème tragique de la fin d'un monde, tel que pourrait le chanter le désespoir d'un Indien. »

• Ce que nous pouvons nous demander

Avec son sens de la relativité humaine, Montaigne retourne la notion de barbarie, appliquée aux indigènes d'Amérique, contre les peuples du Vieux Monde rengorgés dans leur bonne conscience et leurs « hauts-de-chausse », *et surtout contre les conquistadores, aventuriers sans scrupule et assoiffés d'or, qui furent ses piètres ambassadeurs. Toutefois, Montaigne ne va-t-il pas trop loin ? Et son procès de l'Europe conquérante n'est-il pas quelque peu systématique, sommaire ou mal instruit, à la lumière des informations dont nous disposons aujourd'hui ? Par exemple, on sait que les Aztèques et les Incas étaient eux-mêmes des envahisseurs, les derniers à avoir imposé leur hégémonie sur des vassaux qu'ils ne traitaient guère mieux que ne firent les conquistadores. Ceux-ci, vu leur faible nombre, n'auraient jamais pu mener à bien leurs entreprises (beaucoup échouèrent du reste, comme Narvaez en Floride) sans l'appui de peuplades révoltées contre leurs maîtres continentaux, ainsi le royaume de Tlaxcala allié à Cortès.*

La comparaison de l'Europe et de l'Amérique, que présente Montaigne, est toujours à l'avantage des Indiens, jusque dans leur cannibalisme, défendu par les stoïciens et préféré à celui des Scythes. La longue addition qu'il a apportée à la fin de l'essai De la modération *(I, 30) en guise de prélude à celui* Des Cannibales, *et qui concerne les sacrifices humains, nuance (cf. p. 296) un tableau dont les excès lui étaient probablement apparus.*

Enfin, s'agissant des conquistadores, pour quelques capitaines heureux (Cortés au Mexique, Pizarro au Pérou, ou encore Orellana, parti de Quito et remontant l'Amazone jusqu'à son embouchure atlantique), les malchanceux furent légion, qui, comme l'écrit Jean-Pierre Berthe, « moururent de faim ou d'épuisement dans la steppe et la forêt, ou périrent sous les flèches des Indiens de Floride et du Vénézuéla, ou sous le couteau d'obsidienne des sacrificateurs aztèques ».

S'il est donc excessif – l'addition du chapitre De la modération *le prouve et suggère que Montaigne n'est pas dupe de lui-même – de voir dans l'auteur des* Essais *un* « universaliste inconscient » *(Tzvetan Todorov,* Nous et les Autres, *Seuil, 1989) qui, sous le couvert d'un relativisme de façade, se servirait des indigènes d'Amérique pour distiller ses propres valeurs à une société européenne* « qu'il ne se lasse pas de critiquer », *néanmoins, il faut bien admettre que la vision du sauvage proposée par Montaigne est idéalisée, voire idéaliste.*

LE MORALISTE

1) LES FEMMES

32. Attraits de la féminité

33. Prudence et imprudence en matière amoureuse.

C'est aussi pour moi un doux commerce[1] que celui des belles et honnêtes femmes : *« Nam nos quoque oculos eruditos habemus. »* Si l'âme n'y a pas tant à jouir qu'au premier[2], les sens corporels, qui participent aussi plus à
5 celui-ci, le ramènent à une proportion voisine de l'autre, quoique, selon moi, non pas égale. Mais c'est un commerce où il se faut tenir un peu sur ses gardes, et notamment ceux en qui le corps peut beaucoup, comme en moi. Je m'y[3] échaudai[4] en mon enfance[5] et y souffris
10 toutes les rages que les poètes disent advenir à ceux qui s'y laissent aller sans ordre et sans jugement. Il est vrai que ce coup de fouet m'a servi depuis d'instruction,

> *Quicumque Argolica de classe Capharea fugit,*
> *Semper ab Euboicis vela retorquet aquis.*

15 C'est folie d'y attacher toutes ses pensées et s'y engager d'une affection furieuse[6] et indiscrète[7]. Mais, d'autre part, de s'y mêler, sans amour et sans obligation de volonté[8], en forme de[9] comédiens, pour jouer un rôle commun de l'âge et de la coutume et n'y mettre du sien que les paroles,
20 c'est de vrai[10] pourvoir à sa sûreté, mais bien lâchement,

---

1. *commerce* : fréquentation, pratique, contact.
2. *au premier* : le commerce des hommes (le troisième est celui des livres).
3. *y* : à ce commerce (des femmes).
4. *je m'y échaudai* : je m'y brûlai les doigts, je m'y ébouillantai (sens figuré : j'y connus des déceptions, des mésaventures).
5. *enfance* : chez Montaigne, c'est la période qui précède l'âge de trente ans (cf. texte n° 2).
6. *furieuse* : folle, ayant perdu la raison.
7. *indiscrète* : sans discernement.
8. *obligation de volonté* : sentiment d'être lié affectivement par le commerce qu'on entretient.

32. Les attraits de la féminité (II, 15, *Que notre désir s'accroît par la malaisance*)

33. Prudence et imprudence en matière amoureuse (III, 3, *De trois commerces*)

C'est aussi pour moi un doux commerce que celui de femmes belles et de bonne compagnie : « *Car nous aussi nous avons des yeux de connaisseurs* » (Cicéron, *Paradoxes*, V, 2). Si l'âme n'y trouve pas autant de jouissance qu'à la fréquentation entre hommes, les sens corporels, qui participent aussi davantage à ce commerce-ci, le ramènent à un niveau voisin quoique, selon moi, il ne l'égale pas. Mais, dans le commerce des femmes, il faut se tenir un peu sur ses gardes, et notamment ceux dont le corps est doté de fortes facultés comme moi. Je m'y brûlai dans ma jeunesse, et y connus toutes les rages que les poètes disent arriver à ceux qui s'y laissent aller sans ordre et sans jugement. Il est vrai que ce coup de fouet m'a servi de leçon.
« *Quiconque de la flotte argienne a échappé aux récifs de Capharée détournera toujours ses voiles de l'Eubée* » (Ovide, *Les Tristes*, I, 1).
C'est de la folie que d'attacher à la suite des femmes toutes ses pensées et de s'y engager avec un élan échevelé et sans mesure. Mais, d'autre part, s'y mêler sans amour et sans implication sentimentale, à la manière de comédiens, pour jouer un rôle commun à notre époque et à nos coutumes, et n'y mettre de soi-même que des paroles, c'est, il est vrai, pourvoir à sa sécurité, mais bien lâchement comme un homme qui abandonnerait

9. *en forme de* : à la manière de.
10. *de vrai* : il est vrai, certes.

comme celui qui[1] abandonnerait son honneur, ou son profit, ou son plaisir, de peur du danger ; car il est certain que, d'une telle pratique, ceux qui la dressent[2] n'en peuvent espérer aucun fruit qui touche ou satisfasse une
25 belle âme. Il faut avoir en bon escient[3] désiré ce qu'on veut prendre en bon escient plaisir de jouir[4] ; je dis[5] quand[6] injustement fortune favoriserait leur masque, ce qui advient souvent à cause de ce qu'il n'y a aucune d'elles, pour malotrue[7] qu'elle soit, qui ne pense être bien
30 aimable, et qui ne se recommande[8] par son âge ou par son ris[9], ou par son mouvement ; car de laides universellement il n'en est, non plus que de belles ; et les filles brahmanes qui ont faute[10] d'autre recommandation, le peuple assemblé à cri public[11] pour cet effet,
35 vont en la place, faisant montre de leurs parties matrimoniales[11], voir si[12] par là au moins elles ne valent pas d'acquérir un mari.

Par conséquent il n'est pas une qui ne se laisse facilement persuader au[13] premier serment qu'on lui fait de la ser-
40 vir[14]. Or de cette trahison commune et ordinaire des hommes d'aujourd'hui, il faut[15] qu'il advienne ce que déjà nous montre l'expérience, c'est qu'elles se rallient et rejettent à elles-mêmes, ou entre elles, pour nous fuir ; ou bien qu'elles se rangent[16] aussi de leur côté à cet exemple
45 que nous leur donnons, qu'elles jouent leur part de la farce et se prêtent à cette négociation[17], sans passion, sans soin[18] et sans amour. [...]

---

1. *celui qui* : un homme qui, quelqu'un qui.
2. *la dressent* : la préparent (comme on dresse une table avant un repas).
3. *en bon escient* : vraiment, pleinement.
4. *ce qu'on veut* [..] *jouir* : emploi transitif du verbe « jouir », fréquent au XVIe siècle.
5. *je dis* : et ce, ce que je dis reste valable.
6. *quand* (+ conditionnel) : quand bien même.
7. *malotrue* : mal lotie, d'où mal fichue (latin *male astrucus* : né sous un mauvais astre) ; le sens de « mufle », « goujat » est plus tardif.
8. *ne se recommande* : ne croie se faire valoir, ne cherche à se mettre en avant.
9. *ris* : rire.
10. *ont faute* : n'ont pas.
11. *à cri public* : à la criée.

son honneur, ou son profit, ou son plaisir, par peur du danger : car il est certain que, d'un tel comportement, ceux qui le mettent au point ne peuvent espérer aucun fruit qui touche ou satisfasse une belle âme. Il faut avoir
30 désiré pour de bon ce dont on veut prendre pour de bon plaisir à jouir ; ceci, quand bien même injustement la fortune favoriserait leur masque, ce qui arrive souvent du fait qu'il n'y a aucune femme, si disgraciée soit-elle, qui ne pense être bien aimable et qui ne se recommande par
35 son âge ou par son rire, ou par son allure ; car de laides universellement, il n'en est pas plus que de belles ; et les filles brahmanes, qui sont dénuées d'autre recommandation, vont, devant le peuple assemblé à la criée à cet effet, sur la place montrer leurs parties matrimoniales
40 pour voir si au moins par là elles ne méritent pas d'acquérir un mari.

Par conséquent, il n'en est pas une qui ne se laisse facilement persuader dès le premier serment qu'on lui fait de la servir. Or de cette trahison courante et ordinaire
45 des hommes d'aujourd'hui il doit résulter nécéssairement ce que déjà nous montre l'expérience : c'est qu'elles se replient en elles-mêmes ou entre femmes ; ou bien elles se conforment aussi de leur côté à cet exemple que nous leur donnons, jouent leur rôle dans la farce et
50 se prêtent à ces échanges sans passion, sans souci et sans amour. [...]

---

11. *parties matrimoniales* : parties sexuelles.
12. *voir si* : pour voir si.
13. *au* : par le.
14. *servir* : obéir, courtiser en fidèle amant (au service de sa dame) ; ce terme est pris dans l'un de ses emplois médiévaux.
15. *il faut* : il est inéluctable que (grec *anangké esti*).
16. *se rangent* [...] *à* : règlent leur conduite [...] sur.
17. *négociation* : tractation, pratiques de séduction.
18. *soin* : souci, inquiétude.

Il en ira comme des comédies ; le peuple y aura autant ou plus de plaisir que les comédiens.
50 De moi, je ne connais non plus Vénus sans Cupidon qu'une maternité sans engeance[1] ; ce sont choses qui s'entreprêtent et s'entredoivent leur essence. Ainsi cette piperie rejaillit sur celui qui la fait. Il ne lui en coûte guère, mais il n'acquiert aussi rien qui vaille.

(III, 3, *De trois commerces*)

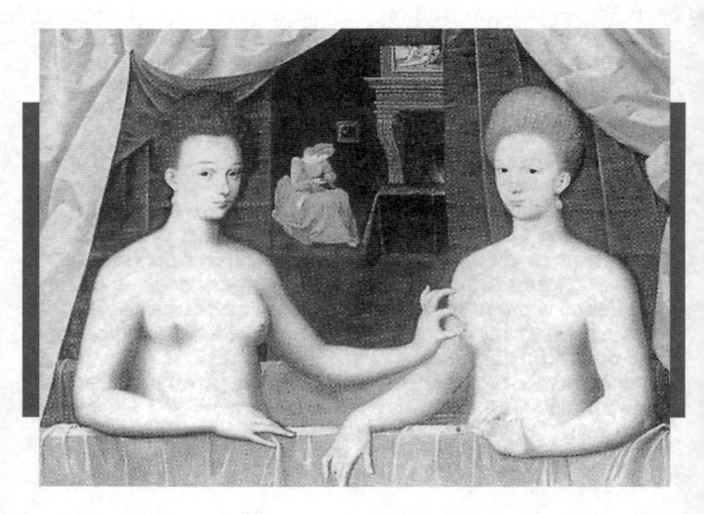

Gabrielle d'Estrée et sa sœur la duchesse de Vilars. École de Fontainebleau, musée du Louvre, Paris.

1. *engeance* : progéniture. L'image, un peu allusive, semble signifier que l'amour véritable ne peut être, selon Montaigne, que réciproque. De même que Vénus (divinité féminine) a pour complice Cupidon (divinité masculine et en même temps fils de Vénus), de même une maternité aboutie – sans fausse couche – suppose nécessairement la naissance d'un enfant : ainsi le donjuanisme (avant la lettre, car la pièce de Tirso de Molina, *El Burlador de Sevilla*, date de 1625) qu'a dénoncé Montaigne dans cette page, serait une tentative des hommes d'obtenir Vénus, le cœur des femmes, sans se montrer Cupidon, c'est-à-dire sans livrer leur cœur.

Il en va de ces jeux comme des comédies ; le peuple y aura autant ou plus de plaisir que les comédiens. Pour moi je ne connais pas plus Vénus sans Cupidon
55 qu'une maternité sans progéniture ; ce sont des choses qui se prêtent et se doivent mutuellement leur essence. Ainsi cette tromperie rejaillit sur celui qui la fait. Il ne lui en coûte guère, mais il n'acquiert aussi rien qui vaille.

34. Reconnaître le poids de la fortune

Or depuis cet accident[1], qui advint à Auguste au quarantième an de son âge, il n'y eut jamais de conjuration ni d'entreprise contre lui, et reçut[2] une juste récompense de cette sienne clémence. Mais il n'en advint pas de même au
5 nôtre[3] : car sa douceur ne le sut garantir qu'il ne chût depuis aux lacs de pareille trahison[4]. Tant c'est chose vaine et frivole que l'humaine prudence[5] ; et au travers de tous nos projets, de nos conseils[6] et précautions, la fortune maintient toujours la possession[7] des événements.
10 Nous appelons les médecins heureux[8], quand ils arrivent à quelque bonne fin ; comme s'il n'y avait que leur art, qui ne se pût[9] maintenir de lui-même, et qui eût les fondements trop frêles[10] pour s'appuyer de[11] sa propre force ; et comme s'il n'y avait qu'elle[12], qui ait besoin que la fortune
15 prête la main à ses opérations. Je crois d'elle tout le pis ou le mieux qu'on voudra. Car nous n'avons, Dieu merci, nul commerce ensemble ; je suis au rebours[13] des autres, car je la méprise bien toujours ; mais quand je suis malade, au lieu d'entrer en composition, je commence encore à la haïr et à
20 la craindre ; et réponds à ceux qui me pressent de prendre médecine[14], qu'ils attendent au moins que je sois rendu à mes forces et à ma santé, pour avoir plus de moyen de

---

1. *cet accident* : la conjuration ourdie contre Auguste par Cinna, et qui a inspiré la fameuse pièce de Corneille en 1641 (peut-être après la lecture de cet essai ?).
2. *reçut* : il reçut.
3. *au nôtre* : il s'agit de François, duc de Guise (1519-1563), appartenant à la branche cadette de la maison de Lorraine ; c'était un brillant homme de guerre et il reçut le surnom de Balafré à la suite d'une blessure au visage au cours d'une bataille à Boulogne (1544). Il était le père d'Henri (1550-1588), dit lui aussi le Balafré, pour des raisons analogues (bataille des Dormans, 1575), et de Louis (1555-1588), cardinal de Guise, tous deux condamnés à mort par Henri III pour crime de lèse-majesté et exécutés à Blois en décembre 1588 par les Quarante-cinq, la garde personnelle du roi.
4. *pareille trahison* : allusion à l'assassinat de François de Guise lors du siège d'Orléans en 1563, par le protestant Poltrot de Méré.
5. *prudence* : prévoyance, sagesse.
6. *conseils* : décisions, réflexions (latin *consilium*).
7. *maintient la possession* : garde le contrôle.
8. *heureux* : chanceux.

TOUTES LES CIRCONSTANCES DE LA VIE

34. Reconnaître le poids de la Fortune (I, 24, *Divers événements de même conseil*)

Or, après cette alerte que connut Auguste dans sa quarantième année de vie, il n'y eut plus jamais de conjuration ni d'entreprise contre lui et il reçut là une juste récompense de la clémence dont il avait fait preuve. Mais notre homme ne connut pas le même sort : car sa mansuétude ne sut pas lui éviter de tomber par la suite dans le traquenard d'une trahison identique. Tant c'est une chose vaine et frivole que la prudence humaine ; et au travers de tous nos projets, de nos décisions réfléchies et de nos précautions, la fortune garde toujours la maîtrise des événements.

Nous disons les médecins chanceux quand ils arrivent à un bon résultat quelconque, comme s'il n'y avait que leur art qui ne pouvait se soutenir par lui-même et qui eût de trop fragiles fondements pour s'appuyer sur sa propre force, et comme si ce seul art avait besoin que la fortune prête la main à ses opérations. Je crois de la médecine tout le pire ou le mieux qu'on voudra. Car nous n'avons, Dieu merci, aucun commerce ensemble ; je vais à l'inverse des autres, car je la méprise bien toujours, mais quand je suis malade, au lieu de me mettre à composer, je commence même à la haïr et à la craindre, et je réponds à ceux qui me pressent de prendre tel médicament qu'ils attendent au moins que j'ai recouvré mes forces et ma santé, pour avoir plus de moyen de

---

9. *qui ne se pût* : qui fût incapable de se.
10. *frêles* : fragiles.
11. *de* : sur.
12. *elle* : la médecine.
13. *au rebours* : à l'inverse, à l'opposé.
14. *prendre médecine* : prendre des remèdes, des médicaments, me soigner.

soutenir l'effort et le hasard[1] de leur breuvage. Je laisse faire nature, et présuppose qu'elle se soit[2] pourvue de
25 dents et de griffes, pour se défendre des assauts qui lui viennent, et pour maintenir cette contexture[3], de quoi elle fuit la dissolution. Je crains, au lieu de l'aller secourir, ainsi comme[4] elle est aux prises bien étroites et bien jointes avec la maladie, qu'on secoure son adversaire au lieu d'elle, et
30 qu'on la recharge de nouvelles affaires[5].
Or je dis que, non en la médecine seulement, mais en plusieurs arts plus certains, la fortune y a bonne part. Les saillies[6] poétiques, qui emportent leur auteur et le ravissent[7] hors de soi, pourquoi ne les attribuerons-nous à son bon-
35 heur[8] ? puisqu'il confesse lui-même qu'elles surpassent sa suffisance[9] et ses forces, et les reconnaît venir d'ailleurs que de soi, et ne les avoir aucunement en sa puissance[10] ; non plus que les orateurs ne disent avoir en la leur ces mouvements et agitations extraordinaires, qui les poussent
40 au-delà de leur dessein. Il en est de même en la peinture, qu'il[11] échappe parfois des traits de la main du peintre, surpassant sa conception et sa science, qui le tiennent lui-même en admiration et qui l'étonnent[12]. Mais la fortune montre bien encore plus évidemment la part qu'elle a en
45 tous ces ouvrages, par les grâces et les beautés qui s'y trouvent, non seulement sans l'intention, mais sans la connaissance même de l'ouvrier[13]. Un suffisant lecteur découvre souvent ès[14] écrits d'autrui des perfections autres que celles que l'auteur y a mises et aperçues, et y prête des
50 sens et des visages[15] plus riches.

---

1. *soutenir* [...] *le hasard* : assumer l'aléa, accepter les risques.
2. *se soit* : construction normale avec un subjonctif marquant le doute après le verbe « présupposer », là où aujourd'hui on attendrait l'indicatif.
3. *cette contexture* : la constitution de l'être humain (en l'occurrence la mienne).
4. *ainsi comme* : au moment où.
5. *affaires* : difficultés, tracas.
6. *saillies* : traits d'inspiration.
7. *ravissent* : transportent, exaltent (« ravir » : littéralement « emporter », cf. ravisseur). Ce mot fait partie du jargon reçu couramment pour décrire l'état du poète inspiré chez les humanistes de la Renaissance qui reprennent la théorie platonicienne du « furor » poétique (cf. le texte n° 43).
8. *bonheur* : chance (cf. la formule : « avoir un certain bonheur d'expression », s'exprimer avec une élégance spontanée, avec les mots justes).
9. *suffisance* : capacité (le « *suffisant lecteur* », notion essentielle chez Montaigne, est comparable aux « *happy few* » de Stendhal).
10. *sa puissance* : son pouvoir, sa maîtrise.
11. *qu'il* : où il.

supporter la violence et les hasards de leur breuvage. Je laisse faire la nature et présume qu'elle s'est munie de dents et de griffes pour se défendre des assauts qu'elle subit et pour maintenir en état cet organisme dont elle tente d'empêcher la dissolution. Je crains qu'au lieu d'aller le secourir, au moment où il est bien étroitement et bien intimement aux prises avec la maladie, on ne secoure son adversaire au lieu de lui et qu'on le charge encore de nouveaux tracas.

Or je dis que, non seulement dans la médecine, mais dans plusieurs arts plus certains, la fortune a une bonne part. Les saillies poétiques qui emportent leur auteur et le ravissent hors de lui, pourquoi n'irons-nous pas les attribuer à sa chance, puisqu'il avoue lui-même qu'elles surpassent ses capacités et sa force et reconnaît qu'elles viennent d'ailleurs que de lui, et qu'il ne les a pas du tout sous son contrôle ; pas plus que les orateurs ne disent avoir sous le leur ces mouvements et ces agitations extraordinaires qui les poussent au-delà de leur dessein ? Il en est de même dans la peinture, où il échappe parfois de la main du peintre des traits surpassant sa conception et sa science, qui le laissent lui-même en admiration et qui le frappent d'étonnement. Mais la fortune montre encore bien plus évidemment la part qu'elle a dans tous ces ouvrages, par les grâces et les beautés qu'on y trouve non seulement sans l'aveu, mais même à l'insu de l'ouvrier. Un lecteur capable découvre souvent dans les écrits d'autrui des perfections différentes de celles que l'auteur y a mises et aperçues, et prête à ces écrits des sens et des aspects plus riches.

---

12. *étonnent* : frappent de stupeur (sens très fort au XVIe siècle).
13. *sans l'intention* [...] *de l'ouvrier* : voir le texte n° 28 à propos de Montaigne lui-même quand il écrit.
14. *ès* : dans les.
15. *visages* : aspects.

Quant aux entreprises militaires, chacun voit comment la fortune y a bonne part. En nos conseils[1] mêmes et en nos délibérations, il faut certes qu'il y ait du sort et du bonheur mêlé parmi ; car tout ce que notre sagesse peut, ce n'est
55 pas grand-chose ; plus elle[2] est aiguë et vive, plus elle trouve en soi de faiblesse, et se défie d'autant plus d'elle-même.

(I, 24, *Divers événements de même conseil*)

Blason de Montaigne.

1. *conseils* : décisions, réflexions (latin *consilium*).
2. *elle* : notre sagesse.

Quant aux entreprises militaires, chacun voit comment la fortune y a une bonne part. Pour nos décisions mêmes et pour nos délibérations, il faut assurément qu'il y ait du sort et de la chance qui se mêle là-dedans ; car tout ce que notre sagesse peut, ce n'est pas grand-chose : plus elle est aiguë et vive, plus elle trouve en elle de la faiblesse, et elle se défie d'autant plus d'elle-même.

La Bataille de San Romano *de Paolo Uccello, musée du Louvre, Paris.*

Questions

Compréhension

• Sur les femmes et l'amour

1. *Que penser de la méthode de séduction dont parle Montaigne au texte 33 ? Y portez-vous le même regard négatif que lui ? Pourquoi ?*

2. *Comment appréciez-vous les jugements de Montaigne sur l'amour en vous référant à la manière dont il s'est marié (cf. après-texte) ? Ses écrits vous paraissent-ils cohérents, au regard de ses actes ? et convaincants dans l'absolu ?*

3. *À quels personnages réels et imaginaires peuvent faire penser les comportements masculins décrits par Montaigne dans le texte 33 ? Citez au moins deux noms.*

• Sur l'importance du hasard

4. *Le poids de la Fortune dans la vie vous semble-t-il aussi important que l'affirme Montaigne ? Justifiez votre réponse.*

Écriture

• Sur l'amour

5. *Dans le texte 33, dites selon vous à quoi sert pour Montaigne l'addition C sur les* « filles brahmanes ». *Quel est, à votre avis, son intérêt pour un lecteur de notre époque ? Vous-même qu'en pensez-vous ?*

• Sur le hasard

6. *Tentez d'analyser paragraphe par paragraphe l'argumentation du texte 34 en distinguant les domaines d'application du hasard retenus par Montaigne et les exemples lui servant à illustrer chacun de ces domaines.*

Bilan

L'action

• Ce que nous savons

Montaigne est connu comme l'un des moralistes les plus remarquables de notre littérature. En dehors des thèmes de la douleur, de la cruauté, de l'âge et bien sûr de la mort (cf. après-texte), l'amour et la fortune s'avèrent, pour des raisons opposées, assez cruciaux dans les Essais. *L'amour est, comme la beauté, une réalité que Montaigne pressent, qu'il ressent et à laquelle il aspire. Mais, de même qu'il se dit peu doué lui-même pour la poésie quoiqu'il la chérisse énormément (cf. troisième partie), de même il est permis de douter sinon que l'auteur des* Essais *ait jamais rencontré la passion amoureuse, du moins qu'il ait eu pour aucune femme des sentiments aussi forts que ceux qu'il éprouva pour La Boétie ou pour son père.*

Toutefois les Essais *sont une œuvre entreprise vers l'âge de quarante ans, et nul ne peut dire ce qu'eût écrit le même homme vingt ans plus tôt. N'est-ce pas l'accumulation des déceptions sentimentales qui le fait s'exprimer ainsi ? Son refus d'une sorte de « donjuanisme » avant la lettre témoigne en tout cas d'un idéalisme resté intact en même temps que d'une expérience indéniable de la pratique amoureuse. On soulignera d'autre part l'importance accordée au physique et à son incidence disproportionnée sur la vie de chaque individu. Témoin les filles brahmanes vendues à l'encan ou les plus « malotrues » qui se croient belles. Ce dernier aspect, ici traité sous l'angle original du vécu subjectif (Montaigne, on le sait, souffrait de sa petite taille), est un* topos *de la tradition littéraire. Il fut associé à la figure comique des coquettes chez Molière, Montesquieu ou Balzac, avant de retrouver, avec Stendhal et Proust, sa dimension douloureuse. L'injustice du physique, marquée dans les* Essais *par le suicide paradoxal du beau Spurina (II, 33), est l'une des manifestations du poids déterminant de la fortune selon Montaigne. Les titres de certains chapitres illustrent une telle conviction, à commencer par le premier du livre I,* Par divers moyens on arrive à pareille fin, *mais aussi l'essai 34 du livre I,* La fortune se rencontre souvent au train de la raison, *ou, dans le livre II, le chapitre 17,* De la présomption, *d'où nous avons tiré plusieurs extraits.*

• Ce que nous pouvons nous demander

1. *Quelle influence a pu avoir le contexte historique dans lequel vécut Montaigne sur sa conception du hasard ?*

2. *En quoi cette conception rejaillit-elle sur l'esthétique littéraire de Montaigne ? Aidez-vous, pour répondre, du texte n° 29 et des textes de la troisième partie de notre recueil.*

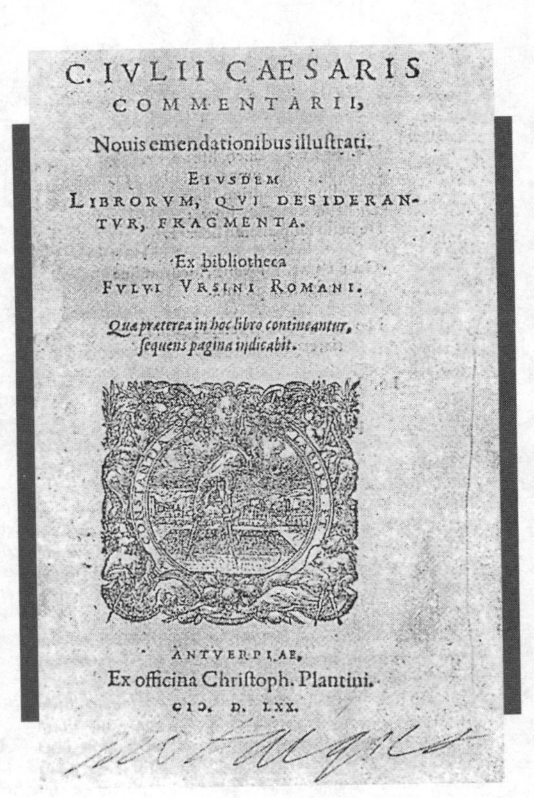

C. IVLII CAESARIS
COMMENTARII,
Nouis emendationibus illuſtrati.
EIVSDEM
LIBRORVM, QVI DESIDERANTVR, FRAGMENTA.
Ex bibliotheca
FVLVI VRSINI ROMANI.
Quæ præterea in hoc libro contineantur, ſequens pagina indicabit.

ANTVERPIAE,
Ex officina Chriſtoph. Plantini.
CIↃ. D. LXX.

Page de titre de La Guerre civile de César, *exemplaire personnel de Montaigne.*

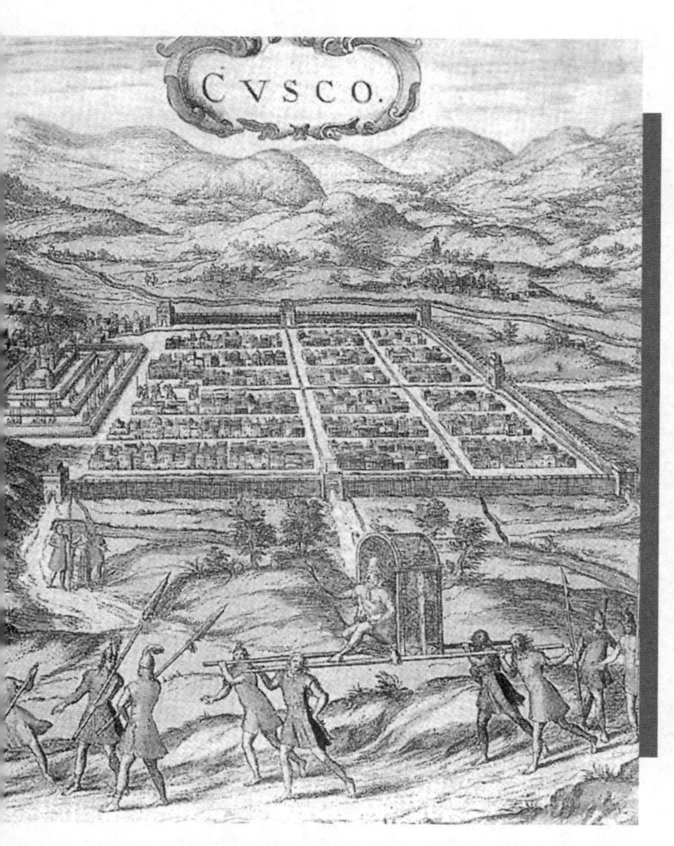

Reproduction d'un plan d'époque de la ville de Cusco.

L'HOMME

REGARD DE MONTAIGNE

35. Le refus du machiavélisme

36. Légalisme de Montaigne

REGARD DE MONTAIGNE

37. Le refus du dogmatisme

38. La coutume et la foi

Tout cela[1], c'est un signe très évident que nous ne recevons notre religion qu'à notre façon et par nos mains[2], et non autrement que comme les autres religions se reçoivent. Nous nous sommes rencontrés[3] au pays où elle était en usage ; ou nous regardons son ancienneté ou l'autorité des hommes qui l'ont maintenue ; ou craignons les menaces qu'elle attache aux mécréants ; ou suivons ses promesses. Ces considérations-là doivent être employées à notre créance[4], mais comme subsidiaires : ce sont liaisons[5] humaines. Une autre région, d'autres témoins, pareilles promesses et menaces nous pourraient imprimer[6] par même voie une croyance contraire.
Nous sommes chrétiens à même titre que nous sommes ou périgourdins ou allemands.
Et ce que dit Platon[7], qu'il est peu d'hommes si fermes en l'athéisme, qu'un danger pressant ne ramène à la

---

1. *Tout cela* : renvoie à un développement sur la superstition humaine, qui s'achève au moment où notre extrait commence.
2. *par nos mains* : par nos organes (l'idée est que nous réagissons en êtres humains plus qu'en créatures de la divinité).
3. *rencontrés* : trouvés (cf. l'expression « un chemin de rencontre », fortuit).
4. *créance* : foi.
5. *liaisons* : avec Dieu et la religion qu'il nous a donnée (le latin *religio* signifie « liaison », « obligation », « scrupule né d'une obligation »).
6. *nous imprimer* : inscrire en nous.

ET LA SOCIÉTÉ

SUR LA POLITIQUE

35. Le refus du machiavélisme (II, 17, *De la présomption*)

36. Légalisme de Montaigne (I, 23, *De la coutume et de ne changer aisément une loi reçue*)

SUR LA RELIGION

37. Le refus du dogmatisme (I, 27, *C'est folie de rapporter le vrai et le faux à notre suffisance*)

38. La coutume et la foi (II, 12, Apologie de Raimond Sebond)

Tout cela, c'est un signe très évident que nous ne recevons notre religion qu'à notre façon et avec nos mains, exactement comme les autres religions sont reçues. Nous nous sommes trouvés dans le pays où elle était en
5 usage ; ou bien nous regardons son ancienneté, ou l'autorité des hommes qui l'ont maintenue ; ou nous craignons les menaces qu'elle fait peser sur les mécréants ; ou nous suivons ses promesses. Ces considérations-là doivent être utilisées pour conforter notre croyance mais
10 comme éléments subsidiaires : ce sont des liaisons humaines. Une autre région, d'autres témoins, de pareilles promesses et menaces pourraient nous inspirer, par la même voie, une croyance opposée.
Nous sommes chrétiens au même titre que nous sommes
15 ou périgourdins ou allemands.
Et ce que dit Platon : qu'il est peu d'hommes si fermes en leur athéisme qu'un danger pressant ne ramène à

7. *Platon* : dans *Les Lois*, livre X.

reconnaissance de la divine puissance, ce rôle ne touche point un vrai chrétien. C'est à faire aux[1] religions mortelles et humaines d'être reçues par une humaine conduite.
20 Quelle foi doit-ce être, que la lâcheté et la faiblesse de cœur plantent en nous et établissent[2] ? Plaisante foi qui ne croit ce qu'elle croit que pour n'avoir le courage de le décroire ! Une vicieuse passion comme celle de l'inconstance[3] et de l'étonnement[4], peut-elle faire en notre
25 âme aucune production réglée[5] ? [...]
L'athéisme étant une proposition comme dénaturée et monstrueuse, difficile aussi et malaisée d'[6]établir en l'esprit humain, pour[7] insolent et déréglé qu'il puisse être ; il s'en[8] est vu assez, par vanité et par fierté de
30 concevoir des opinions non vulgaires et réformatrices du monde, en affecter la profession[9] par contenance, qui, s'ils sont assez fols[10], ne sont pas assez forts pour l'avoir plantée[11] en leur conscience pourtant. Ils ne lairront de[12] joindre les mains vers le ciel, si vous leur
35 attachez un bon coup d'épée en la poitrine. Et, quand la crainte ou la maladie aura abattu cette licencieuse ferveur[13] d'humeur volage, ils ne lairront de[12] se revenir[14] et se laisser tout discrètement[15] manier aux[16] créances et exemples publics. Autre
40 chose est un dogme sérieusement digéré ; autre chose, ces impressions superficielles, lesquelles, nées de la débauche[17] d'un esprit démanché, vont nageant témérairement et incertainement en la fantaisie[18]. Hommes bien misérables et écervelés, qui
45 tâchent d'être pires qu'ils ne peuvent !

(II, 12, *Apologie de Raimond Sebond*)

---

1. *C'est à faire aux* : Cela concerne, c'est le fait des.
2. *établissent* : stabilisent, maintiennent de manière stable (cf. le mot anglais «*establishment*»).
3. *inconstance* : versatilité, peur.
4. *étonnement* : impressionnabilité, panique, stupeur.
5. *réglée* : régulière, bien réglée.
6. *d'* : à.
7. *pour* : si.
8. *en* : des gens.
9. *en affecter la profession* : se proclamer athées (cf. l'expression «profession de foi»).
10. *fols* : fous (cf. le proverbe : «Souvent femme varie, bien fol est qui s'y fie»).
11. *plantée* : implantée, ancrée.

l'aveu de la puissance divine, ce comportement ne concerne pas un vrai chrétien. C'est le lot des religions mortelles et humaines que d'être reçues selon des modalités humaines. Quelle foi doit-ce être que fixent en nous et qu'établissent la lâcheté et la faiblesse de cœur ? Plaisante foi qui ne croit ce qu'elle croit que parce qu'elle n'a pas le courage de le décroire ! Un mauvais sentiment, comme la fragilité et la panique, peut-il produire en notre âme aucun effet bien réglé ? [...]

L'athéisme étant une thèse comme dénaturée et monstrueuse, difficile aussi et malaisée à établir dans l'esprit humain, si insolent et déréglé qu'il puisse être, on a vu assez de gens, par vanité et par fierté de formuler des conceptions non vulgaires et réformatrices pour le monde, en affecter la profession par contenance, qui, s'ils sont assez fous, ne sont pas assez forts pour l'avoir fixé dans leur conscience pour autant. Ils ne laisseront pas de joindre les mains vers le ciel si vous leur mettez un bon coup d'épée dans la poitrine. Et quand la crainte ou la maladie aura abattu cette licencieuse ferveur d'humeur volage, ils ne laisseront de revenir et de se laisser tout discrètement manier suivant les croyances et les exemples publics. Autre chose est un dogme sérieusement digéré, autre chose ces inspirations superficielles qui, nées du déportement d'un esprit déboussolé, vont nageant, en proie à la témérité et à l'incertitude, dans l'imagination. Hommes bien misérables et écervelés qui tâchent d'être pires qu'ils ne peuvent !

12. *ne lairront de* : ne laisseront pas de, ne manqueront pas de.
13. *cette licencieuse ferveur* : cette excitation morbide, malsaine.
14. *se revenir* : revenir sur leurs déclarations, revenir à eux-mêmes, reprendre leurs esprits.
15. *tout discrètement* : avec humilité, sans plus aucune arrogance (discrètement signifie ici à la fois « avec discrétion », sans se faire remarquer, et « avec discernement », avec un bon sens retrouvé).
16. *manier aux* : conduire suivant.
17. *la débauche* : le désordre, le dévoiement.
18. *fantaisie* : imagination.

39. Méfiance de Montaigne à l'égard du dévouement à la chose publique

40. L'expérience de Montaigne à la mairie de Bordeaux

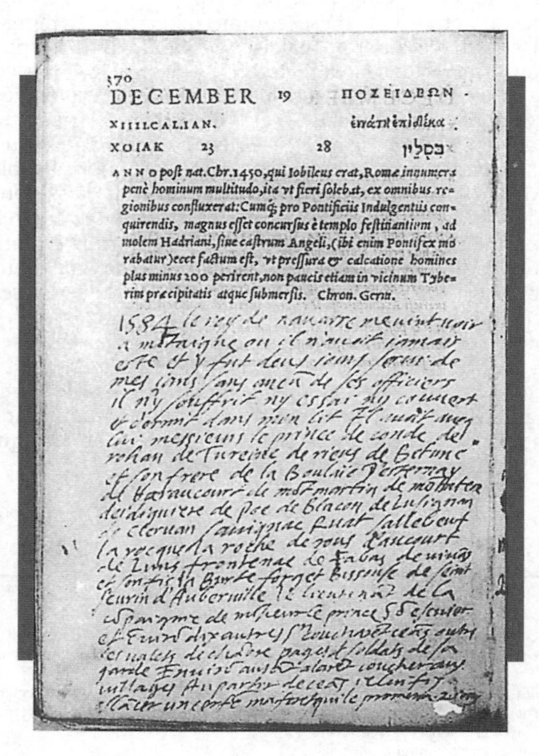

570

DECEMBER 19 ΠΟΣΕΙΔΕΩΝ

XIIII.CAL.IAN. ἐννάτῃ ἐπὶ δέκα

XOIAK 23 28 בְּסְלֵיו

ANNO post nat. Chr. 1450, qui Iobileus erat, Romæ innumera penè hominum multitudo, ita vt fieri solebat, ex omnibus regionibus confluxerat: Cumq; pro Pontificiis Indulgentiis conquirendis, magnus esset concursus è templo festinantium, ad molem Hadriani, siue castrum Angeli, (ibi enim Pontifex morabatur) ecce factum est, vt pressura & calcatione homines plus minus 200 perirent, non paucis etiam in vicinum Tyberim præcipitatis atque submersis. Chron. Germ.

1584 le roy de navarre me vint voir a montaigne ou il n'avoit jamais esté & y fut deus jours servi de mes jans sans aucun de ses officiers il n'y souffrit ny essai ny couvert & dormit dans mon lit. Il avoit avec lui messieurs le prince de condé de rohan de Turenne de rieux de Betune et son frere de la Boulaie d'Esternay de Haraucourt de montmartin de montataire de lesdiguieres de Poe de Blacon de Lusignan de Clervant Savignac Ruat Salleboeuf la rocque la roche de rous d'Aucourt de Luns frontenac de Fabas de vivans et son fis la Burte forget Bissouse de saint seurin d'Auberville le lieutenant de la compaignie de monsieur le prince son escuier et environ dix autres gentilshommes coucherent ceans outre les valets de chambre pages et soldats de sa garde. Environ autant alerent coucher aus villages. Au partir de ceans je lui fis elancer un cerf en ma forest qui le promena deux jours

Récit de la visite rendue par le roi de Navarre, le futur roi Henri IV, à Montaigne.

39. Méfiance de Montaigne à l'égard du dévouement à la chose publique (I, 39, *De la solitude*)

40. L'expérience de Montaigne à la mairie de Bordeaux (III, 10, *De ménager sa volonté*)

Reproduction d'un plan d'époque de la ville de Mexico.

Bilan

L'action

• Ce que nous savons

Montaigne a eu des ambitions politiques et parlementaires très vite déçues, qui l'ont conduit à se retirer dès 1571 sur ses terres et à vivre de ses rentes. Néanmoins, les Essais *qu'il entreprit pour tenter de comprendre le sens de son existence et de surmonter les deuils de La Boétie et de Pierre Eyquem, en leur rendant hommage, ne constituaient au départ qu'une activité sans autre objet précis. Dégoûté des mœurs et des pratiques sociales de ses contemporains en matière de politique comme de religion, Montaigne s'est réfugié dans la lecture et dans l'exemple des Anciens. Pour ce que les* Essais *révèlent de son engagement public, il a toujours été proche – puis nostalgique – de la ligne d'ouverture suivie par Michel de L'Hospital et Catherine de Médicis jusqu'en 1567. En revanche, après 1574, il ne semble guère apprécier les manœuvres des Guise et celles de Monsieur, frère du roi, le duc François d'Alençon, sous le règne d'Henri III, lui-même prince fastueux et fantasque que Montaigne n'estime peut-être pas davantage. On sait que, bien qu'il fût gentilhomme ordinaire des deux cours de France et de Navarre, la sympathie de Montaigne allait au protestant Henri de Navarre, futur Henri IV, qu'il reçut plusieurs fois chez lui. Il ne faut pas en déduire que Montaigne ait été en coquetterie avec la « nouvelleté » du protestantisme. Il appartient, entre les deux extrêmes de l'ultracatholicisme (les Guise qui, à partir de 1576, fondent la Ligue) et du protestantisme (Coligny et les Bourbon), au courant pragmatique et modéré des Politiques, dont la position triomphera finalement après la mort de l'écrivain dans l'acte symbolique de l'abjuration du protestantisme par Henri IV.*

• Ce que nous pouvons nous demander

1. *Les* Essais *sont-ils pour Montaigne une pure échappatoire à la société de son temps ?*

2. *Traduisent-ils un renoncement à l'engagement public et en actes dans son époque ?*

III

UNE ALLURE POÉTIQUE, À SAUTS ET À GAMBADES

« J'aime l'allure poétique, à sauts
et à gambades. C'est un art,
comme dit Platon, léger, volage,
démoniacle. »
(III, 9, *De la vanité*)

L'ÉCRIVAIN ET SON PUBLIC :

LA CAMBRURE

41. Un parler simple et naïf, succulent et nerveux...

42. Le sens de l'enrichissement de la langue

traduicte de latin en francois (par michel de Montaigne, fils) paris, Michel Sonnius

A MONSEIGNEVR, MONSEIGNEVR DE MONTAIGNE.

MONSEIGNEVR, suyuant la charge que vous me donnastes l'année passée chez vous à Montaigne, i'ay taillé & dressé de ma main à Raimōd Sebon, ce grand Theologien & Philosophe Espaignol, vn accoustrement à la Françoise, & l'ay deuestu, autant qu'il a esté en moy ; de ce port farrouche, & maintien Barbaresque, que vous luy vites premierement : de maniere qu'à mon opinion, il a meshuy assez de façon & d'entre-gent, pour se presenter en toute bonne compaignie. Il pourra bien estre, que les personnes delicates & curieuses y remarqueront quelque traict, & ply de Gascongne : mais ce leur sera d'autant plus de honte, d'auoir par leur nonchallance laissé prendre sur eulx cest aduantaige, à vn homme de tout point nouueau & aprenty en telle besongne. Or mōseigneur, c'est raison que sous vostre nom il se pousse en credit, & mette en lumiere, puis que il vous doit tout ce que il a d'mendement & reformation. Toutesfois ie voy bien que s'il vous plaist de conter auec luy, ce sera vous qui luy deurez beaucoup de reste : car en change de ses excellens & tres-religieux discours, de ses hautaines conceptions & comme diuines, il se trouuera que vous n'y aurez apporté de vostre part, que des mots & du langage : marchandise si vulgaire & si vile, que qui plus en a, n'en vaut, à l'auanture, que moins.

Monseigneur, ie supplie Dieu, qu'il vous doint treslongue & tresheureuse vie. De Paris ce 18. de Iuin. 1568.

Vostre treshumble & tresobeissant fils,
Michel de Montaigne.

ESTHÉTIQUE DE MONTAIGNE

DE LA LANGUE

41. Un parler simple et naïf, succulent et nerveux... (I, 26, *De l'institution des enfants*)

42. Le sens de l'enrichissement de la langue (III, 5, *Sur des vers de Virgile*)

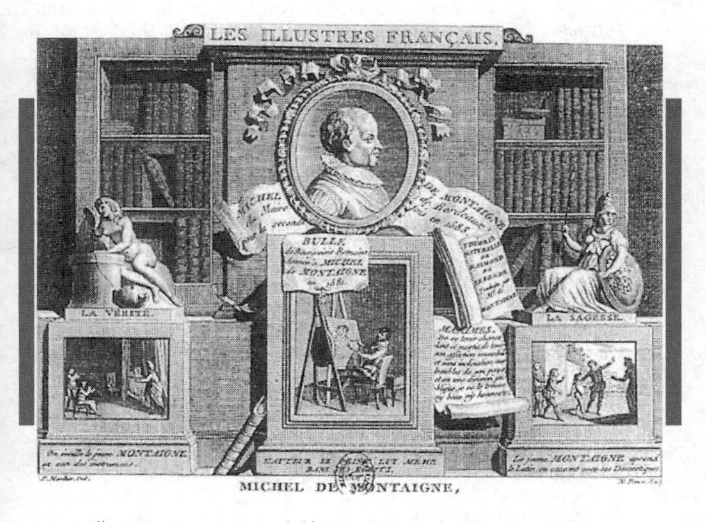

Illustration pour un manuel d'histoire littéraire du début du XXe siècle.

43. De l'usage des citations dans les *Essais* : la prédilection pour Plutarque, la sobriété de César

Je ne fais point de doute[1] qu'il ne m'advienne souvent de parler de choses qui sont mieux traitées chez les maîtres du métier, et plus véritablement. C'est ici purement l'essai de mes facultés naturelles, et nullement des acquises ; et qui me surprendra d'ignorance[2], il ne fera rien contre moi, car à peine répondrai-je à autrui de mes discours, qui[3] ne m'en réponds point à moi ; ni n'en suis satisfait. Qui sera en cherche de[4] science, si[5] la pêche où elle se loge : il n'est rien de quoi je fasse moins de profession. Ce sont ici mes fantaisies[6], par lesquelles je ne tâche point à[7] donner à connaître les choses, mais moi : elles[8] me seront à l'aventure[9] connues un jour, ou l'ont autrefois été, selon que la fortune m'a pu porter sur les lieux où elles étaient éclaircies. Mais il ne m'en souvient plus.

Et si je suis homme de quelque leçon, je suis homme de nulle rétention[10].

Ainsi je ne pleuvis[11] aucune certitude, si ce n'est de faire connaître jusques à quel point monte, pour cette heure, la connaissance que j'en[12] ai. Qu'on ne s'attende pas aux matières[13], mais à la façon[13] que j'y donne.

Qu'on voie, en ce que j'emprunte, si j'ai su choisir de quoi rehausser mon propos. Car je fais dire aux autres ce que je ne puis si bien[14] dire, tantôt par faiblesse de mon langage, tantôt par faiblesse de mon sens. Je ne compte pas mes emprunts, je les pèse[15]. Et si je les

---

1. *Je ne fais point de doute* : Je ne doute pas.
2. *me surprendra d'ignorance* : me prendra en défaut d'ignorance.
3. *qui* : moi qui.
4. *en cherche de* : en quête de.
5. *si* : nuance explétive : eh bien (qu'il la cherche). Le sens littéral serait : ainsi.
6. *fantaisies* : pensées.
7. *à* : de.
8. *elles* : les choses (par opposition à « *moi* »).
9. *à l'aventure* : peut-être.
10. *rétention* : mémoire (« *leçon* » a ici son sens moderne, mais aussi celui de « lecture »).
11. *pleuvis* : garantis.

43. De l'usage des citations dans les *Essais* : la prédilection pour Plutarque, la sobriété de César (II, 10, *Des livres*)

Je ne fais point de doute qu'il m'arrive souvent de parler de choses qui sont mieux traitées chez les maîtres du métier, et avec plus de vérité. C'est ici purement l'essai de mes facultés naturelles, et nullement celui des acquises ; et qui me prendra en défaut d'ignorance ne fera rien contre moi, car c'est à peine si je répondrai à autrui de mes discours, moi qui ne m'en réponds point à moi-même, ni n'en suis satisfait. L'homme qui sera en quête de science, qu'il aille la pêcher où elle se loge : il n'est rien dont je fasse moins profession. Ce sont ici mes idées, avec lesquelles je tâche de donner à connaître non point les choses, mais moi : ces dernières me seront peut-être connues un jour, ou me l'ont autrefois été, dans la mesure où la fortune a pu me porter sur les lieux où elles étaient éclaircies. Mais je ne m'en souviens plus. Et, si je suis capable d'une quelconque leçon, je suis incapable de la moindre rétention.
Ainsi je ne garantis aucune certitude, si ce n'est de faire connaître jusqu'où se monte, pour l'heure, la connaissance que j'en ai. Qu'on ne prête pas attention aux matières, mais à la façon que je leur donne.
Qu'on voie, dans ce que j'emprunte, si j'ai su rehausser mon propos. Car je fais dire aux autres ce que je ne puis dire aussi bien, tantôt du fait de la faiblesse de mon langage, tantôt du fait de la faiblesse de mon intelligence. Je ne compte pas mes emprunts, je les pèse. Et,

---

12. *en* : des choses (la continuité du texte a été rompue par l'addition C).
13. *matières, façon* : nouvelle opposition importante ; ici elle recouvre celle du fond et de la forme, même si les mots choisis par Montaigne donnent sa tonalité propre à l'antithèse. Sur le mot «*façon*», voir le texte n° 30.
14. *si bien* : aussi bien.
15. *Je ne compte pas* [...] *je les pèse* : l'opposition est cette fois plus originale dans la mesure où ces emprunts, dans leur «façon», sont une caractéristique du seul Montaigne.

eusse[1] voulu faire valoir par nombre, je m'en fusse[2] chargé deux fois autant. Ils sont tous, ou fort peu s'en faut, de noms si fameux et anciens qu'ils me semblent se nommer assez sans moi[3]. Ès[4] raisons et inventions
30 que je transplante en mon solage[5] et confonds[6] aux miennes, j'ai à escient[7] omis parfois d'en marquer l'auteur, pour tenir en bride la témérité de ces sentences hâtives qui se jettent[8] sur toute sorte d'écrits, notamment jeunes[9] écrits d'hommes encore vivants, et en
35 vulgaire[10], qui[11] reçoit[12] tout le monde à en parler et qui semble convaincre[13] la conception et le dessein, vulgaire de même. Je veux qu'ils donnent une nasarde à Plutarque sur mon nez, et qu'ils s'échaudent à injurier Sénèque en moi. Il faut musser[14]
40 ma faiblesse sous ces grands crédits.

J'aimerais quelqu'un qui me sache déplumer, je dis[15] par clarté de jugement et par la seule distinction de la force et beauté des propos. [...]

Les historiens sont ma droite balle[16] : ils sont plaisants et
45 avisés ; et quant et quant[17] l'homme en général, de qui je cherche la connaissance, y paraît plus vif et plus entier qu'en nul autre lieu[18], la diversité et vérité de ses conditions internes[19] en gros et en détail, la variété des moyens de son assemblage[20] et des accidents qui
50 le menacent. Or ceux qui écrivent les vies, d'autant qu'ils s'amusent[21] plus aux conseils[22] qu'aux événements, plus à ce qui part du dedans qu'à ce qui arrive au-dehors, ceux-là me sont plus propres. Voilà pourquoi, en toutes sortes,

1. *si j'eusse* : si j'avais.
2. *je m'en fusse* : je m'en serais.
3. *se nommer assez sans moi* : un côté Umberto Eco chez Montaigne (ou serait-ce qu'Umberto Eco n'a rien inventé, ou que ce qui paraîtrait aujourd'hui mystification n'était, à l'époque, qu'allusion banale ?).
4. *Ès* : Dans les.
5. *solage* : sol.
6. *confonds* : harmonise, mélange (sens non péjoratif).
7. *à escient* : volontairement.
8. *qui se jettent* : que l'on jette.
9. *jeunes* : récents.
10. *en vulgaire* : en langue vulgaire (français).
11. *qui* : la langue vulgaire qui.
12. *reçoit* : admet, autorise.
13. *convaincre* : condamner.
14. *musser* : cacher.
15. *je dis* : et ce.

si j'avais voulu les faire valoir par le nombre, je m'en serais chargé deux fois autant. Ils sont tous, ou fort peu s'en faut, de noms si fameux et anciens qu'ils me
30 semblent se nommer assez sans moi. Pour les raisonnements et les trouvailles que je transplante dans mon sol et que je confonds avec les miens, j'ai volontairement omis parfois d'en indiquer l'auteur, pour tenir la bride à ces jugements hâtifs que l'on jette sur toute sorte
35 d'écrits, notamment sur les écrits récents d'hommes encore vivants et faits en langue vulgaire, car la langue vulgaire permet à tout le monde d'en parler et semble condamner la conception et le dessein comme également vulgaires. Je veux qu'on donne une chiquenaude à
40 Plutarque sur mon nez et qu'on se brûle à injurier Sénèque à travers moi. Il me faut cacher ma faiblesse sous ces grandes autorités.

J'aimerais quelqu'un qui sache me déplumer, et ce par la clarté de son jugement et par sa seule aptitude à discer-
45 ner la force et la beauté des propos. [...]

Les historiens sont ma balle de coup droit : ils sont plaisants et faciles ; et en même temps l'homme en général, dont je cherche la connaissance, apparaît chez eux plus vivant et plus complet qu'en aucun autre endroit, dans
50 la diversité et la vérité de ses qualités en gros et en détail, dans la variété de ses modes de vie en société et des accidents qui le menacent. Or ceux qui écrivent des vies, compte tenu qu'ils s'arrêtent davantage aux réflexions qu'aux événements, à ce qui part du dedans
55 qu'à ce qui se produit au-dehors, ceux-là sont plus proprement dans mes goûts. Voilà pourquoi, à tous égards,

---

16. *ma droite balle* : mon coup droit, c'est-à-dire mon point fort, ma matière favorite. L'image est empruntée à la pelote ou jeu de paume, ancêtre du tennis, où le coup droit était considéré comme plus facile que le revers.
17. *et quant et quant* : et en même temps.
18. *lieu* : genre littéraire.
19. *conditions internes* : caractéristiques intimes.
20. *son assemblage* : ses associations, ses modes de sociabilité.
21. *s'amusent* : passent leur temps.
22. *conseils* : réflexions.

c'est mon homme que Plutarque[1]. Je suis bien marri[2] que
55 nous n'ayons une douzaine de Laërtius[1], ou qu'il ne soit ou
plus étendu **ou plus entendu**. Car je ne considère pas
moins curieusement[3] la fortune et la vie de ces grands précepteurs du monde, que la diversité de leurs dogmes et
fantaisies[4].
60 En ce genre d'étude des Histoires, il faut feuilleter sans distinction toutes sortes d'auteurs, et vieils et nouveaux, et
baragouins[5] et français, pour y apprendre les choses de
quoi diversement ils traitent. Mais César[6] singulièrement me
semble mériter qu'on l'étudie, non pour la science de l'His-
65 toire seulement, mais pour lui-même, tant il a de perfection
et d'excellence par-dessus tous les autres quoique Salluste[7]
soit du nombre. Certes, je lis cet auteur[8] avec un peu plus
de révérence et de respect qu'on ne lit les humains
ouvrages : tantôt le considérant lui-même par ses actions et
70 le miracle de sa grandeur, tantôt la pureté et inimitable
polissure[9] de son langage qui a surpassé non seulement
tous les historiens, comme dit Cicéron[7], mais **à l'aventure**[10] Cicéron[7] même. Avec tant de sincérité en ses jugements, parlant de ses ennemis, que, sauf les fausses cou-
75 leurs de quoi il veut couvrir sa mauvaise cause[11] et l'ordure
de sa pestilente ambition, je pense qu'en cela seul on y
puisse trouver à redire qu'il a été trop épargnant[12] à parler
de soi. Car tant de grandes choses ne peuvent avoir été
exécutées par lui, qu'il n'y soit allé beaucoup plus du sien[13]
80 qu'il n'y en met.

(II, 10, *Des livres*)

44. L'allure poétique des *Essais*

1. *Plutarque, Laërtius* : sur ces écrivains, voir notre chronologie biographique des Anciens, et pour Plutarque la fin du texte n° 13.
2. *marri* : désolé.
3. *moins curieusement* : avec moins de curiosité.
4. *fantaisies* : idées.
5. *baragouins* : étrangers.
6. *César* : voir notre chronologie biographique des Anciens et le texte n° 13. César est un cas particulier parce qu'il fut à la fois homme de guerre, homme politique et remarquable écrivain.
7. *Salluste, Cicéron* (Ier siècle avant J.-C.) : voir notre chronologie sur ces deux personnages.
8. *cet auteur* : César.

c'est mon homme que Plutarque. Je suis bien chagrin que nous n'ayons pas une douzaine de Diogène Laerce, ou qu'il n'ait, ou plus d'étendue, ou plus d'entendement.
60 Je ne considère pas avec moins de curiosité, en effet, la fortune et la vie de ces grands précepteurs du monde que la diversité de leurs doctrines et de leurs idées. Dans cette catégorie d'étude que sont les Histoires, il faut feuilleter sans distinction toute sorte d'auteurs,
65 anciens aussi bien que récents, baragouineurs aussi bien que français, pour y apprendre les choses dont, en divers sens, ils parlent. Mais César particulièrement me semble mériter qu'on l'étudie, non seulement pour la science de l'Histoire, mais pour lui-même, tant il a de
70 perfection et d'éminence par-dessus tous les autres (quoique Salluste soit du nombre). En vérité je lis cet auteur avec un peu plus de déférence et de respect qu'on ne lit les ouvrages humains : le considérant tantôt lui-même dans ses actions et le miracle de sa grandeur,
75 tantôt dans la pureté et l'inimitable polissure de son langage, qui a surpassé non seulement tous les historiens, comme dit Cicéron, mais peut-être Cicéron lui-même. Avec tant de sincérité dans ses jugements, quand il parle de ses ennemis, que mises à part les couleurs fausses
80 dont il veut recouvrir sa mauvaise cause et l'ordure pestilentielle de son ambition, je pense que le seul fait sur lequel on puisse lui trouver à redire, c'est qu'il a été trop économe à parler de lui-même. Car tant de grandes choses ne peuvent avoir été exécutées par lui, sans qu'il
85 y ait eu beaucoup plus de son fait qu'il n'en met dans ses écrits.

44. L'allure poétique des *Essais* (III, 9, *De la vanité*)

9. *polissure* : sobriété, patine.
10. *à l'aventure* : peut-être.
11. *sa mauvaise cause* : le parti autoritaire qui mit fin à la République romaine, dont la cause était défendue par Pompée.
12. *épargnant* : réservé, réticent.
13. *du sien* : de son fait.

Questions

Compréhension

1. *Essayez de définir en quelques traits l'esthétique littéraire de Montaigne, en vous axant notamment sur le vocabulaire, le style, la composition, les effets à rechercher selon lui.*

2. *Quels moyens Montaigne propose-t-il pour enrichir la langue française ? Quels écrivains l'avaient précédé dans ce souci ?*

3. *En quoi l'usage que Montaigne fait des Anciens pour son livre est-il représentatif des comportements sociaux de son temps ?*

4. *Pourquoi les historiens intéressent-ils particulièrement Montaigne ? Comment se définit le genre des Histoires au XVIe siècle ? À quel genre s'oppose-t-il ?*

5. *En quoi consiste le maniérisme de Montaigne ?*

Écriture

6. *Quelles métaphores reviennent le plus souvent sous la plume de Montaigne lorsqu'il parle du langage et en particulier de celui des Essais ?*

7. *À quoi ces métaphores récurrentes assimilent-elles finalement la littérature ? Que nous révèle une telle conception sur la personnalité de Montaigne ?*

stoient au mouuement. On eust dict que c'estoient des hommes de fer: car ils auoient des accoustremés de teste si proprement assis, & representans au naturel la forme & parties du visage, qu'il n'y auoit moyen de les assener que par des petits trous ronds, qui respondoient à leurs yeux, leur donnant vn peu de lumiere, & par des fentes, qui estoient à l'endroict des naseaux, par où ils prenoient assez malaisément halaine,

Flexilis inductis animatur lamina membris,
Horribilis visu, credas simulachra moueri
Ferrea, cognatóque viros spirare metallo.
Par vestitus equis, ferrata fronte minantur,
Ferratósque mouent securi vulneris armos.

Voila vne description, qui retire bien fort à l'equippage d'vn homme d'armes François, à tout ses bardes. Ie veus dire encore ce mot pour la fin : Plutarque dit que Demetrius fit faire pour luy, & pour Alcinus, le premier homme de guerre qui fut aupres de luy, à chacun vn harnois complet du poids de six vingts liures, là où les communs harnois n'en pesoient que soixante.

Des Liures. CHAP. X.

Ie ne fay point de doute, qu'il ne m'aduienne souuent de parler de choses, qui sont ailleurs plus richement traictées, chez les maistres du mestier, & plus veritablement. C'est icy purement l'essay de mes facultez naturelles, & nullement des acquises: & qui me surprẽdra d'ignorance, il ne fera rien contre moy : car à peine respondroy-ie à autruy de mes discours, qui ne m'en responds point à moy mesme, ny n'en suis satisfaict. Qui sera en cherche de science, si la cherche où elle se loge : il n'est rien dequoy ie face moins de profession. Ce sont icy mes fantasies, par lesquelles ie ne tasche point à donner à connoistre les choses, mais moy : elles me

[illegible] porter, sur les lieux, où elles ont autresfois [illegible] quoy conseruer trois iours la munition, que ie luy auray donné en garde. Ainsi ie ne pleuuy aucune certitude, si ce n'est de faire connoistre ce que ie pense,

Excutienda damus præcordia.

& iusques à quel poinct monte pour cette heure, la connoissance, que i'ay de ce, dequoy ie traitte. Qu'on ne s'attende point aux choses, dequoy ie parle, mais à ma façon d'en parler, & à la créance que i'en ay. Ce que ie desrobe d'autruy, ce n'est pas pour le faire mien, ie ne pretẽs icy nulle part, que celle de raisonner & de iuger: le demeurant n'est pas de mon rolle. Ie n'y demande rien, sinõ qu'on voie si i'ay sceu choisir ce, qui ioignoit iustement à mon propos. Et ce que ie cache par fois le nom de l'autheur à escient és choses que i'emprũte, c'est pour tenir en bride la legereté de ceux, qui s'entremettent de iuger de tout ce qui se presente, & n'ayans pas le nez capable, de gouster les choses par elles mesmes, s'arrestent au nom de l'ouurier & à son credit. Ie veux qu'ils s'eschaudent à condamner Cicero ou Aristote en moy. De cecy suis-ie tenu de respõdre, si ie m'empesche moymesme, s'il y a de la vanité & vice en mes discours, que ie ne sente poinct, ou que ie ne soye capable de sentir en me le representãt. Car il eschape souuẽt des fautes à nos yeux, mais la maladie du iugemẽt consiste à ne les pouuoir apercevoir, lorsqu'on les offre à sa veuë. La sciẽce & la verité, peuuẽt loger chez nous sans iugemẽt, & le iugemẽt y peut aussi estre sans elles: voire la recõnoissance de l'ignorãce est, l'vn des plus beaux & plus seurs tesmoignages de iugement que ie trouue. Ie n'ay point d'autre sergent de bande, à rãger mes pieces, que la fortune. A mesme que mes resueries se presentent, ie les entasse: tantost elles se pressent en foule, tantost elles se trainent

XII.

45. Les trois types de lecteur

Or, de moi[1], j'aime mieux être importun et indiscret que flatteur et dissimulé.

J'avoue qu'il se peut mêler quelque pointe de fierté et d'opiniâtreté à se tenir ainsi entier[2] et découvert sans
5 considération d'autrui ; et me semble[3] que je deviens un peu plus libre où il le faudrait moins être, et que je m'échauffe par l'opposition du[4] respect. Il peut être[5] aussi que je me laisse aller après[6] ma nature, à faute[7] d'art. Présentant aux grands cette même licence de langue et de
10 contenance que j'apporte de ma maison, je sens combien elle décline vers l'indiscrétion et incivilité. Mais, outre ce que je suis ainsi fait, je n'ai pas l'esprit assez souple pour gauchir à[8] une prompte demande et pour en échapper par quelque détour, ni pour feindre une vérité, ni assez de
15 mémoire pour la retenir ainsi feinte, ni certes assez d'assurance pour la maintenir[9], et fais le brave par faiblesse. Par quoi je m'abandonne à la naïveté, et à toujours dire ce que je pense, et par complexion et par discours, laissant[10] à la fortune d'en conduire l'événement [...].

20 Et puis, pour qui écrivez-vous ? Les savants à qui touche la juridiction livresque[11] ne connaissent autre prix que de la doctrine[12], et n'avouent[13] autre procédé en nos esprits que celui de l'érudition et de l'art : si vous avez pris l'un des Scipions pour l'autre, que
25 vous reste-t-il à dire qui vaille ? Qui ignore Aristote,

---

1. *de moi* : pour ma part.
2. *se tenir ainsi entier* : se montrer ainsi entier, d'un seul bloc.
3. *et me semble* : et il me semble.
4. *l'opposition du* : le refus du, l'opposition à.
5. *être* : se produire, arriver.
6. *après* : suivant.
7. *à faute* : faute.
8. *gauchir à* : dévier devant, trouver un biais face à.
9. *maintenir* : affirmer comme vraie (une déclaration fausse).

L'AFFIRMATION DE LA SINCÉRITÉ

45. Les trois types de lecteur (II, 17, *De la présomption*)

Or, de moi-même, j'aime mieux être importun et indiscret que flatteur et dissimulé.
J'avoue qu'il peut se mêler une pointe de fierté et d'opiniâtreté à se tenir de la sorte, entier et découvert sans se préoccuper d'autrui ; et il me semble que je deviens un peu plus libre là où il faudrait l'être moins, et que je m'échauffe par contradiction avec le respect que je dois. Il est possible aussi que je me laisse aller au penchant de ma nature, faute d'art. Présentant aux grands cette même licence dans ma langue et ma contenance que j'apporte de ma maison, je sens combien elle confine à l'indiscrétion et à l'impolitesse. Mais, outre que je suis ainsi fait, je n'ai pas l'esprit assez souple pour biaiser devant une demande prompte et y échapper par quelque détour, ni pour feindre une vérité, ni assez de mémoire pour la retenir une fois feinte de la sorte, ni certes assez d'assurance pour la soutenir ; et je fais le brave par faiblesse. C'est pourquoi je m'abandonne à la naïveté et à toujours dire ce que je pense, et par tempérament et par raison, laissant à la fortune le soin d'en conduire le résultat [...].
Et puis pour qui écrivez-vous ? Les savants, à qui revient la juridiction des livres, ne connaissent d'autre valeur que celle de la science, et n'approuvent d'autre procédé pour nos esprits que celui de l'érudition et de l'art : si vous avez pris l'un des Scipion pour l'autre, que vous reste-t-il à dire de valable ? Qui ignore Aristote s'ignore,

---

10. *laissant* : laissant le soin.
11. *livresque* : des livres.
12. *doctrine* : science, savoir académique, discours universitaire.
13. *n'avouent* : ne reconnaissent comme valable.

selon eux s'ignore quant et quant[1] soi-même. Les âmes communes et populaires ne voient pas la grâce et le poids d'un discours hautain et délié. Or ces deux espèces occupent le monde. La tierce[2], à qui vous
30 tombez en partage, des âmes réglées et fortes d'elles-mêmes, est si rare, que justement elle n'a ni nom, ni rang entre[3] nous : c'est à demi temps perdu d'aspirer et de s'efforcer à lui plaire.

(II, 17, *De la présomption*)

46. Franchise de l'homme comme de l'écrivain

Ceux qui disent communément contre ma profession[4] que ce que j'appelle franchise, simplesse[5] et naïveté en mes mœurs, c'est art et finesse et plutôt prudence que bonté, industrie que nature, bon sens que bonheur[6], me font plus
5 d'honneur qu'ils ne m'en ôtent. Mais certes ils font ma finesse trop fine, et qui m'aura suivi et épié de près, je lui donnerai gagné[7], s'il ne confesse qu'il n'y a point de règle en leur école, qui sût[8] rapporter[9] ce naturel mouvement et maintenir une apparence de liberté et de licence si pareille
10 et inflexible parmi des routes si tortues[10] et diverses, et que toute leur attention et engin[11] ne les y saurait conduire. La voie de la vérité est une et simple, celle du profit particulier et de la commodité des affaires qu'on a en charge, double[12], inégale et fortuite. J'ai vu souvent en
15 usage ces libertés contrefaites et artificielles, mais le plus souvent sans succès.

(III, 1, *De l'utile et de l'honnête*)

1. *quant et quant* : en même temps, par là-même.
2. *tierce* : troisième.
3. *entre* : parmi.
4. *profession* : déclaration de franchise, affirmation que je suis « de bonne foi » (cf. l'avis *Au lecteur*).
5. *simplesse* : simplicité, candeur.
6. *bonheur* : chance, réussite.
7. *je lui donnerai gagné* : je lui donnerai partie gagnée, je reconnaîtrai ma défaite (donc ma mauvaise foi et l'apprêt de ma démarche).
8. *qui sût* : qui fût à même de, susceptible de.

selon eux, en même temps lui-même. Les âmes communes et populaires ne voient pas la grâce et le poids d'un discours hautain et délié. Or ces deux espèces occupent le monde. La troisième sur laquelle vous tombez en partage, celle des âmes bien réglées et fortes par elles-mêmes, est si rare que justement elle n'a ni nom, ni rang parmi nous : c'est à moitié du temps perdu que d'aspirer et de s'efforcer à lui plaire.

6. Franchise de l'homme comme de l'écrivain (III, 1, *De l'utile t de l'honnête*)

Ceux qui disent couramment contre l'attitude que je professe que ce que j'appelle franchise, simplicité et naïveté dans mes mœurs c'est art et finesse, et plutôt prudence que bonté, habileté que nature, bon sens que bonheur, me font plus d'honneur qu'ils ne m'en retirent. Mais assurément ils font ma finesse trop fine, et celui qui m'aura suivi et épié de près, je lui donnerai partie gagnée s'il n'est pas amené à reconnaître qu'il n'y a point de règle dans leur école qui puisse rendre compte de ce mouvement naturel et maîtriser une apparence de liberté et de licence si constante et inflexible parmi des routes si tordues et diverses, et que toute leur attention et leur ingéniosité ne sauraient les y conduire. La voie de la vérité est une et simple, celle du profit personnel et de l'avantage à tirer des affaires qu'on a en charge, duplice, inégale et aléatoire. J'ai vu souvent en pratique ces libertés contrefaites et artificielles, mais le plus souvent sans succès.

---

9. *rapporter* : expliquer, rendre compte de.
10. *tortues* : torves, tordues.
11. *engin* : ingéniosité (latin *ingenium*).
12. *double* : duplice.

47. L'évolution de la relation de Montaigne à son livre

a) Du détachement...

Quel que je sois, je le veux être ailleurs qu'en papier. Mon art et mon industrie[1] ont été employés à me faire valoir moi-même ; mes études, à m'apprendre à faire, non pas à écrire. J'ai mis tous mes efforts à former ma vie. Voilà mon
5 métier et mon ouvrage. Je suis moins faiseur de livres que de nulle autre besogne. J'ai désiré de la suffisance[2] pour le service de mes commodités présentes et essentielles, non pour en faire magasin et réserve à mes héritiers.
Qui a de la valeur, si[3] le fasse paraître en ses mœurs,
10 **en ses propos ordinaires, à traiter l'amour ou des querelles, au jeu, au lit, à la table, à la conduite de ses affaires, et économie de sa maison. Ceux que je vois faire des bons livres sous des méchantes chausses, eussent premièrement fait leurs chausses, s'ils m'en**
15 **eussent cru. Demandez[4] à un Spartiate s'il aime mieux être bon rhétoricien que bon soldat ; non pas moi[5], que bon cuisinier[6], si je n'avais qui m'en servît.**

(II, 37, *De la ressemblance des enfants aux pères*)

b) ... à l'humour

Qui ne voit que j'ai pris une route par laquelle, sans cesse et sans travail, j'irai autant qu'il y aura d'encre et de papier au monde? Je ne puis tenir registre de ma vie par mes actions : fortune les met trop bas; je le tiens par mes
5 **fantaisies[7]. Si[8] ai-je vu un gentilhomme qui ne communiquait sa vie que par les opérations de son ventre; vous**

---

1. *industrie* : talent.
2. *suffisance* : capacité.
3. *Qui a* [...], *si* : celui qui [...], qu'il.
4. *Demandez* : expression ironique : n'allez pas demander... (la réponse est considérée comme évidemment négative). Les Spartiates étaient connus pour être des soldats aguerris et redoutables, ayant un sens de la patrie et de sa défense à toute épreuve.
5. *non pas moi* : ni à moi (« n'allez pas non plus me demander... »).
6. *que bon cuisinier* : construction elliptique où il faut sous-entendre : si j'aime mieux être bon rhétoricien plutôt que bon cuisinier.

7. L'évolution de la relation de Montaigne à son livre

) Du détachement (II, 37, *De la ressemblance des enfants aux* *ères*)...

Quel que je sois, je veux l'être ailleurs que sur le papier. Mon art et mon habileté ont été employés à me faire valoir moi-même ; mes études à m'apprendre à agir, non pas à écrire. J'ai mis tous mes efforts à former ma vie. Voilà mon métier et mon ouvrage. Je suis moins faiseur de livres que d'aucune autre besogne. J'ai désiré acquérir de la capacité pour en servir mes avantages présents et essentiels, non pour en faire un magasin et une réserve à l'usage de mes héritiers.
Que celui qui a de la valeur la fasse paraître dans ses mœurs, dans ses propos ordinaires, à sa façon de manier l'amour ou des querelles, au jeu, au lit, à table, à la conduite de ses affaires et l'intendance de sa maison. Ceux que je vois faire de bons livres sous de vilaines chausses, auraient commencé par faire leur chausses s'ils m'en avaient cru.
Demandez à un Spartiate s'il aime mieux être bon rhétoricien plutôt que bon soldat; et moi : plutôt que bon cuisinier, si je n'avais personne pour me servir en cet office!

... à l'humour (III, 9, *De la vanité*)

Qui ne voit que j'ai pris une route par laquelle, sans cesse et sans peine, j'irai tant qu'il y aura de l'encre et du papier au monde? Je ne puis tenir un registre de ma vie par mes actions : la fortune les met trop bas; je le tiens par mes idées. J'ai vu ainsi un gentilhomme qui ne faisait part de sa vie que par les opérations de son

7. *fantaisies* : idées, pensées.
8. *Si* : Ainsi.

voyiez chez lui, en montre, un ordre[1] de bassins de sept ou huit jours ; c'était son étude, ses discours ; tout autre propos lui puait. Ce sont ici, un peu civilement, des excréments d'un vieil esprit, dur tantôt, tantôt lâche, et toujours indigeste. Et quand serai-je à bout de[2] représenter[3] une continuelle agitation et mutation de mes pensées, en quelque matière qu'elles tombent, puisque Diomède[4] remplit six mille livres du seul sujet de la grammaire ? [...] Mais il y devrait avoir quelque coercition[5] des lois contre les écrivains ineptes et inutiles, comme il y a contre les vagabonds et fainéants. On bannirait des mains de notre peuple et moi et cent autres. Ce n'est pas moquerie. L'écrivaillerie[6] semble être quelque symptôme d'un siècle débordé. Quand écrivîmes-nous tant que depuis que nous sommes en trouble[7] ? Quand les Romains tant, que lors de leur ruine[8] ? Outre ce[9], que l'affinement des esprits, ce n'en est pas l'assagissement en une police[10], cet embesognement oisif naît de ce que chacun se prend lâchement à l'office de sa vacation[11] et s'en débauche[12]. La corruption du siècle se fait par la contribution particulière de chacun de nous : les uns y confèrent la trahison, les autres l'injustice, l'irréligion, la tyrannie, l'avarice, la cruauté, selon qu'ils sont plus puissants ; les plus faibles y apportent la sottise, la vanité, l'oisiveté, desquels je suis.

(III, 9, *De la vanité*)

1. *un ordre* : une série, un nombre.
2. *quand serai-je à bout de* : quand aurai-je fini de, terminé de.
3. *représenter* : montrer.
4. *Diomède* : en fait le grammairien Didyme qui, au dire de Sénèque (lettre 88), était l'auteur de six mille volumes.
5. *coercition* : contrainte, répression.
6. *L'écrivaillerie* : noter la condescendance du terme, qui reprend le ton qu'on trouvait dans le texte n° 42 : «*les imbéciles*», «les écrivains faibles».
7. *Quand écrivîmes-nous tant que* [...] *en trouble* : allusion aux innombrables pamphlets écrits lors des guerres de Religion, *Discours* de Ronsard, œuvres du protestant François Hotman et plus tard, durant la Ligue, *Satyre Ménippée*.
8. *lors de leur ruine* : à la fin de la période républicaine (Cicéron, César, Salluste) et sous l'Empire (Tacite, Sénèque).
9. *Outre ce* : Outre le fait.
10. *une police* : un système politique, un État.

ventre ; vous voyiez, exposée chez lui, une série de bassins de sept ou huit jours ; c'était son étude, ses discours ; tout autre propos était pour lui puant. Ce sont ici,
10 un peu poliment, des excréments d'un vieil esprit, dur tantôt, tantôt flasque, et toujours indigeste. Et quand donc aurai-je fini de présenter une agitation et une transformation continuelle de mes pensées, sur quelque matière qu'elles tombent, puisque Diomède a rempli six
15 mille livres pour le seul sujet de la grammaire ? [...]
Mais il devrait y avoir une répression des lois contre les écrivains ineptes et inutiles, comme il y en a contre les vagabonds et les fainéants. On bannirait des mains de notre peuple et moi et cent autres. Ce n'est pas une
20 plaisanterie. L'écrivaillerie semble être quelque symptôme d'un siècle déréglé. Quand avons-nous autant écrit que depuis que nous sommes en proie aux troubles ? Quand les Romains l'ont-ils fait autant que lors de leur ruine ? Outre que l'affinement des esprits n'en est pas
25 l'assagissement dans un cadre politique, cette manière oisive de s'occuper naît de ce que chacun s'applique flasquement au devoir de sa fonction et s'en détourne. La corruption du siècle est faite de la contribution personnelle de chacun de nous : les uns y apportent la tra-
30 hison, les autres l'injustice, l'irréligion, la tyrannie, l'avidité, la cruauté selon leur puissance ; les plus faibles y apportent la sottise, la vanité, l'oisiveté, et j'en fais partie.

11. *vacation* : fonction, métier.
12. *s'en débaucher* : se dégager de, prendre des libertés avec (son travail).

Questions

Compréhension

1. *Dans les textes n*[os] *45 et 46, en quoi la franchise affichée par Montaigne témoigne-t-elle en même temps d'une certaine forme d'orgueil ? Cet orgueil vous semble-t-il légitime ? Motivez votre réponse.*

2. *Est-il juste de dire que la relation de Montaigne à son livre a évolué du détachement vers l'humour ? Que recouvrent ces deux étiquettes ? D'autres étiquettes seraient-elles mieux adaptées ?*

Écriture

3. *Qu'est-ce qui fait la spécificité du style du texte n° 46 (passage de l'essai* De l'utile et de l'honnête*) par rapport au reste des extraits ? et celle du texte n° 47 b (passage de l'essai* De la vanité*) ?*

Bilan

L'action

• Ce que nous savons

L'écrivain et son public, l'homme et la société : deux relations qui dans le cas de Montaigne se veulent pratiquement assimilables, puisque, dès l'avis Au lecteur, *il a affirmé se montrer en sa «*façon simple, naturelle et ordinaire*». Les mêmes adjectifs :* «simple et naïf», *reviennent pour qualifier le langage qu'aime Montaigne. Toutefois, dans le détail, on s'aperçoit que l'auteur des* Essais *n'a pas tout de suite assumé la responsabilité pleine et entière de son œuvre ; ou plus exactement il a commencé par dire, au dernier chapitre du livre II, qu'il ne voulait pas qu'on le confonde avec le* «papier» *dont est fait son livre. Si, à la lettre, la contradiction n'est pas complète avec le fameux* «Car c'est moi que je peins» *liminaire, il est tout de même difficile de concilier ces deux formules :* «Quel que je sois, je le veux être ailleurs qu'en papier» *(II, 37) et* «Ainsi, lecteur, je suis moi-même la matière de mon livre» (Au lecteur). *D'autant qu'une fois la publication effectuée, félicité par le roi sur la qualité de son ouvrage, Montaigne, comme on l'a vu, répondit :* «Sire, il faut donc nécessairement que je plaise à votre Majesté», *revenant pour la gommer sans ambages sur la distinction du chapitre* De la ressemblance des enfants aux pères *(II, 37). Par conséquent, en dehors des espérances louables en un avenir où ses «actions» tiendraient le «registre» de sa vie (espérances qui, nous dit-il, furent déçues), on peut supposer que dans un premier temps, vers 1580, incertain du succès que rencontrerait son œuvre, Montaigne, par une superstition de dernière minute, a préféré déclarer que le livre et l'homme étaient deux, comme il écrira plus tard :* «Le maire et Montaigne ont toujours été deux, d'une séparation bien claire.» *Et, en cela, l'homme devant la société et l'écrivain devant son public se rejoignent par une forme de réticence, de réserve, de refus à se livrer totalement.*

• Ce que nous pouvons nous demander

Mais ce qui sera excusable pour une charge – la mairie de Bordeaux – qu'il n'avait pas demandée, l'est moins s'agissant d'un livre qu'il vient, en 1580, d'écrire et de publier de son propre chef. On sait bien sûr que l'hommage à La Boétie et à Pierre Eyquem commandait en large mesure une telle entreprise dans l'esprit de Montaigne, mais il y a tout de même incontestablement ici un vacillement de la «bonne foi». Sans se désavouer totalement par rapport à sa tonitruante proclamation de l'avis Au lecteur *(rédigé en fait après les deux premiers livres et probablement à peine achevé le chapitre 37 du livre II, ce qui la rend d'autant plus contradictoire), l'auteur des* Essais *voudrait qu'au moment d'en terminer la lecture on ne le réduise pas à son livre. Non seulement parce qu'il n'est pas sûr d'avoir rendu de lui une peinture exhaustive, mais parce que, ne souhaitant pas déroger, il répugne à ce métier dégradant de* «faiseur de livres»*.*

Le ton a changé moins d'une dizaine d'années plus tard, lorsque, conforté par le succès immédiat des Essais *(cf. documents d'après-texte), Montaigne dénonce les* «écrivains ineptes et inutiles»*, au rang desquels il se loge non sans provocation. Il se paie alors le luxe d'une fausse modestie que le titre* De la vanité *de l'essai où il la place, ne peut qu'apparenter à un humour de bonne compagnie. Mais, là encore, Montaigne ne se découvre pas, il refuse de parler avec une pleine bonne foi (laquelle impliquerait le risque d'une vulnérabilité), trouvant refuge non plus dans la séparation de l'écrivain et du livre, mais dans l'autodépréciation ironique. Par définition, en effet, l'ironie est une protection. Entre l'appréhension d'être un* «faiseur de livres» *et le dédain serein à l'égard de* «l'écrivaillerie»*, on sent donc le soulagement d'une œuvre accomplie et d'une reconnaissance consacrée.*

Il reste que Montaigne, par son style, son sens de la formule et de la saveur foisonnante du langage, a été peut-être le premier écrivain moderne de la Renaissance «en la forme du parler français»*, et qu'à ce seul titre, les écarts possibles de sa sincérité apparaissent de peu d'importance. En outre, rien n'exclut que Montaigne ait découvert au fil de la plume que la transparence absolue est finalement inaccessible. Il y a toujours un décalage de ce qu'on dit par rapport à ce qu'on veut dire, de ce qu'on dit par rapport à ce qu'on est. Ce n'est pas seulement une question de bonne foi et de franchise, mais l'effet d'une inadéquation du langage à la réalité, et même de soi-même à soi-même. Il subsiste toujours des zones d'ombre.*

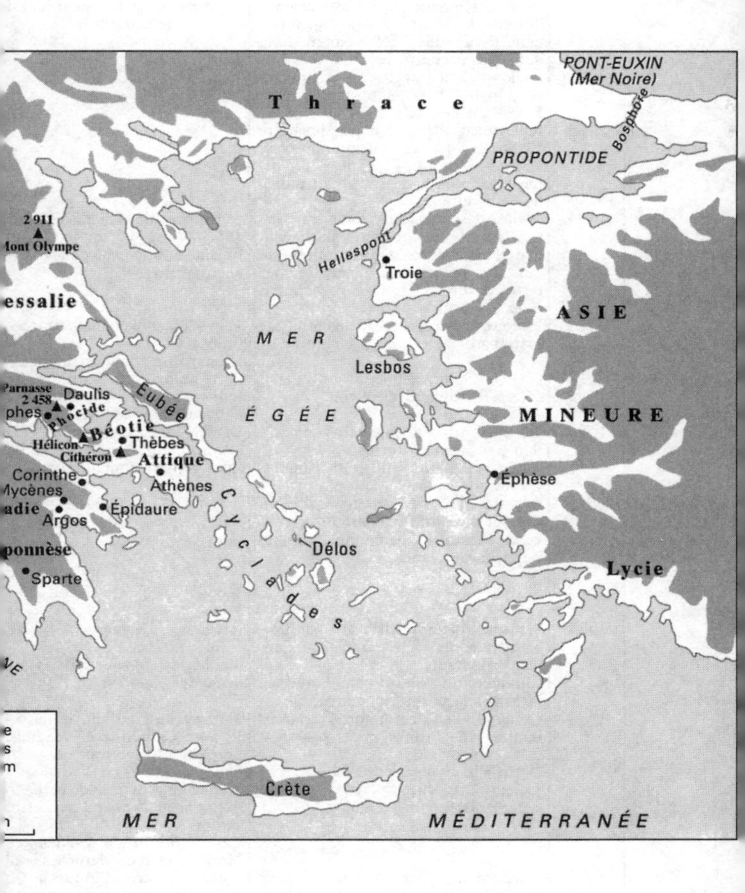
PONT-EUXIN
(Mer Noire)
Thrace
Bosphore
PROPONTIDE
2 911
Mont Olympe
Hellespont
Troie
essalie
ASIE
MER
Lesbos
Parnasse
2 458
Daulis
phes
Phocide
Eubée
ÉGÉE
MINEURE
Béotie
Hélicon
Thèbes
Cithéron
Attique
Corinthe
Mycènes
Athènes
Éphèse
adie
Épidaure
Argos
Cyclades
Délos
ponnèse
Sparte
Lycie
Crète
MER
MÉDITERRANÉE

DATES	ÉVÉNEMENTS HISTORIQUES	ÉVÉNEMENTS CULTURELS
1478	Institution de l'Inquisition en Espagne (bulle de Sixte IV).	
1492	Prise de Grenade par les « rois catholiques », Ferdinand d'Aragon et Isabelle de Castille : achèvement de la *Reconquista* contre les Maures après quelque huit siècles d'occupation musulmane de la péninsule ibérique. Expulsion des juifs d'Espagne.	Découverte du Nouveau Monde Christophe Colomb.
1493	Bulle *Inter Cetera* du pape Alexandre VI Borgia : partage du monde « vers les Indes » entre l'Espagne et le Portugal par une ligne tracée au milieu de l'Atlantique.	
1494	Traité de Tordesillas : nouveau partage fixant une frontière plus occidentale entre les deux empires (ce qui aura pour effet d'octroyer les terres du Brésil – encore à découvrir – au Portugal).	Naissance de Rabelais (meur 1553). Érasme enseigne au collège de M taigu à Paris.
1515	Victoire française à la bataille de Marignan.	Jean Clouet devient peintre du François Ier. Léonard de Vinci en France.
1517	Charles Quint, depuis un an, a succédé à Ferdinand d'Aragon.	Luther affiche ses 95 thèses de tenberg contre les Indulgen début de la Réforme.
1521	Siège et prise de Mexico-Tenochtitlan par Hernan Cortés. Alliance d'Henri VIII et de Charles Quint.	Diète de Worms : Lu excommunié, est mis au ban saint Empire romain germaniq
1525	Désastre de Pavie : François Ier prisonnier à Madrid. Exécution du souverain aztèque Cuauhtemoc par les hommes de Cortés.	
1532	Schisme d'Henri VIII : il s'est proclamé chef de l'Église anglicane l'année précédente. Conquête du Pérou par Francisco Pizarro : siège de Cajamarca.	Rabelais, *Pantagruel*, L'Ari *Roland furieux* ; Machiavel, *Discours sur la pre décade de Tite-Live*.
1533	Exécution de l'Inca Atahualpa par les hommes de Pizarro après paiement de sa rançon. Henri VIII épouse Anne Boleyn.	Mariage du dauphin, le futur H II, avec Catherine de Médicis. Le Titien : portrait de Cha Quint.
1536	Exécution d'Anne Boleyn. Arrivée de Calvin à Genève.	Michel-Ange commence la fre du *Jugement dernier* dans la Cha sixtine. Calvin, *Institution chrétienne*. Mort d'Érasme. Marot est exilé
1539	L'ordonnance de Villers-Cotterêts fait du français la langue officielle des tribunaux.	Ignace de Loyola fonde la Co gnie de Jésus, approuvée l'a suivante par le Pape.

VIE ET ŒUVRE DE MONTAIGNE	DATES
Ramon Eyquem, bisaïeul de l'écrivain, après s'être enrichi dans le commerce du vin et du poisson, achète la terre noble de Montaigne.	1477
ierre Eyquem, au retour des guerres d'Italie, épouse Antoinette de ouppes, dont les deux premiers enfants ne survivront pas (ce qui fera de lichel l'aîné).	1528
	1532
aissance de Michel de Montaigne (28 février). Mis en nourrice dans un ameau de bûcheron, il passe ses premières années à la campagne.	1533
lontaigne, confié à un pédagogue allemand, apprend selon une méthode riginale le latin avant le français.	1535-1536
ntrée au collège de Guyenne à Bordeaux, l'un des premiers de France : nseignement de Georges Buchanan, peut-être de Marc-Antoine Muret.	1539

DATES	ÉVÉNEMENTS HISTORIQUES	ÉVÉNEMENTS CULTURELS
1543	*Nuevas Leyes* (Nouvelles lois) promulguées depuis un an en faveur des Indes d'Amérique.	Traité de Copernic sur la révolution du système solaire.
1547	Ivan le Terrible, âgé de seize ans, se fait proclamer tsar de toutes les Russies. Mort d'Henri VIII et de François Ier.	Naissance de Cervantès. Ronsard et du Bellay au collège de Coqueret.
1548	Révolte de la gabelle en Guyenne.	La Boétie, *Discours de la servitude volontaire*.
1549	Henri II établit une chambre ardente au parlement de Paris, chargée d'instruire contre l'hérésie.	Du Bellay, *Défense et illustration de la langue française*.
1552	Les Turcs du sultan Soliman le Magnifique prennent l'île de Gozzo près de Malte, et la ville de Temesvar en Hongrie (actuelle Timisoara roumaine).	Bartolomé de Las Casas, *Brevissima relación de la destrucción de las Indias*. Ronsard, *Les Amours de Cassandre*.
1554	Le futur Philippe II d'Espagne, épouse Marie Tudor qui, un an auparavant, a négocié avec le Pape le retour de l'Angleterre au catholicisme.	À Genève, Michel Servet a été exécuté l'année précédente. Benvenuto Cellini vient de terminer son *Persée*.
1557		
1558	Mort de Charles Quint. Mort de Marie Tudor : avènement d'Élisabeth Ire, fille d'Henri VIII et d'Anne Boleyn, qui rétablit l'Église anglicane. Guerre contre l'Angleterre et l'Espagne : reprise de Calais aux Anglais.	Marguerite de Navarre, *L'Heptaméron* (publication posthume). Du Bellay, *Les Regrets*, *Les Antiquités de Rome*. Amyot, traduction des *Vies parallèles* de Plutarque sous le titre *Vie des hommes illustres*. André Thevet, *Singularités de la France Antarctique*.
1559	Paix du Cateau-Cambrésis. Mort d'Henri II. Occupation portugaise du fort Coligny érigé dans la baie de Rio par le huguenot Villegagnon : échec de la tentative de création d'une « France Antarctique » (1555-1559) du Nouveau Monde.	Le Primatice nommé surintendant des Bâtiments royaux par François II. Travaux de Pierre Lescot au Louvre.
1560	Mort de François II ; régence de Catherine de Médicis, appel à la tolérance du chancelier Michel de l'Hospital.	Début des travaux du Palais des Offices à Florence.
1561	Colloque de Poissy, au cours duquel le protestant Théodore de Bèze est accusé de blasphème par les catholiques.	
1562	Massacre des huguenots à Vassy : première guerre de Religion. Siège de Rouen, bataille de Dreux.	Naissance de Lope de Vega (-1635). Ronsard, *Discours des misères de ce temps*. Véronèse, *Noces de Cana*.

VIE ET ŒUVRE DE MONTAIGNE	DATES
ıtaigne étudie le droit à Toulouse.	1547 ou 49
ıtaigne est nommé conseiller à la Cour des Aides (cour de justice des res fiscales) de Périgueux.	1554
·ée comme conseiller au Parlement de Bordeaux.	1557
ıt d'une amitié unique avec Étienne de La Boétie, de trois ans son aîné.	1558
ıge à Paris : Montaigne suit le nouveau souverain, François II, à Bar-le- où il voit l'autoportrait de René d'Anjou.	1559
taigne suit la Cour au siège de Rouen où il rencontre les indigènes ués dans l'essai *Des Cannibales* (I, 31).	1562

DATES	ÉVÉNEMENTS HISTORIQUES	ÉVÉNEMENTS CULTUREL
1563	Assassinat du duc François de Guise par le protestant Poltrot de Méré. Édit de pacification d'Amboise. Proclamation de la majorité de Charles IX.	Fin de la dernière sessior Concile de Trente (1562-15 affirmation de la doctrine c Contre-Réforme (réforme c lique), dont s'inspirera baroque, encore appelé *art tric* (car issu du Concile de Trente
1564	Début du voyage de Catherine de Médicis et de Charles IX à travers la France (mars 1564-mai 1566).	Naissance de Shakespeare e Galilée.
1565		Philibert Delorme construit les leries.
1566	Révolte des Pays-Bas contre l'Espagne. Mort de Soliman le Magnifique.	Henri Estienne, *Apologie pour* *dote.*
1567	Surprise de Meaux (tentative d'enlèvement du roi et de la reine-mère par les princes protestants) : deuxième guerre de Religion.	
1568	Emprisonnement de Marie Stuart par Élisabeth Ire. En France, paix de Longjumeau entre catholiques et protestants.	
1569	Troisième guerre de Religion : Coligny, chef du parti protestant depuis la mort de Condé, marche sur Paris.	Camoens, *Les Lusiades.* Mercator dresse sa carte du mc
1570	Édit de pacification de Saint-Germain : liberté de culte pour les protestants. Occupation de Chypre par les Turcs. Destruction de Novgorod par Ivan le Terrible.	Mort de Philibert Delorme et d matice.
1571	Philippe II, vainqueur des Turcs à Lépante. Coligny, conseiller du roi.	Palladio, *Traité d'architecture.* Le Tasse compose la *Jérusalem* *vrée.*
1572	Massacre de la Saint-Barthélemy (24 août). Conversion d'Henri de Navarre qui, venant d'épouser Marguerite de Valois, sera désormais retenu à la Cour. Début de la quatrième guerre de Religion.	Ronsard, *La Franciade.* Amyot, traduction des *Œ* *morales* de Plutarque.
1573	Édit de Boulogne : Catherine de Médicis fait la paix avec les protestants, à qui est accordée la liberté de conscience mais pas de culte.	Naissance du Caravage. François Hotman, *Le Franco-G*
1574	Mort de Charles IX ; avènement d'Henri III de retour de Pologne. Cinquième guerre de Religion (novembre 1574-mai 1576).	Arrivée, en France, de la tr italienne des Gelosi, l'une principales représentantes d « Commedia dell'arte ».
1575		

VIE ET ŒUVRE DE MONTAIGNE	DATES
Mort de La Boétie (18 août).	1563
	1564
Mariage de Montaigne avec Françoise de La Chassaigne, fille d'un collègue au Parlement de Bordeaux : « un bon mariage, s'il en est, refuse la compagnie et condition de l'amour ».	1565
	1566
	1567
Mort de Pierre Eyquem.	1568
Accident de cheval où Montaigne, tombé dans le coma, a cru mourir. Montaigne publie la traduction de *La Théologie naturelle* de Raimond Sebond.	1569
Montaigne vend sa charge de conseiller au Parlement de Bordeaux (24 juillet).	1570
Montaigne se retire en son château où il fait peindre deux inscriptions solennelles sur les murs de sa « librairie ».	1571
Début de la composition des *Essais*.	1572
	1573
Montaigne participe à la reprise de Fontenay-le-Comte aux protestants. Il est chargé de mission par le duc de Montpensier auprès du Parlement de Bordeaux.	1574
Lecture des *Hypotyposes* de Sextus Empiricus.	1575

DATES	ÉVÉNEMENTS HISTORIQUES	ÉVÉNEMENTS CULTURELS
1576	Henri de Navarre s'évade de la Cour et regagne la Gascogne. Paix de Monsieur, très favorable aux protestants : formation de la première Ligue. Début de la sixième guerre de Religion.	Le Titien, portrait de Philippe II. Jean Bodin, *Les Six Livres de la Répu blique*. Publication du *Discours de la serv tude volontaire* sous le titre *Contr'u* par les protestants.
1577	Paix de Bergerac (septembre). Édit de Poitiers (octobre).	Jean de Léry, *Histoire d'un voyag fait en la terre du Brésil, autremer dite Amérique*.
1580	Prise de Cahors par Henri de Navarre dans le cadre de la septième guerre commencée l'année précédente.	Bernard Palissy, *Discours admirabl de la nature des eaux et des fontaine* Robert Garnier, *Antigone*, tragédie
1581	Les Provinces Unies des Pays-Bas proclament leur indépendance à l'égard de l'Espagne.	
1582	Grégoire XIII institue le calendrier grégorien.	Odet de Turnèbe, *Les Content* comédie.
1583		
1584	Mort d'Ivan le Terrible. Mort de François d'Alençon, frère du roi : Henri de Navarre devient l'héritier présomptif de la Couronne de France ; formation de la deuxième Ligue.	Achèvement du palais de l'Escuria Traduction française de l'*Histoi générale des Indes* de Lopez d Gomara. Juste Lipse, *Politiques*.
1585	Les princes ligueurs, associés à Philippe II d'Espagne, publient le manifeste de Péronne. Reprise de la guerre (huitième et dernière).	Mort de Ronsard.
1587	Exécution de Marie Stuart.	Le Greco, *Enterrement du com d'Orgaz*.
1588	Journée des Barricades (12 mai) : Henri III quitte Paris aux mains des ligueurs. Exécution d'Henri de Guise et de son frère le cardinal Louis de Guise.	Tintoret, *Le Paradis*.
1589	Mort de Catherine de Médicis. Réconciliation d'Henri III et d'Henri de Navarre. Assassinat d'Henri III.	Caravage, *Bacchus*.
1590	Siège de Paris par Henri de Navarre devenu Henri IV, qui sera excommunié l'année suivante.	Shakespeare, *Henry VI*.
1592	La Ligue fait régner la terreur et le fanatisme dans Paris assiégé.	Shakespeare, *Richard III*. Naissance de Jacques Callot.
1593	États généraux de la Ligue. Abjuration du protestantisme par Henri IV.	*Le Dialogue du Manant et d Maheustre*.
1594	Sacre d'Henri IV à Chartres. Henri IV fait son entrée dans Paris.	*Satyre Ménippée*.
1595	Guerre contre l'Espagne (→ 1598). Sully, conseiller des Finances.	
1598	Édit de Nantes.	

VIE ET ŒUVRE DE MONTAIGNE	DATES
ɩontaigne fait frapper à son effigie une médaille portant l'emblème de la alance et la devise : « *Que sais-je ?* »	1576
ɩontaigne devient gentilhomme de la Chambre du roi de Navarre.	1577
ublication des deux premiers Livres des *Essais* à Bordeaux (mars). Voyage la Cour, puis en Suisse, Bavière, Italie : séjour à Rome.	1580
éjour à Lucques. Montaigne apprend son élection à la mairie de Bordeaux septembre) et regagne la France à la demande expresse d'Henri III.	1581
)euxième édition bordelaise des *Essais* avec quelques additions inspirée du oyage (édition rattachée à l'état A du texte).	1582
.éélection à la mairie de Bordeaux. Rôle de négociateur entre le parti 'Henri III (maréchal de Matignon, lieutenant-général pour le roi de France n Guyenne) et celui d'Henri de Navarre (Du Plessis-Mornay, homme de onfiance de ce dernier).	1583
	1584
este à Bordeaux et dans la région : Montaigne quitte son château pour uelque temps. Il a commencé la rédaction du troisième Livre des *Essais*.	1585
	1587
'oyage à Paris. Sur la route il est détroussé : on lui vole, puis on lui rend on manuscrit. Publication du troisième Livre des *Essais* avec de considé- ables additions aux deux premiers (état B). À Paris, par représailles contre arrestation d'un ligueur, il est embastillé quelques heures puis libéré à la emande de la reine-mère.	1588
'ouveaux ajouts aux *Essais* sur son exemplaire (aujourd'hui appelé l'exemplaire de Bordeaux ») en vue d'une autre édition.	1589
	1590
ɩort de Montaigne dans son château (13 septembre).	1592
	1593
	1594
dition posthume des *Essais* à Paris, par les soins de Pierre de Brach et de la fille d'alliance » de Montaigne, Marie de Gournay.	1595

Entre les poètes de la Pléiade (Ronsard, Du Bellay, Jacques Peletier du Mans...), les conteurs (Marguerite de Navarre, Noël du Fail), les tragédiens (Garnier, Grévin), les érudits (Henri Estienne, Étienne Pasquier), les écrivains politiques et économistes (Jean Bodin, François Hotman), les voyageurs (André Thevet, Jean de Léry), les auteurs d'almanachs et de prophéties (Nostradamus), la seconde moitié du XVIe siècle ne manque pas de plumes.
Leurs conditions d'existence, selon qu'ils sont attachés à une cour ou sans appui, leurs motivations, selon que, catholiques ou protestants, ils s'engagent dans les troubles civils ou meurent, comme Du Bellay, avant le début des guerres de Religion, enfin les rigueurs de la censure qui s'impose à eux selon les protections dont ils jouissent, changent du tout au tout. Sur le fond, s'il s'agit de définir la couleur dominante des préoccupations du temps, elle est sombre : l'optimisme de la Renaissance première période, celui des humanistes du règne de François Ier, a disparu.

LA CENSURE

La question essentielle pour un écrivain est évidemment celle de la censure. Il court, en effet, de grands risques, à cette époque où la tolérance est étrangère aux habitudes mentales, quand son ouvrage ne se conforme pas à l'orthodoxie religieuse. La faculté de théologie de Paris, à la Sorbonne, peut condamner l'ouvrage. Cet usage remonte à une ordonnance de Philippe III le Hardi plaçant, en 1275, les libraires de France sous la surveillance de l'Université. La Sorbonne transmet sa censure au parlement, qui en rend compte au roi. Tout livre de quelque importance doit avoir obtenu un privilège royal (c'est l'objet de la première étape de Montaigne à la cour de France lors de son voyage en 1580). Le Parlement, en première instance ou en appel, peut condamner à mort les hérétiques. Étienne Dolet a ainsi été brûlé vif en 1546.
Cependant, à moins d'imprudences et de maladresses comme dans le cas de Dolet, et quoique le contrôle soit devenu plus serré après 1545 quand parut le *Catalogue des livres censurés* officialisé par le Parlement, bien des suspects peuvent encore échapper à la censure. Depuis l'affaire des Placards (1534), on n'a pas vu de perquisitions ni d'exécutions à grande échelle. Il est rare que les ouvrages soient systématiquement détruits comme en Espagne.
En matière d'intolérance, les calvinistes ne sont pas en reste. Michel Servet est condamné en 1553 et monte à son tour sur le bûcher à Genève. Sébastien Castellion est également attaqué

par Calvin et Théodore de Bèze. Ainsi, les mœurs sont tendues, et la prudence s'impose.

L'ARME DE LA PLUME

Bien sûr, en cas d'interdiction d'imprimer, l'écrivain peut aller à l'étranger ou même dans d'autres villes. Lyon, par exemple, est plus libérale que Paris. Mais surtout, après 1560, la décomposition de l'État s'accentuant d'années en années, la censure devient moins efficace, et l'on assiste à une montée des écrits polémiques de plus en plus violents, émanant des deux bords : le *Franco-Gallia* de François Hotman en 1573, *Le Réveille-matin des François* en 1574 (titre provocateur donné par les catholiques au *Discours de la servitude volontaire* de La Boétie qu'ils publient par extraits), les *Mémoires de l'État de France sous Charles neuvième* en 1576, recueil de pamphlets antimonarchiques publiés par les protestants (et qui incluent eux aussi le texte de La Boétie !)... Bientôt, la Ligue parisienne prend le relais : en 1589, Jean Boucher, curé de Saint-Benoît, rédige son *De justa Henrici tertii abdicatione* (*De la légitime abdication d'Henri III*) dans lequel il justifie le droit, pour l'Église et pour le peuple, de déposer les rois. Tous ces opuscules circulent plus ou moins sous le manteau, mais ils connaissent un retentissement indéniable. Des copies en sont faites, manuscrites au besoin. La « république » est en effervescence.

L'ÉCRIVAIN ET SON PUBLIC

Montaigne, lui, réagit à cette intolérance par une autocensure, une *« interne vergogne »* : il passe à l'étamine de la neutralité ses attaques et ses allusions, se forçant à taire certains noms, à laisser la plupart des dates dans le vague. Sa prudence naturelle l'incline à pratiquer *« l'embrouillure »*, c'est-à-dire à tempérer ou envelopper son expression, voire à l'insérer dans un lacis déroutant de pensées qui semblent s'égarer, non seulement dans le but de fixer l'attention d'un lecteur trop pressé – *« Qui est celui qui n'aime mieux n'être pas lu que de l'être en dormant ou en fuyant ? »* (texte n° 44) –, mais dans le but de déjouer, tout en la dénonçant par l'exemple, la tendance de cette époque à s'avancer masquée – songeons aux mœurs de la cour des Médicis – comme à tout laisser en l'état : terres saccagées après le passage des troupes, monuments et objets religieux détruits, contraste accusé du luxe et de la misère (cf. le texte 30 : les remarques des Cannibales de Rouen).

Montaigne, de même, laisse son livre et sa maison ouverts à tous vents : *« J'ajoute, mais je ne corrige pas »* (*De la vanité*, III, 9).

On touche ici à une autre question : celle du rapport de l'écrivain à son public. Pour Montaigne, l'essai a l'avantage de la plasticité, il permet les sauts brusques sans souci de clarté, les fantaisies qui se suivent d'une vue oblique, *« plutôt par licence que par mégarde »*. Mais, Hugo Friedrich l'a montré, il y a aussi dans cette désinvolture affichée la nécessité de se conformer à l'attente du lecteur. Ainsi s'explique la prétention nobiliaire de l'écrivain, par l'obligation où il est, s'adressant aux nobles qui forment son public, d'avoir même rang qu'eux pour être écouté. En même temps, le gentilhomme ne doit point paraître pédant, il doit éviter la spécialisation. *« L'écrivaillerie »* doit garder l'allure d'une occupation accessoire et libre. D'où l'insistance de Montaigne sur la gratuité de son projet et sa propension à le dévaloriser. L'activité littéraire, en effet, n'est guère reluisante au XVIe siècle pour un homme qui en fait profession. Les mémorialistes écrivent *« à la cavalière »*, tel Brantôme (ou plus tard *« à la diable »*, tel le cardinal de Retz). Il s'agit de marquer une distance **à l'égard de son œuvre** pour montrer qu'on ne la prend pas au sérieux. L'originalité de Montaigne – qui, pour le reste, se plie en tous points à ces règles de bonne compagnie – est de marquer également une distance **à l'égard du public** par l'ironie insolente dont il fait preuve dans son avis *Au lecteur*. Une ironie, là encore, enveloppée sous une justification vraisemblable : *« Je l'ai voué à la commodité particulière de mes parents et amis. »*

Et ce sont ce même souci d'autonomie et de respectabilité, ce même mélange de provocation et de prudence qui pousseront l'écrivain à soumettre son livre à la censure du Saint Office, souvent plus libérale que celle de la Sorbonne. Beaucoup d'auteurs ne prennent pas cette peine. Ainsi l'attitude de Montaigne est-elle bien plus précautionneuse, attentive et minutieuse que ne l'imposaient les contraintes de son temps. Peu de contemporains de Montaigne, à vrai dire, ont, autant que lui qui s'en défend, recherché dans l'écriture *« un registre de durée »*.

AU XVIe SIÈCLE

La première critique qui ait été formulée sur les *Essais* est antérieure à la publication du troisième livre. C'est celle – élogieuse – de La Croix du Maine (que nous avons citée dans le bilan sur « La création d'un genre », p. 69).
Étienne Pasquier, avocat et humaniste érudit, se montre beaucoup plus attentif dans sa lecture et beaucoup plus nuancé dans son verdict, quoique conscient de la valeur de l'ouvrage. Il présente de surcroît l'intérêt d'avoir connu l'homme et d'en dresser, dans cette longue lettre, une sorte de portrait. Il faut y faire la part, peut-être, de la jalousie, également du respect pour la mémoire du défunt, enfin d'un certain agacement devant l'égocentrisme du personnage :

> *« À Monsieur de Pelgé, Conseiller du Roy et Maistre en sa Chambre du Compte, de Paris.*
> *Vous desirez sçavoir de moy quel jugement je Fay des* Essais *du feu Seigneur de Montaigne, amy commun de nous deux quand il vivoit. Je le vous diray en un mot. Rien ne me desplaist en iceux, encores que tout ne m'y plaise. Il estoit personnage hardy, qui se croyoit et comme tel se laissoit aisément emporter à la beauté de son esprit. Tellement que par ses escrits il prenoit plaisir de desplaire plaisamment. De là vient que vous trouverez en luy plusieurs chapitres dont le Chef ne se rapporte aucunement à tout le demeurant du corps, fors aux pieds, je veux dire aux dix ou douze lignes dernieres du Chapitre, ou en peu de paroles, vers un autre endroit ; et neantmoins le chapitre sera quelque fois de douze feuillets et plus. Tels trouverez vous ceux, dont les titres sont* L'Histoire de Spurina, Des Coches, De la Vanité, De la Physionomie, De la ressemblance des Enfans à leurs peres, Des Boiteux ; *Et sur tous, celuy* Des vers de Virgile, *qu'il pouvoit à meilleur compte intituler,* Coq à l'Asne, *pour s'estre donné pleine liberté de sauter d'un propos à autre, ainsi que le vent de son esprit donnoit le vol à sa plume. Tout de ceste mesme façon s'est il dispensé plusieurs fois d'user de mots inaccoutumez, ausquels, si je ne m'abuse, malaisement baillera il vogue ;* Gendarmer, *pour* braver, Abrier, *pour* mettre à l'abry, Silence parlier, reduit en Enfantillage *pour ce que nous disons* au rang d'enfence, Asture, *pour* à cette heure, *et autres de mesme trempe: pour le moins ne voy je point, que jusques à Huy, ils soient tombez en commun usage. Et sur tout, je n'ai sceu jamais entendre ce qu'il vouloit dire, par ce mot de* Diversion *sur le modelle duquel toutefois il nous a servy d'un bien long chapitre. Mais quoy ? je vous respondray à tout ce que dessus pour luy ; (car je veux estre son Advocat ;*

Et m'asseure que s'il vivoit je ne seroy par luy desadvoué). Prenez de luy ce qui est bon, sans vous attacher à aucune Courtizanie; Ne jettez point l'œil sur le titre, ains sur son discours; Il vous apporte assez de matiere pour vous contenter. C'est en quoy il s'est voulu de propos deliberé moquer de nous, et par aventure de luy mesmes, par une liberté particuliere qui estoit nee avec lui. Il n'y a chapitre plus long que celuy qu'il intitule, L'Apologie de Raimond Sebond, *ny auquel il se soit donné si ample carriere, car il contient quatre-vingts feuillets. Sebond estoit à nous auparavant incogneu; Et neantmoins la moindre partie est de cest Espaignol, tout le demeurant est de nostre Montaigne : Car mesmes, comme il ne s'oublie jamais, il nus a fait expresse mention de l'Ordre de S. Michel, dont il avoit esté honnoré. Il n'y avoit homme moins chiquaneur et praticien que luy : car aussi sa profession estoit toute autre. Toutesfois en son* Chapitre des Noms, *il a par une forme de guet-apens pris plaisir de faire commencer trois ou quatre clauses, par ce mot de* Item, *réservé spécialement à la practique, et je ne trouve rien en tout cecy de mauvais, sinon que luy, qui sur sa prime-vere avoit fait gloire de nous braver par ces contrepointes et piaffes, toutesfois en quelque endroit de son troisiesme Livre, par luy composé long temps apres les deux premiers, il s'en voulut aucunement excuser: chose que j'impute à la foiblesse de son aage, qui emportoit lors à la balance la force de son natürel. Tout ce que j'ay ci-dessus touché, fut par luy faict à dessein. Ce que je diray maintenant sera autre. Nous estions, luy et moy, familiers et amis, par une mutuelle rencontre des lettres; fusmes ensemblement en la ville de Blois, lors de ceste fameuse assemblee des trois Estats, de l'an 1588, dont la fin produisit tant de malheurs à la France. Et comme nous nous promenions dedans la cour du Chasteau, il m'advint de luy dire, qu'il s'estoit aucunement oublié de n'avoir communiqué son œuvre a quelques siens amis, avant que de le publier; D'autant que l'on y recognoissoit, en plusieurs lieux, je ne sçay quoy du ramage Gascon, plus aisément que Pollion n'auroit autrefois faict le Padoüan de Tite Live; Chose dont il eust peu recevoir advis, par un sien amy. Et comme il ne m'ne voulust croire, je le menay en ma chambre, où j'avois son Livre; Et là je luy monstray plusieurs manieres de parler familieres non aux François, ains seulement aux Gascons,* "Un Pate-nostre, un Debte, un Couple, un Rencontre, Les bestes nous flatent, nous requierent, et non nous à elles: Ces ouvrages sentent à l'huile, et à la Lampe." *Et surtout je luy remonstray, que je le voyois habiller le mot* "jouir" *du tout à l'usage de Gascongne, et non de nostre langue*

Françoise ; "Ny la santé que je jouy jusques à present ; La Lune est celle mesmes que vos ayeuls ont jouye, l'amitié ets jouye, à mesure qu'elle est desiree. C'est la vraye solitude, qui se peut jouyr au milieu des Villes, et des Cours des Rois ; Mais elle se peut jouyr plus commodement à part ; Je reçoy ma santé les bras ouverts, et aiguise mon goust à la jouyr." *Plusieurs autres locutions luy representay-je, non seulement sur ce mot, ains sur plusieurs autres, dont je ne me suis proposé de vous faire icy l'Inventaire ; et estimoy qu'à la premiere et prochaine impression que l'on feroit de son Livre, il donneroit ordre de les corriger ; Toutesfois non seulement il ne le fit, mais ainsi soit qu'il fust prevenu de mort, sa Fille par alliance l'a fait r'imprimer, tout de la mesme façon qu'il estoit ; et nous advertit par son Epistre Liminaire, que la Dame de Montaigne le luy avit envoyé tout tel, que son mary projettoit de le remettre au jour. J'ajousterayn à tout cecy, que pendant qu'il faict contenance de se dedaisgner, je ne leu jamais Autheur qui s'estmast tant que luy ; Car qui auroit rayé tous les passages qu'il a employez à parler de soy, et de sa famille, son œuvre seroit r'accourcy d'un quart, à bonne mesure, specialement en son troisiesme Livre, qui semble estre une histoire de ses mœurs et actions ; Chose que j'attribue aucunement à la liberté de sa vieillesse, quand il le composa. Vous jugerez, par tout ce que je vous ay cy-dessus deduit, que le sieur de Montaigne, après sa mort, a un ennemy profez en moy, qui m'estimoy pendant sa vie, bien heureux d'estre honoré de son amitié. Ja à Dieu ne plaise. J'aime, respecte, et honore sa memoire, autant et plus que de nul autre. Et quant à ses* Essais *(que j'appelle* Chefs-d'œuvre*) je n'ay Livre entre les mains que j'aye tant caressé, que celuy-là. J'y trouve tousjours quelque chose à me contenter.*
S'il est mauvais de vivre en necessité, au moins de vivre en necessité il n'est aucune nécessité. »

Pasquier, *Lettre à M. de Pelgé*, posthume, 1619.

Outre-Manche, les *Essais* eurent un succès immédiat et provoquèrent un engouement pour cette manière d'écrire : le genre était adopté. Dès 1597, Francis Bacon inaugure, avec ses *Essaiyes or counsels civill and morall*, l'innombrable lignée anglaise de Montaigne dans laquelle on compte William Temple, Charles Lamb, Thomas de Quincey, William Thackeray... En France, c'est Pierre Charron qui, dans ses *Livres de la sagesse* (1601), se voulut le continuateur de Montaigne.
Le jugement de la « fille d'alliance », Marie de Gournay, qui multiplie les éditions du livre de 1595 à 1635, est dithyram-

bique : *« Ce n'est pas le rudiment des apprentis, c'est l'Alcoran*[1] *des maîtres : œuvre non à goûter par une attention superficielle, mais à digérer et chilifier*[2]*, avec une application profonde, et de plus par un très bon estomac : encore est-ce davantage, un des derniers bons livres qu'on doit prendre, comme il est le dernier qu'on doit quitter »* (Préface à l'édition de 1635).

AU XVIIe SIÈCLE

Pendant trois quarts de siècle, les *Essais* demeurent l'œuvre dominante de la littérature française, fidèle miroir de la nature humaine, trésor de sagesse. C'est ce que résume assez bien le jugement de Daniel Huet (1630-1721), évêque de Soissons et précepteur du Dauphin, fils de Louis XIV :

> *« Son esprit libre, son style varié, et ses expressions métaphoriques lui ont principalement mérité cette grande vogue, dans laquelle il a été pendant plus d'un siècle, et où il est encore aujourd'hui : car c'est pour ainsi dire le bréviaire des honnêtes paresseux, et des ignorants studieux, qui veulent s'enfariner de quelque connaissance du monde, et de quelque teinture des lettres. A peine trouverez-vous un gentilhomme de campagne qui veuille se distinguer des preneurs de lièvres, sans un Montaigne sur sa cheminée. »*

On connaît le célèbre jugement de Madame de Sévigné dans une lettre à sa fille :

> *« Ah ! l'aimable homme ! qu'il est de bonne compagnie ! C'est mon ancien ami ; mais à force d'être ancien, il m'est nouveau... Mon Dieu ! que ce livre est plein de bon sens. »*
> *Mme de Sévigné, Lettre à Mme de Grignan* (6 octobre 1679).

Et celui de Madame de Lafayette, exprimé sous la plume du poète Segrais (1624-1701), son ami :

> *« Montagne sera toujours agréable, et toujours lu. Madame de Lafayette disoit qu'il y avoit plaisir d'avoir un voisin comme lui. »*
>
> Mme de Lafayette, in *Segraisiana*, 1722.

Mais les hommes d'Église se montrent plus sévères. Les jansénistes, dans la *Logique de Port-Royal*, dénoncent la fausse simplicité et les prétentions nobiliaires du personnage :

---

1. L'Alcoran : le Coran, à notre époque on dirait : « la bible » (= le livre de référence).
2. chilifier : néologisme tiré du grec « khileuô » qui signifie « faire paître, nourrir ».

« Il est vrai qu'il tâche autant qu'il peut d'éloigner de lui le soupçon d'une vanité basse et populaire, en parlant librement de ses défauts, aussi bien que de ses qualités, ce qui a quelque chose d'aimable par une apparence de sincérité ; mais il est facile de voir que tout cela n'est qu'un jeu et un artifice qui doit le rendre encore plus odieux. Il parle de ses vices pour les faire connaître, et non pour les faire détester ; il ne prétend pas qu'on doive moins l'en estimer ; il les regarde comme des choses à peu près indifférentes, et plutôt galantes que honteuses ;... mais quand il appréhende que quelque chose le rabaisse un peu, il est aussi adroit que personne à le cacher ; c'est pourquoi un auteur célèbre de ce temps remarque agréablement, qu'ayant eu soin fort inutilement de nous avertir en deux endroits de son livre, qu'il avait un page qui était un officier assez peu utile en la maison d'un gentilhomme de six mille livres de rente, il n'avait pas eu le même soin de nous dire qu'il avait eu aussi un clerc, ayant été conseiller du parlement de Bordeaux ; cette charge, quoique très honorable en soi, ne satisfaisant pas assez la vanité qu'il avait de faire paraître partout une humeur de gentilhomme et de cavalier, et un éloignement de robe et des procès. »

Arnauld, *Logique de Port-Royal.*

Bossuet, ayant apparemment en tête l'*Apologie de Raimond Sebond* qui rabaisse les prétentions humaines, critique le manque de foi de Montaigne :

« Mais, dites-moi, subtil philosophe, qui vous riez si finement de l'homme qui s'imagine être quelque chose, compterez-vous encore pour rien de connaître Dieu ? Connaître une première nature, adorer son éternité, admirer sa toute-puissance, louer sa sagesse, s'abandonner à sa providence, obéir à sa volonté, n'est-ce rien qui nous distingue des bêtes ? Tous les saints, dont nous honorons aujourd'hui la glorieuse mémoire, ont-ils vainement espéré en Dieu ? et n'y a-t-il que les épicuriens brutaux et les sensuels qui aient connu droitement les devoirs de l'homme ? »

Bossuet, *Sermon pour la fête de tous les saints.*

AU XVIIIe SIÈCLE

Le jugement de Voltaire, se faisant un malin plaisir de prendre le contre-pied de Pascal et des jansénistes (pour qui *« le moi est haïssable »*), est bien connu :

« "Le sot projet que Montaigne a eu de se peindre !..." *Le charmant projet que Montaigne a eu de se peindre naïvement comme il l'a fait ; car il a peint la nature humaine. Si*

Nicole et Malebranche avaient toujours parlé d'eux-mêmes, ils n'auraient pas réussi. Mais un gentilhomme campagnard du temps de Henri III, qui est savant dans un temps d'ignorance, philosophe parmi les fanatiques, et qui peint sous son nom mes faiblesses et mes folies, est un homme qui sera toujours aimé.»

Voltaire, *Lettres philosophiques* XXV, *Sur les pensées de M. de Pascal*, 1734.

Celui de Rousseau, dans les *Confessions*, l'est aussi :

«J'avais toujours ri de la fausse naïveté de Montaigne, qui faisant semblant d'avouer ses défauts, a grand soin de ne s'en donner que d'aimables, tandis que je sentais, moi qui me suis cru toujours et qui me crois encore, à tout prendre, le meilleur des hommes, qu'il n'y a point d'intérieur, si pur qu'il puisse être, qui ne recèle quelque vice odieux.»

Rousseau, *Confessions*, Livre X.

AU XIXe SIÈCLE

Sainte-Beuve paraît avoir assez bien senti la position de Montaigne en matière de religion :

«Je ne vois pas ce qu'on gagnerait, à toute force, à faire conclure qu'il peut bien avoir paru très bon catholique, sauf à n'avoir guère été chrétien.»

Sainte-Beuve, *Port-Royal* (III, 2 et 3, 1840-1860).

Flaubert le trouve apaisant : *«Je lis du Montaigne maintenant dans mon lit. Je ne connais pas de livre plus calme et qui dispose à plus de sérénité. Comme cela est sain!»* (*Correspondance*).

AU XXe SIÈCLE

L'abbé Mugnier (1879-1939), dans son *Journal* qui relate toute la vie mondaine et littéraire du premier tiers du XXe siècle (car, de Proust à Claudel, de Huysmans à Madame de Noailles, de Valéry à Drieu La Rochelle, il a connu nombre d'écrivains), souligne la liberté de Montaigne et dénonce, par contraste, l'étroitesse des catholiques des années 1920 en matière d'éducation sexuelle :

« ***3 avril***

On commence à se préoccuper de l'éducation sexuelle dans la jeunesse, même dans les milieux catholiques. Il est temps! J'ai toujours été surpris, moi si ignorant de toutes choses, qu'on gardât un silence hypocrite et niais sur ces matières. Pudeur, pudeur! Et l'on sacrifie la vérité, l'utilité, la santé, l'avenir de

la race à cette pudeur inventée par des cerveaux timides, dans des pensionnats de demoiselles, dans des sacristies sans lumière, chez de moroses vieilles filles. Or voici des lignes de Montaigne que je trouve citées quelque part : "On nous apprend à vivre quand la vie est passée. Cent escholiers ont pris la verolle avant d'être arrivés à leur leçon d'Aristote, De la tempérance*."*
Ah ! que c'est bien dit ! Non, il ne suffisait pas de nous dire : aimez la pureté, priez la Sainte Vierge. Pas d'attouchement. « C'est honteux », le caractère de la Bête, etc. Il faut instruire de bonne heure, ne pas laisser la jeunesse dans le mystère de ses organes naissants. L'instinct cache ses excès dans cette ombre. Il en profite. Si l'on était fixé on réfléchirait davantage et on aurait peut-être plus de force pour résister. »

Abbé Mugnier, *Journal*, 3 avril 1929,
pp. 508-509, Mercure de France.

Enfin, et pour terminer avec un jugement plus corrosif, on citera la réécriture que, dans *Voyage au bout de la nuit* (1932), Céline a faite d'une lettre de Montaigne à sa femme à l'occasion de la mort de leur première fille en bas âge en 1570. Le héros, Ferdinand Bardamu, vient de perdre son ami Bébert et il se promène sur les quais de la rive gauche à Paris, à la hauteur de la rue Bonaparte, regardant les pêcheurs au bord de la Seine :

« Les bouquinistes des quais fermaient leurs boîtes. "Tu viens !" que criait la femme par-dessus le parapet à son mari, à mon côté, qui refermait lui ses instruments, et son pliant et les asticots. Il a grogné et tous les autres pêcheurs ont grogné après lui et on est remontés, moi aussi, là-haut, en grognant, avec les gens qui marchent. Je lui ai parlé à sa femme, comme ça pour lui dire quelque chose d'aimable avant que ça soye la nuit partout. Tout de suite, elle a voulu me vendre un livre. C'en était un de livre qu'elle avait oublié de rentrer dans sa boîte à ce qu'elle prétendait. "Alors ce serait pour moins cher, pour presque rien..." qu'elle ajoutait. Un vieux petit "Montaigne", un vrai de vrai pour un franc. Je voulais bien lui faire plaisir à cette femme pour si peu d'argent. Je l'ai pris son "Montaigne".
Sous le pont, l'eau était devenue toute lourde. J'avais plus du tout envie d'avancer. Aux boulevards, j'ai bu un café crème et j'ai ouvert ce bouquin qu'elle m'avait vendu. En l'ouvrant, je suis juste tombé sur une page d'une lettre qu'il écrivait à sa femme le Montaigne, justement pour l'occasion d'un fils à eux qui venait de mourir. Ça m'intéressait immédiatement ce passage, probablement à cause des rapports que je faisais tout

de suite avec Bébert. Ah! *qu'il lui disait le Montaigne, à peu près comme ça à son épouse.* T'en fais pas va, ma chère femme! Il faut bien te consoler!... Ça s'arrangera!... Tout s'arrange dans la vie... Et puis d'ailleurs, *qu'il lui disait encore,* j'ai justement retrouvé hier dans des vieux papiers d'un ami à moi une certaine lettre que Plutarque envoyait lui aussi à sa femme dans des circonstances tout à fait pareilles aux nôtres... Et que je l'ai trouvée si joliment bien tapée sa lettre ma chère femme, que je te l'envoie sa lettre!... C'est une belle lettre! D'ailleurs je ne veux pas t'en priver plus longtemps, tu m'en diras des nouvelles pour ce qui est de guérir ton chagrin!... Ma chère épouse! Je te l'envoie la belle lettre! Elle est un peu là comme lettre celle de Plutarque!... On peut le dire! Elle a pas fini de t'intéresser!... Ah! non! Prenez-en connaissance ma chère femme! Lisez-la bien! Montrez-la aux amis. Et relisez-la encore! Je suis bien tranquille à présent! Je suis certain qu'elle va vous remettre d'aplomb!... Vostre bon mari, Michel. *Voilà que je me dis moi, ce qu'on peut appeler du beau travail. Sa femme devait être fière d'avoir un bon mari qui s'en fasse pas comme son Michel. Enfin, c'était leur affaire à ces gens. On se trompe peut-être toujours quand il s'agit de juger le cœur des autres. Peut-être qu'ils avaient vraiment du chagrin? Du chagrin de l'époque?»*

Céline, *Voyage au bout de la nuit,* Gallimard, 1932 (in *Romans,* I, «Bibliothèque de la Pléiade», Gallimard, 1981, pp. 288-289).

Et voici le texte de l'épître dédicatoire de Montaigne à sa femme (pour un livre de La Boétie traduisant une lettre de Plutarque à la sienne sur la mort) qui servit de modèle à Céline :

«Ma femme vous entendez bien que ce n'est pas le tour d'un galand homme, aux reigles de ce temps icy, de vous courtiser et caresser encore. Car ils disent qu'un habil homme peut bien prendre femme : mais que de l'espouser c'est à faire à un sot. Laissons-les dire : je me tiens de ma part à la simple façon du vieil aage, aussi en porté-je tantost le poil. Et de vray la nouvelleté couste si cher jusqu'à ceste heure à ce pauvre estat (et si je ne sçay si nous en sommes à la dernière enchère) qu'en tout et par tout j'en quitte le party. Vivons ma femme, vous et moi, à la vieille Françoise. Or il vous peult souvenir comme feu Monsieur de la Boetie ce mien cher frère et compaignon inviolable, me donna mourant ses papiers et ses livres, qui m'ont esté depuis le plus favory meuble des miens. Je ne veulx pas chichement en user moy seul, ny ne mérite qu'ils ne

servent qu'à moy. A ceste cause il m'a pris envie d'en faire part à mes amis. Et par ce que je n'en ay, ce croy-je, nul plus privé que vous, je vous envoie la Lettre consolatoire de Plutarque à sa femme, traduite par luy en François ; bien marry dequoy la fortune vous a rendu ce présent si propre et que n'ayant enfant qu'une fille longuement attendue, au bout de quatre ans de notre mariage, il a falu que vous l'ayez perdue dans le deuxiesme an de sa vie. Mais je laisse à Plutarque la charge de vous consoler et de vous advertir de votre devoir en cela, vous priant le croire pour l'amour de moy : Car il vous découvrira mes intentions, et ce qui se peut alléguer en cela beaucoup mieux que je ne ferois moymesmes. Sur ce, ma femme, je me recommande bien fort à vostre bonne grace, et prie Dieu qu'il vous maintienne en sa garde.

De Paris, ce 10 Septembre, 1570.

Vostre bon mary

Michel de Montaigne. »

On pourra enfin comparer le texte de l'épître dédicatoire de Montaigne à sa femme avec celui de la *Consolation à Du Périer* (1605) de Malherbe, placé dans les rapprochements sur le thème de « La mort » (dans le *Dossier du professeur*).

CARTE DU NOUVEAU MONDE

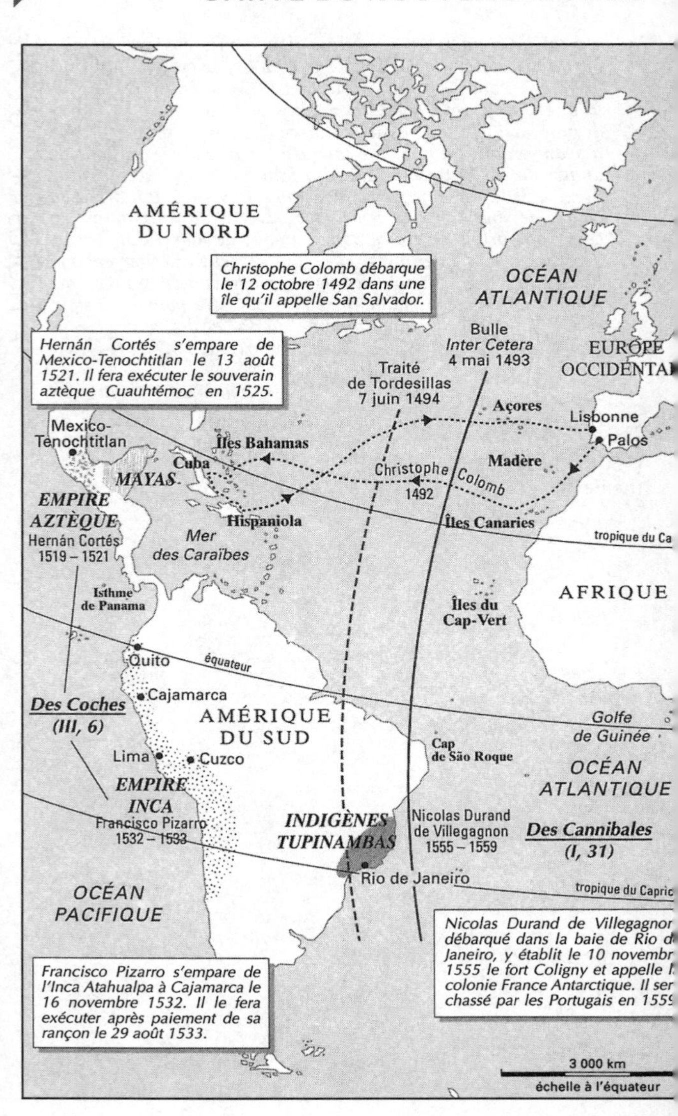

La relation entre nous et les autres c'est, comme l'écrit T. Todorov, auteur d'un livre sur la question, celle du « *groupe culturel et social auquel on appartient* » avec « *ceux qui n'en font pas partie* ». À travers l'examen de cette relation et ses enseignements, il s'agit de sonder « *le rapport entre la diversité des peuples et l'unité de l'espèce humaine* ».
Dans ce cadre, les deux essais de Montaigne sur le Nouveau Monde offrent évidemment un support de réflexion privilégié, même s'il ne doit pas être exclusif. On axera donc l'essentiel du développement qui suit sur ces deux chapitres, sans s'interdire à l'occasion de « *pilloter de çà de là les fleurs, thym ni marjolaine* » d'autres passages, pour « *en faire après le miel* ».

RAPPEL HISTORIQUE PRÉALABLE

DANS L'ESSAI *DES CANNIBALES* (I, 31)

•

Les indigènes dont parle Montaigne – ceux dont la vie sur le Nouveau Continent est décrite, comme ceux qui ont fait le voyage en Europe et qu'il rencontre à Rouen – sont les Tupinambas du Brésil. Habitant le long de la baie de Rio de Janeiro, ils ont été colonisés en 1555 par les troupes de l'amiral Nicolas Durand de Villegagnon, chevalier de Malte et huguenot, qui fonde là-bas le fort Coligny. Malgré l'échec essuyé dès 1559 contre les Portugais, cette expédition en « France Antarctique » – nom donné au pays par Villegagnon et diffusé très vite (1558) par le récit d'André Thevet, un des membres de l'équipée (Jean de Léry en fit également partie et donnera sa version des faits vingt ans plus tard) – marqua profondément l'imaginaire de la Renaissance hexagonale. Les terres de cette Amérique française, en dépit du manque d'eau potable, furent rapidement considérées comme un second paradis terrestre. Et l'image de l'Indien du Brésil – le Cannibale – fut bientôt associée à cet espace exotique.

DANS L'ESSAI *DES COCHES* (III, 6)

•

Les allusions à la conquête concernent des peuples et des régions tout autres du Nouveau Continent.
Le premier est l'empire aztèque du Mexique, civilisation brillante et fortement organisée qui, au moment où Hernán Cortés quitte Cuba pour aborder les côtes du Yucatan en février 1519, avait à sa tête depuis 1502 le souverain Moctezuma. Les Aztèques règnent alors sur la quasi-totalité du Mexique central

à partir de la vallée de Mexico-Tenochtitlan, et ils exercent une domination encore récente (fin du XVe s.), mal supportée, sur trente-huit provinces conservant leurs institutions propres. Ces provinces leur paient de lourds tributs et doivent de surcroît, la religion aztèque étant cruelle et comportant des sacrifices humains, leur livrer de jeunes victimes.
Cortés bénéficie donc, dans son avancée, de l'existence de poches de résistance échappant au contrôle aztèque, comme le royaume de Tlaxcala, qui restera un allié indéfectible pour l'Espagne. Un autre avantage tient, pour Cortés, à la possibilité de comprendre le langage, sinon la perception même de l'adversaire, en disposant de traducteurs, Jeronimo de Aguilar, rescapé espagnol d'une expédition antérieure, sur place depuis trois ans et qui parle le maya, et Marina, dite la Malinche, une esclave que Cortés a reçue d'un Cacique comme témoignage de bienvenue : elle parle à la fois son nahuatl natal (la langue aztèque) et le maya parlé par Jeronimo de Aguilar.
Grâce à ces deux atouts, le royaume sera conquis en dix-huit mois. Dans un premier temps, en novembre 1519, Cortés est entré avec ses quelque cinq-cents hommes – plus trois mille auxiliaires indigènes – dans cette cité d'environ quatre-cent mille habitants (à la même époque, Paris en compte soixante-cinq mille), accueilli comme une divinité par l'empereur Moctezuma que paralyse une terreur sacrée : les étrangers sont pris pour des envoyés du dieu Quetzalcoatl, le serpent à plumes. Mais, à la suite de péripéties, Moctezuma meurt, la population se soulève, et les Espagnols doivent se retirer en subissant de lourdes pertes (*noche triste*, 30 juin 1520). Le second assaut organise, sur terre et sur l'eau (lac de Texcoco sur les bords duquel est bâtie la capitale), le siège de Mexico-Tenochtitlan, qui s'effondre au bout de trois mois, en août 1521. C'est alors que le nouveau souverain Cuauhtemoc, personnage beaucoup moins médiocre et moins velléitaire que son oncle Moctezuma, est mis à la torture pour faire connaître où serait caché l'or des Aztèques, comme le raconte Montaigne. Cuauhtemoc sera exécuté durant l'expédition de Cortés au Honduras (1524-1526).
L'autre empire dont parle Montaigne est celui des Incas, au Pérou. Les Incas, dynastie des « fils du Soleil », qui avaient soumis toutes les populations andines de la région, contrôlaient, à la fin du XVe siècle, un territoire immense atteignant, vers le Sud, le fleuve Maule (actuel Chili) et, vers le Nord, la région de Pasto (actuelle Colombie) ; c'était le plus grand empire du Nouveau Monde, empire totalitaire voué au Dieu Soleil que personnifie l'Inca et comportant des sacrifices d'animaux, parfois d'êtres humains.
Au moment où Francisco Pizarro entreprend la conquête de ce

pays extrêmement accidenté (certains pics culminent à plus de 6 000 mètres d'altitude), avec cent soixante-sept hommes dont soixante-deux cavaliers, qui parviennent à Cajamarca (nord du Pérou) en novembre 1532, l'empire est en pleine guerre civile de succession. Elle met aux prises deux demi-frères, l'un maîtrisant le Nord, l'autre le Sud du pays : Atahualpa occupe Quito, et Huascar est souverain à Cuzco.
Dans un premier temps, personne ne fait trop attention à la présence de ces hommes, blancs et barbus comme le dieu Viracocha, sur le territoire. Puis, après plusieurs mois d'avancée pénible dans les Andes, de lutte contre la faim et de contacts sporadiques avec des émissaires, la troupe espagnole parvient enfin à rencontrer Atahualpa.
Par un coup d'une extrême audace, Pizarro s'empare du souverain inca – c'est le dernier paragraphe du chapitre *Des coches* – qui propose une rançon colossale pour obtenir sa libération. Entre-temps, Huascar va être assassiné par les partisans d'Atahualpa. En août 1533, celui-ci sera exécuté à son tour par les Espagnols malgré le paiement de sa rançon. Les péripéties de cette conquête se prolongent jusqu'en 1536 pour les résistances incas, et bien au-delà pour les luttes intestines entre conquistadores, notamment Francisco Pizarro et Diego de Almagro.

Une fois rappelés ces événements, il devient plus aisé de mesurer la portée du témoignage de Montaigne. S'il a eu le grand mérite de dénoncer, après Bartolomé de Las Casas, les exactions des conquistadores et les prétentions des Européens sur le Nouveau Monde, Montaigne n'échappe pas à une forme d'utopisme.

PLAN PROPOSÉ

I. Si les autres sont nos semblables, chercher à nous imposer aux autres c'est bien perdre notre identité comme la leur.
II. Toutefois, les différences de nous aux autres, et même de chacun à soi-même et d'un moment à l'autre, rendent quelque peu utopique l'échange idéal rêvé par Montaigne.

PERDRE NOS PRÉJUGÉS

La leçon essentielle de Montaigne à ses contemporains, c'est qu'il faut savoir se défaire de ses préjugés. Pour la rendre expressive, Montaigne opère, non seulement d'un essai à l'autre, mais de la civilisation européenne à celles d'Amérique, un jeu de miroirs.

LES AUTRES SONT NOS SEMBLABLES : SE MÉFIER DES FAUSSES CERTITUDES QUE PROCURENT LES CONNAISSANCES LIVRESQUES ET LES DIFFÉRENCES DE MODE DE VIE

•

1. Les assimilations hâtives sont trompeuses.

La **culture antique**, mise à contribution par Montaigne pour partir à la rencontre du Nouveau Monde, s'avère d'un maigre secours. Il cite d'abord un passage célèbre du *Timée* : « *Platon introduit Solon racontant avoir appris des prêtres de la ville de Saïs, en Égypte, que jadis et avant le déluge, il y avait une grande île, nommée Atlantide, droit à la bouche du détroit de Gibraltar* » (I, 31).

Puis, c'est au tour d'Aristote de fournir un témoignage des colonies carthaginoises en Atlantique. Mais « *cette narration d'Aristote n'a pas non plus d'accord avec nos terres neuves* » (I, 31).

Pas plus que l'Antiquité, les **récits des cosmographes** ne sont dignes de foi pour comprendre le Nouveau Monde, cet Autre radical, car les cosmographes sont prêts, dès qu'ils ont la moindre connaissance précise d'un lieu, à extrapoler et à entreprendre, « *pour faire courir ce petit lopin, d'écrire toute la physique* » (I, 31).

À toutes ces méthodes spécieuses, Montaigne préfère une **connaissance directe** autant que possible. N'ayant pas lui-même traversé l'Atlantique, il s'en remettra au témoignage d'un « *homme simple et grossier* », propre à « *rendre véritable témoignage* » davantage que les « *fines gens* » (qui ont tendance, comme les cosmographes, à « *ajouter à la matière* » en fonction du jugement – souvent pré-établi – qu'ils portent sur ce qu'ils découvrent), et ayant « *demeuré dix ou douze ans en cet autre monde* ». Pour le reste, suivant une technique journalistique avant la lettre, Montaigne s'efforce de prendre de l'autre une expérience propre en allant le voir et en l'interrogeant sur ses habitudes. Il rencontre les Cannibales de Rouen et leur pose un grand nombre de questions. De même, il essaie la nourriture des Indiens et, comme les explorateurs du temps, livre au public ses impressions personnelles : « *Au lieu du pain, ils usent d'une certaine matière blanche, comme du coriandre confit. J'en ai tâté : le goût en est doux et un peu fade.* »

2. Les différences constatées entre nous et les autres reflètent des ressemblances en profondeur.

À propos du **cannibalisme** des Tupinambas, Montaigne mentionne les Scythes de notre Antiquité occidentale, ce qui est une manière de ramener des pratiques effrayantes et lointaines au connu. Mieux : la présentation qu'en fait Montaigne donne à penser que les Cannibales sont plus évolués que les Scythes, puisque leur anthropophagie, destinée non pas à les nourrir de chair humaine comme ces derniers, mais à figurer *« une extrême vengeance »*, suppose, par ses mobiles mêmes, qu'ils ont conscience de *« l'horreur barbaresque qu'il y a en une telle action »*.

Mais, par un autre tour de pensée, Montaigne s'efforce de légitimer la conduite des Tupinambas en la rapprochant des préceptes stoïciens : il n'y a, disaient Chrysippe et Zénon, *« aucun mal de se servir de notre charogne »* et même *« d'en tirer de la nourriture »*. On le voit ici, le but est encore de montrer que les autres sont nos semblables, quitte à assimiler cannibalisme rituel et cannibalisme alimentaire, puisque, de toute façon, le second (on vient de le sous-entendre) est moins noble que le premier. L'exemple d'Alésia et de « nos ancêtres » conforte ce mouvement, auquel l'addition B de Juvénal (l. 329-330) met un point culminant : les Gascons eux-mêmes, les propres compatriotes de Montaigne, ont recouru à de telles pratiques. Nous sommes donc plus proches des autres, suggère Montaigne, que nous ne le croyons.

Le processus comparatif est encore mis en œuvre sur la question de la **polygamie** où les exemples de l'Ancien Testament, cités quelque peu en désordre : *« Léa, Rachel, Sara et les femmes de Jacob »* (Léa et Rachel « sont » les femmes de Jacob [*Genèse*, 29, 15], tandis que Sara, dont le rire incrédule est resté célèbre [*Genèse*, 18, 12], est la mère d'Isaac, la femme d'Abraham), à côté de références historiques : *« et Livie seconda les appétits d'Auguste, à son intérêt ; et la femme du roi Dejotarus, Stratonique »*, viennent justifier les pratiques brésiliennes, en montrant qu'elles ne sont pas très différentes des nôtres. Il faut, bien sûr, faire ici, à côté d'une **volonté pédagogique** manifeste de la part de Montaigne, sa place à l'**ironie**, à la provocation **volontaire et phallocrate** : *« C'est une beauté remarquable en leurs mariages* [...]. *»* On sait que Montaigne ne manque guère d'occasions de distiller des critiques voilées à l'égard de son épouse. Dans une addition tardive, il surenchérit : *« Les nôtres crieront au miracle ; ce ne l'est pas ; c'est une vertu matrimoniale ; mais du plus haut étage »* (I, 31).

Nous et les autres : un jeu de miroirs

•

1. Le retournement du regard.

Commençons par citer l'addition B qui clôt l'essai *De la modération* (I, 30) et inaugure le contact du lecteur avec le Nouveau Monde (après la pierre d'attente que constituait l'hommage de l'avis *Au lecteur*) :

« Et en ces nouvelles terres, découvertes en notre âge, pures encore et vierges au prix des nôtres, l'usage [de l'homicide] *est aucunement reçu partout ; toutes leurs idoles s'abreuvent de sang humain, non sans divers exemples d'horrible cruauté. On les brûle vifs, et, demi-rôtis, on les retire du brasier pour leur arracher le cœur et les entrailles. À d'autres, voire aux femmes, on les écorche vives, et de leur peau ainsi sanglante en revêt-on et masque d'autres. Et non moins d'exemples de constance et résolution. Car ces pauvres gens sacrifiables, vieillards, femmes, enfants, vont, quelques jours avant, quêtant eux-mêmes les aumônes pour l'offrande de leur sacrifice, et se présentant à la boucherie chantant et dansant avec les assistants. Les ambassadeurs du roi de Mexico faisant entendre à Fernand Cortez la grandeur de leur maître, après lui avoir dit qu'il avait trente vaisseaux, desquels chacun pouvait assembler cent mille combattants, et qu'il se tenait en la plus belle et forte ville qu'il fût sous le ciel, lui ajoutèrent qu'il avait à sacrifier aux dieux cinquante mille hommes par an. De vrai, ils disent qu'il nourrissait la guerre avec certains grands peuples voisins, non seulement pour l'exercice de la jeunesse du pays, mais principalement pour avoir de quoi fournir à ces sacrifices par des prisonniers de guerre. Ailleurs, en certain bourg, pour la bienvenue dudit Cortez, ils sacrifièrent cinquante hommes tout à la fois. Je dirai encore ce conte. Aucuns de ces peuples, ayant été battus par lui, envoyèrent le reconnaître et rechercher d'amitié ; les messagers lui présentèrent trois sortes de présents, en cette manière : "Seigneur, voilà cinq esclaves ; si tu es un Dieu fier, qui te paisses de chair et de sang, mange-les, et nous t'en aimerons davantage ; si tu es un Dieu débonnaire, voilà de l'encens et des plumes ; si tu es homme, prends les oiseaux et les fruits que voici". »*

Comment ne pas voir dans cette longue addition, qui tire de l'*Histoire générale des Indes* de Lopez de Gomara l'image la plus effrayante qui soit des Indiens d'Amérique, ces « autres » que le lecteur va découvrir dans l'essai suivant, une **provocation** de Montaigne à l'adresse de son public ? Quel contraste avec *« la douce liberté des premières loi de nature »* de l'avis *Au lecteur* ! De surcroît, l'auteur ne lésine pas sur les détails affreux, propres à révulser un Européen de son temps qui n'aurait pas fait le voyage.

Il est significatif que ce passage ait été placé avant le chapitre *Des Cannibales* comme une sorte de seuil terrible, d'avertissement formidable (et presque drolatique si l'on connaît le contenu plein de douceur et de gaieté de ce chapitre, à l'image du climat brésilien, comme si, dans cette seconde édition des *Essais,* Montaigne avait voulu faire une parodie burlesque des récits courant sur la question et renforcer ainsi son point de vue de bienveillance et d'ouverture), et non, par exemple, après l'essai *Des coches*. Bien sûr, pour quelqu'un ayant eu entre les mains la première édition, cette touche macabre nuance sérieusement le tableau idyllique qu'il a pu lire quelques années auparavant et qui, peut-être, lui a semblé par trop naïf : mais une telle place, une telle abondance de détails crus (*« demi rôtis »*) et même invraisemblables (*« ces pauvres gens* [...] *vont quêtant eux-mêmes les aumônes pour l'offrande de leur sacrifice »*), pourraient bien avoir pour but de faire naître chez le *« suffisant lecteur »* un scepticisme quant au crédit que Montaigne, d'habitude si pondéré dans ses témoignages, accorde à celui-là.

Cette **vision simpliste des Indiens d'Amérique** comme d'horribles anthropophages, doublés de sacrificateurs sanguinaires, Montaigne entend précisément la retourner dans l'essai *Des Cannibales*, avant de montrer, avec *Des coches,* que la description en question eût finalement été mieux adaptée aux conquistadores eux-mêmes. On ne citera qu'une phrase : *« À une autre fois, ils mirent brûler pour un coup, en même feu, quatre cent soixante hommes tout vifs, les quatre cents du commun peuple, les soixante des principaux seigneurs d'une province, prisonniers de guerre simplement »* (III, 6).

Il s'agit donc bien de **dessiller les yeux du lecteur**, de le sortir de ses préjugés par une méthode de retournement consistant à abonder d'abord dans le sens des poncifs que les récits oraux ou écrits, auxquels il a pu avoir accès, ont véhiculés sur ces autres hommes, puis à mettre à bas ces poncifs par un effet de miroir lui montrant que ces autres et lui sont les mêmes, et parfois aussi que la civilisation n'est pas où on le croit. À vrai dire, Montaigne s'efforce d'être objectif. Il reconnaît que, si l'autre est notre semblable, il peut l'être jusque dans ses préjugés. Par exemple, l'assimilation des conquistadores à des divinités montre le manque de recul des Aztèques – puisque c'est d'eux qu'il s'agit –, dans l'essai *Des coches*, leur incapacité à concevoir l'existence d'êtres différents d'eux : *« des gens barbus, divers en langage, religion, en forme et en contenance, montés sur des grands monstres inconnus. »*

Mais, en même temps, l'adoption du point de vue des indigènes oblige le lecteur à sortir de ses propres œillères et,

en observant les préjugés du sauvage, à s'interroger sur les siens propres. En outre, qui sait si la figure hybride qu'offre le soldat espagnol sur son cheval, sorte de centaure, mi-animal mi-humain, n'est pas pour Montaigne une manière de renvoyer à l'Occident la question qui fit l'objet de la fameuse controverse de Valladolid en 1550 : *« Ces êtres sont-ils des hommes ? »* Plus généralement, le **procédé de retournement** du regard adressé au Nouveau Monde, vers le Vieux Continent qui le lui adresse, tourne toujours à l'avantage des indigènes. Là où la remarque de l'occidental : *« Mais quoi ils ne portent point de hauts-de-chausses ! »* (I, 31) était, par son aspect caricatural, condamnée sans rémission possible, les préjugés des Indiens sont excusés par Montaigne et vont souvent de pair avec une grande acuité d'esprit.
D'abord, lors de l'arrivée des conquistadores : *« Ajoutez-y les poudres et tonnerres de nos pièces et arquebuses, capables de troubler César même, qui l'en eût surpris autant inexpérimenté »* (III, 6). L'autre ici, le sauvage, est mieux que notre semblable : il a la réaction que même les plus remarquables représentants de notre civilisation (*« César même »*) auraient en pareille situation. Ensuite, lors de la confrontation avec les Européens. À Rouen, alors que les Français ne cherchent qu'à éblouir les Cannibales par leur faste, sans curiosité véritable pour leur réaction, ceux-ci décèlent avec lucidité les failles de la société française : injustices sociales et absurdité qu'il y a à avoir un enfant pour souverain. La naïveté consistant à imaginer comme alternative le choix d'un Suisse de la garde du roi pour remplacer Charles IX paraît, dans le contexte, aimable et plaisante : c'est un préjugé bénin. Au contraire, les deux failles soulignées sont pour beaucoup dans le développement des guerres de Religion en France : c'est dire la pertinence de ce regard extérieur. Dans l'essai *Des coches*, au moment où les conquérants donnent lecture du requerimiento – sommation purement formelle qui permettait de légitimer la conquête – aux Indiens venus les accueillir, la réponse faite à ces visiteurs est tout aussi lucide, et narquoise à l'égard des véritables mobiles de leur débarquement en Amérique : *« quant à être paisibles, ils n'en portaient pas la mine, s'ils l'étaient ; quant à leur roi, puisqu'il demandait, il devait être indigent et nécessiteux »*...

2. Les effets d'échos d'un essai à l'autre.

Le seul préjugé que condamne Montaigne chez les indigènes, c'est le préjugé favorable qu'ils manifestent à l'égard de l'Occident. Au chapitre *Des Cannibales*, une douloureuse incise se développe à propos des Tupinambas venus à Rouen : *« ignorant combien coûtera un jour à leur repos et à leur bonheur la connaissance des corruptions de deçà, et que de ce commerce naîtra leur ruine, comme je présuppose qu'elle soit déjà avancée, bien misérables de s'être laissé piper au désir de la nouvelleté, et avoir quitté la douceur de leur ciel pour venir voir le nôtre* [...]. » Il y a là un effet d'annonce (involontaire, puisque le chapitre *Des coches* n'est pas encore écrit) symétrique aux désastres qui seront évoqués dans le livre III et qui ont pour théâtre, non plus l'Europe, mais l'Amérique, c'est-à-dire, par une **amère ironie du sort**, « *la douceur de leur ciel* ».

Beaucoup d'autres **échos** sont repérables d'un essai à l'autre, notamment **l'évocation des Hongrois** : « *les Hongres, très belliqueux combattants* » (I, 31), « *tout fraîchement du temps de nos pères les Hongres mirent* [les coches] *très utilement en besogne contre les Turcs* » (III, 6) ; **l'évocation de l'empereur Galba** (III, 6), après celle de son lointain ancêtre Servius Sulpicius Galba (I, 31) ; **de Solon** et des prêtres d'Égypte : « *Platon introduit Solon* » (I, 31), « *Et la narration de Solon sur ce qu'il avait appris des prêtres d'Égypte* » (III, 6). Les effets qui concernent l'Ancien et le Nouveau Monde, nous et les autres, sont par conséquent importants à souligner car vraisemblablement volontaires.

Le plus explicite est le rappel de **l'innocence des indigènes**. Dans l'essai *Des coches*, Montaigne évoque ce monde « *si enfant qu'on lui apprend encore son a, b, c ; il n'y a pas cinquante ans qu'il ne savait ni lettres, ni poids, ni mesure, ni vêtements, ni blé, ni vigne. Il était encore tout nu au giron, et ne vivait que des moyens de sa mère nourrice* » (III, 6). Cette accumulation de négations, non pas dépréciatives, mais s'efforçant de découvrir l'autre dans sa spécificité, rappelle le paragraphe relatif aux Tupinambas dans *Des Cannibales* : « *C'est une nation, dirai-je à Platon, en laquelle il n'y a aucune espèce de* ***trafic*** *; nulle connaissance de lettres; nulle science de nombres* [...]. »

Ce terme de « *trafic* » est lui-même repris à l'inverse, dans *Des coches*, pour qualifier les Européens : « *Qui mit jamais à tel prix le service de la mercadence et de la* ***trafic*** *? Tant de villes rasées, tant de nations exterminées, tant de millions de peuples passés au fil de l'épée* [...]. »

De sorte que, **ce jeu de miroirs s'avérant assez élaboré**, on peut en imaginer d'autres plus implicites : il est ainsi possible de mettre en parallèle l'allusion à la défaite des Thermopyles du roi Léonidas (I, 31) et l'éloge, par Alcibiade, de la vaillance de Socrate lors de la déroute subie par les Athéniens à Délion en Béotie (III, 6). L'idée serait alors de suggérer que certaines défaites sont plus glorieuses que bien des victoires, et que ce pourrait être le cas des défaites indiennes face aux conquistadores : « *Les plus vaillants sont parfois les plus infortunés* », scande, dans une addition B, le texte du chapitre *Des Cannibales* en une maxime qui trouve tout son sens dans le récit des

morts des souverains aztèques et incas, Cuauhtemoc et Atahualpa.
On voit par conséquent à quel point le jeu de miroirs mis en place par Montaigne renverse les idées préconçues et l'échelle des valeurs appliquées en ce XVIe siècle par la majorité des Européens.

En nous imposant aux autres, nous perdons notre identité comme la leur

•

1. La barbarie entre nous, chez les autres et de nous aux autres.

En tout lieu, Europe, Asie (cf. l'allusion à la découverte de l'imprimerie en Chine au chapitre *Des coches*) comme Nouveau Monde, c'est la volonté d'**imposer sa propre vision du monde et ses valeurs** qui conduit à la barbarie. Spontanément, les hommes ont tendance à rejeter les êtres qui ne leur ressemblent pas ou qu'ils croient ne pas leur ressembler, car ils ne peuvent s'identifier à eux. Or c'est par cette attitude de fermeture que tous les hommes se ressemblent hélas ! le plus.
La barbarie des **sacrifices humains** auxquels se livrent les Aztèques envers d'autres indigènes, ou celle du **cannibalisme** des Tupinambas envers leurs tribus rivales, déjà évoquées, prouvent que la question ne se résume pas à la confrontation des deux civilisations européenne et amérindienne, des deux continents, mais, plus prosaïquement, qu'elle marque chaque groupe humain à l'égard des êtres qui lui sont extérieurs, quelle que soit la taille de ce groupe. Ainsi, une barbarie analogue à celle des indigènes d'Amérique se fait jour en France durant les guerres de Religion. *« Je pense qu'il y a plus de barbarie à manger un homme vivant qu'à le manger mort, à déchirer par tourments et par gênes un corps encore plein de sentiment, le faire rôtir par le menu, le faire mordre et meurtrir aux chiens et aux pourceaux (comme nous l'avons non seulement lu, mais vu de fraîche mémoire, non entre des ennemis anciens, mais entre des voisins et concitoyens, et, qui pis est, sous prétexte de piété et de religion), que de le rôtir et manger après qu'il est trépassé »* (I, 31). Barbarie de nous, non seulement envers les autres, mais envers les nôtres donc.
Par comparaison, le seul acte meurtrier des indigènes envers un Blanc est, sinon justifié, en tout cas motivé par **l'adoption du point de vue indigène** : *« Le premier qui y mena un cheval, quoiqu'il les eût pratiqués à plusieurs autres voyages, leur fit tant d'horreur en cette assiette, qu'ils le tuèrent à coups de traits, avant que le pouvoir reconnaître »* (I, 31).

2. C'est dire que, pour Montaigne, les signes de barbarie sont plus nombreux chez les conquistadores que chez les Indiens.

La démonstration porte **à la fois sur le mot et sur la réalité barbare**. D'une part, ce terme ne signifie rien puisque *« les Grecs appelaient ainsi toutes les nations étrangères »* (I, 31). Cette information, livrée dès le début de l'essai *Des Cannibales*, nous donne d'emblée une idée de l'état d'esprit de l'auteur et remet les choses en perspective, placée qu'elle se trouve juste après le titre qui semblait annoncer un développement sur le Nouveau Monde. Par ce moyen, les Tupinambas vont, en vertu du procédé comparatif toujours à l'œuvre, se trouver rapprochés des Romains : comme ces derniers, admirés par Pyrrhus (*« la disposition de cette armée n'est aucunement barbare »*), les indigènes – du moins est-ce l'effet auquel semblent concourir toutes les errances, les digressions apparentes et les manœuvres concertées de Montaigne dans son développement – ne méritent pas ce terme dégradant. Le rapprochement avec les Romains sera d'ailleurs renforcé après l'addition B, déjà mentionnée, qui clôt l'essai précédent *De la modération* (I, 30), puisque, le miroir opérant encore une fois son renversement de point de vue, on trouve le même verbe *« reconnaître »* employé par les Aztèques face à Cortez : *« Aucuns de ces peuples, ayant été battus par lui, envoyèrent le* ***reconnaître*** *»* (I, 30), *« Quand le roi Pyrrhus passa en Italie, après qu'il eût* ***reconnu*** *l'ordonnance de l'armée que les Romains lui envoyaient au devant* [...] *»* (I, 31).

Ainsi, non seulement le mot *barbare* ne signifie rien dans la mesure où il est employé à tort et à travers, dès l'Antiquité, comme simple synonyme d'*étranger* (et où il permet dès lors de ranger sous la même étiquette le peuple romain, l'un des plus remarquables d'Occident, et les Indiens d'Amérique, vidant totalement de sa charge négative le qualificatif dont on affuble ces derniers), mais la fin du chapitre *De la modération* insinue même, par l'écho de cette « reconnaissance », que les indigènes sont parfaitement fondés à se placer du point de vue des Grecs, alliant, par là même, aux qualités guerrières des Romains, le raffinement de la civilisation hellénique, et à regarder les conquistadores comme ces « étrangers » inconnus, donc barbares.

Le mot a encore deux autres sens sous la plume de Montaigne, eux plus connotés (sur ces deux autres sens, voir T. Todorov, *Nous et les autres*, chapitre « Montaigne », pp. 59-60, Seuil, 1989, auquel nous empruntons beaucoup pour la matière de ce paragraphe) :

• Le premier est un sens historique et positif : est barbare ce qui est proche des origines. « *Ces nations me semblent donc ainsi barbares, pour avoir reçu fort peu de façon de l'esprit humain, et être encore fort voisines de leur naïveté originelle. Les lois naturelles leur commandent encore, fort peu abâtardies par les nôtres* » (I, 31). Il signifie donc un état de nature bien plus pur et plus humain que celui du Vieux Continent, en proie à « *la trahison, la déloyauté, la tyrannie, la cruauté, qui sont nos fautes ordinaires* » (*ibid.*). L'idée est que les origines sont à l'évidence meilleures que ce qui les a suivies. Par conséquent, le mot, appliqué aux Indiens, devient un éloge.

• Le second sens est éthique et négatif : est barbare ce qui est inhumain et cruel. « *Nous les pouvons donc bien appeler barbares, eu égard aux règles de la raison, mais non pas eu égard à nous qui les surpassons en toute sorte de barbarie* », écrit Montaigne à propos du cannibalisme des Tupinambas. Une fois cette sémantique établie, l'écrivain peut, à sa guise, employer le terme de manière péjorative quand il évoque les conquistadores, et laudative à propos des indigènes. C'est ce qu'illustre mieux encore l'utilisation qu'il fait du mot *sauvage*, toujours dans l'essai *Des Cannibales* : « *Ils sont sauvages, de même que nous appelons sauvages les fruits que nature, de soi et de son progrès ordinaire, a produits : là où, à la vérité, ce sont ceux que nous avons altérés par notre artifice et détournés de l'ordre commun que nous devrions plutôt appeler sauvages.* »

Jusque-là, nous nous situons toujours dans le domaine du langage : ces jeux intellectuels restent espiègles et théoriques ; ils relèvent de la provocation, de la joute oratoire, du débat d'idées. C'est avec l'essai *Des coches* que la réalité barbare se révèle dans toute son horreur et qu'elle est le fait, décidément, des Européens. Ceux-ci se montrent barbares dans leurs motivations comme dans leurs méthodes. C'est dans cette réalité inhumaine que nous comme les autres perdons nos identités respectives.

Les **motivations** des conquistadores sont purement **économiques** : « *pour la négociation des perles et du poivre !* » (III, 6) C'est ce qui les rend effrayantes, car elles ne présentent pas la part d'arbitraire qui humanise la conduite des soldats les plus farouches d'ordinaire : une fois passée la furie guerrière, les esprits s'apaisent et, quels que soient les excès auxquels celle-ci peut conduire, en une guerre de pure conquête territoriale ou de confrontation internationale dans le concert européen du XVIe siècle, la paix est conclue dès que le vainqueur se considère satisfait dans sa volonté de puissance politique, dans son désir de vengeance personnelle. Mais rien de tel en Amérique ! La nécessité d'accumuler les richesses, de découvrir l'or et l'argent du Nouveau Monde et de les exploiter, fait verser la réalité de la conquête dans une logique abstraite, systématique et à grande échelle, où les indigènes deviennent au mieux du bétail, sinon une simple monnaie d'échange, et où les Européens se dégradent eux-mêmes en s'asservissant à cette soif effrénée de l'or. Voilà qui justifie ô combien la réflexion de Montaigne : *« mécaniques victoires »*. Mais ces victoires sont méprisables aussi par leurs **méthodes** et leurs **moyens** : la **ruse** consistant à se faire passer pour des divinités en jouant sur l'ignorance des Indiens – par contraste, on notera, dans l'essai *Des Cannibales*, le commentaire que suscitent ces derniers : *« Leur guerre est toute noble et généreuse, et a autant d'excuse et de beauté que cette maladie humaine en peut recevoir ; elle n'a autre fondement parmi eux que la seule jalousie de la vertu »* (I, 31) – et **l'inégalité des équipements** (chevaux, artillerie), sont les seules causes du succès remporté. *« Car pour ceux qui les ont subjugués, qu'ils ôtent les ruses et batelages de quoi ils se sont servis à les piper* [...] *; ajoutez-y les foudres et tonnerres de nos pièces et arquebuses* [...] *contre des peuples nus, si ce n'est où l'invention était arrivée de quelque tissu de coton, sans autres armes, pour le plus, que d'arcs, pierres, bâtons et boucliers de bois* [...] *: comptez, dis-je, aux conquérants cette disparité, vous leur ôtez toute l'occasion de tant de victoires »* (III, 6).

La preuve de l'indignité de telles méthodes et de tels mobiles, Montaigne la donne par un rappel attendri des Tupinambas, qui est aussi le plus net des ponts jetés d'un essai à l'autre : *« Où les Espagnols ne trouvèrent marchandises qu'ils cherchaient, ils ne firent arrêt ni entreprise, quelque autre commodité qu'il y eût, témoin mes Cannibales »* (III, 6).

Dans ces conditions, l'interprétation de cette phrase de Montaigne, placée au chapitre *Des Cannibales*, ne fait plus aucun doute : « *Sans mentir, au prix de nous, voilà des hommes bien sauvages ; car, ou il faut qu'ils le soient bien à bon escient, ou que nous le soyons ; il y a une merveilleuse distance entre leur forme et la nôtre.* » Cette phrase prend beaucoup de force une fois achevée la lecture du chapitre *Des coches*. D'autant que, par une ultime *« nasarde »* au lecteur occidental, Montaigne parachève sa démonstration en cautionnant, du doigt de Dieu et de sa justice immanente, un jeu de mots assassin à l'endroit des conquistadores : *« Dieu a méritoirement permis que ces grands pillages se soient absorbés par la mer en les transportant, ou par les guerres intestines de quoi ils se sont* ***entremangés*** *entre eux »* (III, 6). Plus de doutes : les véritables cannibales, ce sont les Européens.

Où sommes-nous donc ? Où sont les autres ? Et où en est-on ?

NE PAS IDÉALISER LES CHOSES

Au vu d'un pareil mouvement de retournement des idées reçues et de mise à nu des enjeux réels de la conquête du Nouveau Monde, il apparaît logique que Montaigne, par moments, donne libre cours à sa mélancolie et à son lyrisme nostalgique : il était possible d'agir autrement, dit-il en substance. Il est vrai que les ressemblances existent entre nous et les autres. Mais certaines différences paraissent néanmoins insurmontables, et puis chacun est pris de son côté dans le *« branle universel »* du monde, auquel Montaigne se montre toujours si sensible. Si bien que ce sont les arguments mêmes de l'écrivain dans ces deux essais sur les Indiens d'Amérique, qui permettent de voir, dans son discours, davantage un pamphlet de polémiste faisant feu de tout bois, en une époque d'aveuglement, pour défendre ces populations persécutées, qu'une solution réaliste.

UNE VISION IDÉALISÉE DU SAUVAGE

•

1. Les rêves de Montaigne.

Au chapitre *Des coches*, Montaigne lance un cri désespéré : *« Que n'est tombée sous Alexandre ou sous ces anciens Grecs et Romains une si noble conquête, et une si grande mutation et altération de tant d'empires et de peuples, sous des mains qui eussent doucement poli et défriché ce qu'il y avait de sauvage, et eussent conforté et promu les bonnes semences que nature y avait produites, mêlant non seulement à la culture des terres et ornement des villes les arts de deçà, en tant qu'elles y eussent été nécessaires, mais aussi mêlant les vertus grecques et romaines aux originelles du pays ! »*

S'il est vrai que Colomb et d'autres après lui eurent l'impression, en naviguant dans la mer des Antilles, d'avoir affaire à une nouvelle Méditerranée, l'analogie s'arrête là. Quand on connaît les conditions effectives des conquêtes menées en particulier par Alexandre, véritable ouragan *« passé victorieux »* par *« toute la terre habitable »* en *« une demi-vie »* (cf. le texte n° 13), doué d'une *« faveur extraordinaire de quoi fortune embrassa tant de siens exploits hasardeux »*, il n'est pas possible de voir dans ce regret de Montaigne autre chose qu'un rêve utopique. L'écrivain lui-même précise d'ailleurs, toujours au chapitre *Des plus excellents hommes* (II, 36), à propos de César et d'Alexandre : *« Ce furent deux feux, ou deux torrents à ravager le monde par divers endroits. »* Bien sûr, l'*imperium Romanum* fut une réussite en certains endroits, et la comparaison s'adapterait plutôt au général romain d'après la manière dont il conquit la Gaule. Mais la *« polissure de son langage »* et *« l'ordure de sa pestilente ambition »* (II, 10 ; cf. le texte n° 43) ne donnent guère plus de poids à son témoignage – puisque c'est César qui raconte lui-même sa conquête en se mettant en scène – qu'à celui d'Hernán Cortés parlant, par la plume de Lopez de Gomara ou dans ses lettres à Charles-Quint, de son expérience mexicaine. Las Casas écrit à ce propos : *« Gomara, le prêtre qui a écrit l'*Histoire *de Cortés, qui a vécu avec lui en Castille alors qu'il était devenu marquis, et qui n'a absolument rien vu, n'est jamais allé aux Indes et n'a rien écrit de plus que ce que Cortés lui-même lui a dit, arrange beaucoup de faits en sa faveur, qui sont faux à coup sûr. »* C'est ce qui conduira Bernal Diaz del Castillo, ancien lieutenant de l'expédition, à produire son *Histoire véridique de la conquête de la Nouvelle-Espagne*, pour rétablir les faits, un peu trop malmenés par le chapelain du marquis.

Ainsi, on retrouve là la tendresse et l'admiration inconditionnelles de Montaigne pour ses chers Anciens. La pente utopique se décèle au demeurant à travers le halo vague de prestige contenu dans le démonstratif : *« sous* ***ces*** *anciens Grecs et Romains »*, comme si le fait de les mentionner sans plus de précision était une accréditation suffisante.

De façon symétrique, le même flou artistique se retrouve dans l'évocation des Indiens du Nouveau Monde. La référence que Montaigne fait aux Tupinambas dans le chapitre *Des coches* : *« témoin mes Cannibales »*, comme le contexte abstrait dont s'accompagne la mention des modes de vie indigènes – Tupinambas (I, 31) – ou de leurs réactions positives – réponse au requerimiento (III, 6) – par opposition aux persécutions qu'ils subissent et qui font, au contraire, l'objet d'indications détaillées et circonstanciées : royaume du Pérou et royaume du Mexique, suggèrent que Montaigne ne veut pas faire de distinction au sein des populations d'Amérique. Il s'agit de « bons sauvages » quoi qu'il en soit.

Pourtant, il y a loin, non seulement sur un plan géographique mais au niveau du récit, entre le présent intemporel et immuable dans lequel semblent vivre les Cannibales, placés au cœur d'une nature généreuse, se contentant de jouir de son *« uberté »* et d'en recueillir les fruits, et l'ancrage, dans une histoire beaucoup plus précise, des sociétés du Mexique et du Pérou, qui sont aussi beaucoup plus complexes. L'intention est claire : quand il s'agit de parler des **autres en général** et pour eux-mêmes, **l'idéalisation** doit prendre le pas sur le souci documentaire (car entrer dans le détail de chaque peuple réduirait la force de l'argumentation d'ensemble) ; **en revanche**, quand il s'agit de les **comparer à nous**, de mettre en regard les civilisations amérindienne et européenne, des arguments percutants affluent pour **abattre la prétention des conquérants** : *« l'épouvantable magnificence des villes de Cusco et de Mexico »*, le *« chemin qui se voit au Pérou, dressé par les rois du pays, depuis la ville de Quito jusques à celle de Cusco »* auquel *« ni Grèce, ni Rome, ni Égypte ne peut, soit en utilité, ou difficulté, ou noblesse, comparer aucun de ses ouvrages »* (III, 6).

2. Le parti pris en faveur des Indiens d'Amérique.

Pour Montaigne, tout est bon chez les indigènes, tout est même remarquable, que ce soit **l'éclat des pierreries** : *« les arbres, les fruits et toutes les herbes, selon l'ordre et grandeur qu'ils ont en un jardin, étaient excellemment formés en or »* (III, 6), **la géographie de leur pays** : *« au demeurant, ils vivent en une contrée de pays très plaisante et bien tempérée »* (I, 31), *« la plus riche et belle partie du monde bouleversée pour la négociation des perles et du poivre »* (III, 6), ou les **qualités morales**, art oratoire et sens de l'honneur, de ces peuples : *« sur ce que je lui demandai quel fruit il recevait de la supériorité qu'il avait parmi les siens (car c'était un capitaine, et nos matelots le nommaient roi), il me dit que c'était marcher le premier à la guerre »* (I, 31) ; Atahualpa donnant *« par sa conversation signe d'un courage franc, libéral et constant »*, et Cuauhtemoc montrant *« tout ce que peut et la souffrance et la persévérance, si onques prince et peuple le montra »* (III, 6). Il n'est pas jusqu'à **la poésie** qui ne trouve grâce aux yeux de Montaigne, non sans une certaine ironie à l'égard des pédants. Citant une chanson amoureuse des Tupis, l'auteur des *Essais* commente : *« Or j'ai assez de commerce avec la poésie pour juger ceci, que non seulement il n'y a rien de barbare en cette imagination, mais qu'elle est tout à fait anacréontique »* (I, 31). Ainsi, non seulement l'Amérique l'emporte sur le Vieux Continent, puisque c'est *« la plus riche et belle partie du monde »*, mais elle est au-dessus de l'âge d'or et des vœux de la philosophie : *« il me semble que ce que nous voyons par expérience en ces nations-là, surpasse non seulement toutes les peintures de quoi la poésie a embelli l'âge doré et toutes ses inventions à feindre une heureuse condition d'homme, mais encore la conception et le désir même de la philosophie »* (I, 31).

À vrai dire, il est possible que Montaigne, lisant Jean de Léry, se soit sincèrement interrogé sur l'intérêt que pouvaient présenter l'austère étude et les méditations des plus savants penseurs en comparaison d'une vie simple et toute à la danse, dénuée d'artifice et d'obligations : *« Toute leur journée se passe à danser »* (I, 31).

Le fait est que **le mode de vie des Cannibales correspond à une tendance profonde du tempérament de l'écrivain** : la recherche du naturel et de la simplicité (I, 31 : *« Ils se lèvent* *avec le soleil, et mangent soudain après s'être levés»*). On comprend mieux alors le choix d'évoquer ces indigènes dès l'avis *Au lecteur* : *«Que si j'eusse été entre ces nations qu'on dit vivre encore sous la douce liberté des premières lois de nature, je t'assure que je m'y fusse très volontiers peint tout entier, et tout nu.»* De même qu'ils vivent quasiment nus et qu'ils sont capables de repérer – que ce soit à Rouen ou sur le continent américain, quand les navigateurs qui débarquent leur font *«leurs remontrances accoutumées»* – les vérités cachées sous les vêtements du discours ou de la pompe royale, de même Montaigne, on l'a vu, s'efforce de mettre à nu la réalité de son temps comme de sa vie.

Les obstacles à l'échange

•

1. Les ressemblances ont beau se manifester...
Assurément, il existe des ressemblances entre nous et les autres, qu'il importe de repérer. Certaines sont superficielles et uniquement destinées à identifier l'autre ; il s'agit plutôt de rapprochements utiles à la description que de similitudes authentiques. Ainsi, le breuvage des cannibales est-il *«de la couleur de nos vins clairets»*, et leurs habitations sont faites *«à la mode d'aucunes de nos granges»* (I, 31). D'autres rapprochements paraissent plus considérables, notamment dans les croyances. Les Tupinambas *«croient les âmes éternelles»* (I, 31), et ceux du royaume de Mexico, pour qui *«l'être du monde se départ en cinq âges»*, ont une vision qui rappelle notre Déluge biblique : *«Le premier périt avec toutes les autres créatures par universelle inondation d'eaux»* (III, 6).
2. Les différences de nous aux autres.
Trop d'obstacles s'opposent à un réel échange. En dehors même de celui de **la langue** (qui rend assez peu vraisemblable le dialogue forgé par Montaigne dans l'essai *Des coches*, car, dans la pratique, le texte du requerimiento[1], s'il exhortait bien les Indiens à se soumettre au roi de Castille et à l'Église sous peine d'extermination ou de réduction en esclavage, restait incompréhensible aux indigènes), il y a les valeurs fondamentales sur lesquelles repose une société. L'unité de la société

1. On citera par exemple le témoignage d'Alonso de Zuazo, juge sur l'île d'Hispaniola vers 1530 : *«La chose se faisait en espagnol dont le cacique et les Indiens ignoraient tout et qu'ils ne comprenaient pas, et à une telle distance que même s'ils avaient pu comprendre la langue, ils n'auraient pu l'entendre.»*

cannibale, à cet égard, se fait sur des bases différentes des nôtres. La chanson du captif, retranscrite par Montaigne, l'atteste : *« Ces muscles, cette chair et ces veines, ce sont les vôtres, pauvres fols que vous êtes ; vous ne reconnaissez pas que la substance des membres de vos ancêtres s'y tient encore : savourez-les bien, vous y trouverez le goût de votre propre chair »* (I, 31). Ici, la rivalité des tribus est dépassée par un code d'honneur et un système de valeurs qui leur est commun et qui est étranger – inconciliablement – à l'univers occidental. Le fait même que les Tupinambas ne voient aucune difficulté à rôtir et manger en commun un homme, et à en envoyer *« des lopins à ceux de leurs amis qui sont absents »* (I, 31), au-delà de la formulation cocasse et enjouée retenue par Montaigne, prouve la radicale séparation qu'il y a entre eux et nous. Bien sûr, ils abandonnent ce supplice en découvrant que les Portugais, grands maîtres en cruauté, en pratiquent d'autres. Mais ce sont **les valeurs** qui opposent d'un abîme l'Europe et le Nouveau Monde en l'occurrence : c'est toute la différence, allègrement survolée par Montaigne, qu'il y a entre une anthropophagie purement alimentaire et exclusivement limitée aux cas extrêmes de vie ou de mort, et une anthropophagie rituelle qui ne recule pas devant certains actes que notre société juge tabous. La modernité de l'écrivain, notons-le au passage, est bien de mettre le doigt sur de telles questions, qui se posent aujourd'hui à propos de l'excision par exemple ou, à un moindre degré (car le cas met en jeu des principes – si nobles et chargés de symboles soient-ils – et non des vies humaines), à propos du port d'insignes religieux sur un lieu public dans un État laïc : peut-on accepter l'autre dans sa différence et jusqu'à quel point ?

En outre, **les disparités entre les sociétés indigènes** – que Montaigne, on l'a vu, a tendance à gommer, sauf si elles peuvent lui servir à montrer, par un exemple précis, la supériorité du Nouveau Monde sur le Vieux Continent : *« Ceux du royaume de Mexico étaient aucunement plus civilisés et plus artistes que n'étaient les autres nations de là »* (III, 6) – **n'empêchent pas ces sociétés de souffrir, en réalité, des mêmes maux que les nôtres.** C'est ainsi que la rivalité des deux frères incas au Pérou, Atahualpa et Huascar, sur laquelle Montaigne ne souffle mot, rappelle les haines et jalousies des Valois, notamment Henri III et son frère François d'Alençon. De même les dépenses excessives, le luxe des attelages et des spectacles des princes qui chargent d'un long développement préalable, et apparemment éloigné du Nouveau Monde, l'essai *Des coches*, en sont-ils plus proches qu'il n'y paraît : *« C'est une espèce de pusillanimité aux monarques, et un témoignage de ne* *sentir point assez ce qu'ils sont, de travailler à se faire valoir et paraître par dépenses excessives»* (III, 6). Pareil propos peut s'appliquer aussi bien aux souverains européens du temps – puisque les spectacles antiques, toujours en vertu du préjugé favorable de Montaigne, sont excusés : *«En ces vanités mêmes, nous découvrons combien ces siècles étaient fertiles d'autres esprits qui ne sont les nôtres»* (III, 6) – qu'à la magnificence dont font preuve les souverains aztèques et incas.

L'ÉCART DE CHACUN À SOI-MÊME ET D'UN MOMENT À L'AUTRE

•

1. *«Je ne peins pas l'être, je peins le passage»* (III, 2). Il n'est guère d'écrivain qui ait autant que Montaigne **conscience de la précarité et de la mobilité de toutes choses,** et en particulier **de ses propres états d'âme** : *«À peine oserai-je dire la vanité et la faiblesse que je trouve chez moi.* [...] *Un même pas de cheval me semble tantôt rude, tantôt aisé, et même chemin à cette heure plus court, une autre fois plus long, et une même forme ores plus, ores moins agréable»* (II, 12 ; cf. texte n° 10). Il ne cesse de ressasser les **troubles civils** qui, à l'échelle collective, agitent la société française de son temps. Or ces troubles agitent, on le sait dès les premiers récits des conquêtes, les royaumes aztèques et incas de manière analogue. Il apparaît donc quelque peu naïf, sinon tendancieux, de passer ces soubresauts sous silence et d'imaginer, alors que nous sommes, comme les autres qui nous font face, en proie à de multiples secousses internes, la possibilité d'une rencontre pacifique. Dans cette perspective et en parallèle, l'appel aux Anciens constitue davantage le refuge d'une âme cherchant à échapper à son époque : *«Il me déplaît que Lycurgue et Platon n'aient eu* [la connaissance de l'Amérique] *»* (I, 31), que l'énoncé d'hypothèses vraisemblables : *«Que n'est-on tombé sous Alexandre...»* (III, 6).

2. *«Le monde n'est qu'une branloire pérenne»* (III, 2). L'univers même est pris dans cette évolution généralisée. Montaigne y fait allusion là encore dans les deux essais. À côté de **l'instabilité du pouvoir** dont l'image finale du coche d'Atahualpa fournit un raccourci saisissant (III, 6), il y a en effet *«l'impression de ma rivière de Dordogne»*, et la **dérive des continents** qui produit *«des changements étranges aux habitations de la terre»* (I, 31) ; autant d'exemples du mouvement perpétuel qui emporte la Terre. *«Et de cette même image du monde qui coule pendant que nous y sommes, combien chétive et raccourcie est la connaissance des plus curieux !»* (III, 6), résume

Montaigne en une phrase où se signalent toutes les couleurs baroques (eau, temps qui passe, vanité des connaissances) de son inspiration.
La *« nouvelleté »* de la découverte de l'Amérique a donc déplacé le centre de gravité de l'Ancien Monde, fixé sur l'Europe. Bientôt, la vision géocentrique de Ptolémée est mise à mal par la révolution copernicienne (1543), quoique cette dernière ait bien du mal à imposer son autorité.
Mesurons la portée des **changements qui se présentent à l'homme occidental de la Renaissance** dans le système de ses références mentales. Déjà, après la chute de Constantinople (1453) et l'afflux de précieux manuscrits grecs en Europe, l'humanisme, profitant du travail de nombreux savants, s'était efforcé de saper les bases sclérosées du mode de pensée médiéval et de retourner aux sources de la culture occidentale. Dans cette optique, la découverte de l'imprimerie constitue un atout important, même si Montaigne en rappelle la relativité : *« Nous nous écrions du miracle de l'invention de notre artillerie, de notre impression ; d'autres hommes, un autre bout du monde à la Chine, en jouissaient mille ans auparavant »* (III, 6).
Or, moins d'un demi-siècle après cette invention en Europe, le nouveau bouleversement apporté par ces *« Terres fermes »*, dans l'Atlantique, laisse les aventuriers qui avaient eu le courage de se jeter vers l'inconnu sans capacité d'appréhender avec recul le monde qui les attendait : l'appellation d'*« Indes occidentales »* parle, à ce point de vue, d'elle-même. Autre exemple : l'assimilation faite, par beaucoup de vétérans espagnols de la *Reconquista* embarqués vers le Nouveau Monde, des indigènes qu'ils y rencontrèrent aux « Maures » évincés lors de la prise de Grenade en 1492. Ce sont, dans les deux cas, des ennemis et des sauvages qui n'ont pas la foi catholique.
De surcroît, les **qualités requises** pour mener à bien de telles conquêtes sont celles, non pas de moralistes, mais plutôt d'**hommes d'action**, n'ayant rien à regretter en Europe (sans quoi, quelles raisons auraient-ils eu de partir avec si peu de garanties et tant de risques vers le large ?) et pouvant espérer une promotion sociale et matérielle à leur retour. Ce fut le cas de Cortés ou de Pizarro. Ces qualités impliquent, en contrepartie, un certain nombre de certitudes et de convictions – pour agir, il ne faut pas être sceptique – qu'avaient ces conquistadores, mais qui, historiquement, rendent peu réaliste le rêve formulé par Montaigne.

CONCLUSION

Le contact entre nous et les autres, Europe et Amérique latine ou Chine, peut certes se faire individuellement, car nous ne sommes jamais que des individus... comme les autres. Mais il est d'autant plus difficile individuellement que nous sommes éloignés les uns des autres ; entendons : que nous appartenons à des groupes plus étrangers les uns aux autres. Sans doute le respect des valeurs socio-culturelles (croyances, usages) de chaque groupe est-il le seul gage d'une interpénétration harmonieuse. Mais, quand ces valeurs sont trop profondément différentes, ou bien le contact est impossible, ou bien le conflit est inévitable (cas des conquistadores confrontés à l'anthropophagie ou aux sacrifices humains des Indiens d'Amérique ; cas des sociétés occidentales aujourd'hui face à l'excision, aux mariages consanguins, à la polygamie, etc.).

Le témoignage de Montaigne est, malgré sa modernité, daté et partial. Il retient certaines sources (Las Casas, Jean de Léry) de préférence à d'autres (Thevet) ; plus grave : il passe sous silence certaines réalités de fait qui auraient diminué la portée de son argumentaire (faiblesse du souverain aztèque Moctezuma, orgueil et indifférence à la mort de ses sujets de l'inca Atahualpa : ce second point étant encore plus significatif car il ne tenait pas à la personnalité d'Atahualpa mais à sa fonction et à son rang de *«fils du Soleil»*). Il est vrai que le souci de Montaigne n'est pas celui d'un juriste cherchant à faire cohabiter au mieux les hommes en s'interrogeant, comme le fera Montesquieu, sur la meilleure forme de gouvernement possible, mais simplement celui d'un humaniste qui vit une époque douloureuse et qui tente de montrer comment l'homme occidental doit se situer dans le monde après les Grandes Découvertes.

Les errances apparentes et les détours des deux essais *Des Cannibales* et *Des coches* sont fidèles à la manière dont Montaigne lui-même conçut son propre voyage en 1580-1581 et partit à la découverte des autres, ses voisins européens. Au demeurant, le retournement opéré à l'égard du Nouveau Monde et du regard qu'on lui porte, est le même que dans l'*Apologie de Raimond Sebond* (II, 12), Montaigne opère à l'égard des autres espèces animales pour vilipender les prétentions de l'homme à se placer au sommet de la création.

RAPPROCHEMENTS

- Francisco Lopez de Gomara, *Historia general de las Indias* (1552, trad. fr. 1584) : « *Depuis la création du monde, et si l'on excepte l'incarnation et la mort de celui qui le créa, l'événement le plus considérable de l'histoire est la découverte des Indes.* »
- Hernán Cortés, *Lettres à l'empereur Charles-Quint* (entre 1519 et 1528) : « *Ce que j'ai vu et trouvé de ressemblance entre cette contrée et l'Espagne, tant pour sa fertilité et la température qu'il y fait et autres points qui les rapprochent, m'a décidé à la baptiser la Nouvelle-Espagne de la mer Océane, et c'est au nom de Votre Majesté que je lui ai donné cette appellation. Je supplie humblement Votre Altesse qu'elle le tienne pour bien et mande qu'on la nomme ainsi.* [...]

Parmi les villes [de ce pays], *il en est une, plus riche et plus merveilleuse que les autres, appelée Tenochtitlan, qui, par un art prodigieux, se trouve construite sur une grande lagune. Le roi de cette ville est un très grand seigneur appelé Moctezuma. Cette ville est si grande et si belle que je n'en dirai pas la moitié de ce que je pourrais en dire, et le peu que j'en dirai est presque incroyable, car elle est plus grande que Grenade ; elle est mieux fortifiée ; ses maisons, ses édifices et les gens qui l'habitent sont plus nombreux que ceux de Grenade au temps où nous en fîmes la conquête, et mieux approvisionnée de toutes les choses de la terre, pain, oiseaux, gibiers, poissons de rivière* [...]. *On y voit des joyaux d'or, d'argent, de pierres précieuses, et des ouvrages en plume d'un fini merveilleux, qu'on ne saurait trouver dans les marchés les plus célèbres du monde ; on y rencontre de toutes les formes et peut-être meilleures qu'en Espagne.* »

Vous trouverez d'autres rapprochements dans le *Dossier du professeur*.

Cet index laisse de côté les thèmes qui ont fait l'objet soit d'un des volets d'extraits (amitié, religion, politique, etc.), soit du parcours thématique (la mort, la guerre). Par manque de place, nous n'avons pas pu reproduire l'intégralité des thèmes que nous souhaitions aborder. Nous vous invitons à vous reporter au *Dossier du professeur* pour les thèmes suivants : ADDITIONS, ANIMAUX, CÉRÉMONIE, DOULEUR, MIROIRS, MUSIQUE, ORDRE, PÉDANTERIE ET PÉDANTISME, ROYAUTÉ, VÊTEMENT et VIEILLESSE.

CRUAUTÉ

•

« *Car au milieu de la compassion, nous sentons au-dedans je ne sais quelle aigre-douce pointe de volupté maligne à voir souffrir autrui.* » (III, 1, *De l'utile et de l'honnête*)

• **Dans l'œuvre** : Montaigne a toujours détesté la cruauté : « *Je hais, entre autres vices, cruellement la cruauté, et par nature et par jugement, comme l'extrême de tous les vices.* » Il la rejette aussi bien chez les Anciens (dès le premier essai de son livre, *Par divers moyens on arrive à pareille fin*, il en donne un exemple de la part d'Alexandre le Grand envers Bétis qui commandait la ville de Gaza) que chez ses contemporains pris dans les guerres de Religion ou dans les conquêtes du Nouveau Monde. Fidèle à sa « marqueterie mal jointe » qui est en fait un jeu savant de miroirs et d'échos, il consacre deux essais du deuxième livre à cette question : *De la cruauté* (II, 11) et *Couardise mère de la cruauté* (II, 27), placés comme en équilibre de part et d'autre du chapitre central, *De la liberté de conscience* (II, 19), ainsi que les plateaux d'une balance. Extrêmement sensible à ce vice que développent les passions religieuses et politiques du XVIe siècle sur son déclin, il n'est pas moins capable d'en analyser les ressorts psychologiques (cf. la citation placée en exergue), mais c'est pour les dénigrer et mettre en garde la nature humaine contre ses mauvais penchants.

• **Rapprochements** : Voltaire, entre autres, a dénoncé la cruauté des champs de bataille au XVIIIe siècle, par exemple dans *Candide*, en usant de son approche habituelle, leste et enlevée : « *Candide, toujours marchant sur des membres palpitants ou à travers des ruines, arriva enfin hors du théâtre de la guerre, portant quelques petites provisions dans son bissac, et n'oubliant jamais Mlle Cunégonde* » (chap. III, *Comment Candide se sauva d'entre les Bulgares et ce qu'il advint*). Cette tradition se prolonge jusqu'au *Bloc-notes* de François Mauriac condamnant la torture durant la guerre d'Algérie. Dans un autre registre, celui de la cruauté mentale, on peut citer Sade, bien sûr, mais aussi Proust dont le narrateur d'*À la recherche du temps perdu* se livre à de pénibles réflexions après le départ d'Albertine, qu'il avait retenue « prisonnière » chez lui : *« À chacun j'avais à apprendre mon chagrin, le chagrin qui n'est nullement une conclusion pessimiste librement tirée d'un ensemble de circonstances funestes, mais la reviviscence intermittente et involontaire d'une impression spécifique, venue du dehors et que nous n'avons pas choisie »* (*La Fugitive*). Enfin on peut évoquer, plus récemment, le personnage de Pedro Camacho, sur un mode beaucoup plus bouffon, dans *La Tante Julia et le Scribouillard* de Mario Vargas-Llosa.

Expérience

•

« Je trouve par expérience qu'il y a bien à dire entre les boutées et saillies de l'âme, ou une résolue et constante habitude. »

(II, 29, *De la vertu*)

• **Dans l'œuvre** : l'expérience chez Montaigne est peut-être le *« moiau »* de tous les thèmes qu'abordent les *Essais*. L'expérience est à la fois l'**exercitation**, c'est-à-dire la confrontation de l'homme aux aléas de la vie (c'est l'accident de cheval relaté dans le texte n° 3), l'**expérimentation**, c'est-à-dire la mise à l'épreuve du cœur et de l'esprit par les exercices auxquels Montaigne, formant ainsi son « jugement », les soumet cette fois délibérément (cf. texte n° 6), et **la maturation**, c'est-à-dire la somme d'expériences à quoi aboutissent les *Essais* dans leur chapitre final. Dans toutes ces occasions l'âme s'essaye et s'éprouve, ce qui lui permet de mieux se connaître pour finalement mieux vivre en passant d'une fermeté toute théorique et un peu sèche à un sens charnu et complexe de l'existence, une existence plus souple, plus précaire peut-être mais plus solide, car consciente de ses limites.

• **Rapprochements** : ce thème, à la limite de la philosophie et de la science, appelle des rapprochements avec les empiristes (Hume au XVIIIe siècle) et avec la méthode expérimentale de Claude Bernard (1813-1878) qui a pour fondement le doute. Consistant non pas à partir comme les empiristes de l'expérience sensible mais d'une hypothèse théorique, cette méthode met dans un second temps l'hypothèse émise en doute, à l'épreuve de la réalité qui dira si elle « marche », si elle est ou non validée par les faits. Des rapprochements sont également possibles avec le roman picaresque espagnol (*Don Quichotte* de Cervantès) et le roman d'apprentissage (*Les Souffrances du jeune Werther* et surtout *Wilhelm Meister* de Goethe).

Fanatisme

•

« Après tout, c'est mettre ses conjectures à bien haut prix que d'en faire cuire un homme tout vif. » (III, 11, *Des boiteux*)

• **Dans l'œuvre** : les guerres de Religion ont donné lieu aux pires débordements comme Montaigne le rappelle notamment dans l'essai *Des Cannibales* (I, 31) pour relativiser la *« barbarie »* des indigènes anthropophages du Nouveau Monde. Montaigne s'élève aussi contre les persécutions dont étaient victimes à son époque les *« pauvres diables »* condamnés comme sorcières ou hérétiques (cf. le chapitre 11 du livre III, *Des boiteux*). En 1542, l'Inquisition avait été remaniée par la création à Rome de la Congrégation de la Suprême Inquisition, organisme primitivement établi contre le protestantisme et qui s'occupa en pratique de toutes les questions d'hérésie. Si l'Inquisition ne fut pas très active en France au XVIe siècle (c'est la Sorbonne et les parlements qui s'occupaient de censurer et de sanctionner les hérésies), Tomas de Torquemada, à la fin du XVe siècle, s'était rendu célèbre en Espagne par son intransigeance envers les juifs, indiquant dans ses *Instructions* (1484-1498) les méthodes et procédures à suivre dans les interrogatoires.
Montaigne rejette les excès, qu'ils soient le fait des protestants ou des catholiques. D'où son éloge, au chapitre 35 du livre I, de Sébastien Castellion, l'auteur de la fameuse formule : *« Tuer un homme, ce n'est pas défendre une doctrine, c'est tuer un homme. »*

• **Rapprochements** : outre les manuels de l'Inquisition (*Discours des sorciers* et *Marteau des sorcières*), on peut penser aux *Lettres sur la tolérance* (1689) de John Locke, qui constituèrent une œuvre de référence pour toute la philosophie des Lumières au XVIIIe siècle. De même, sur le surnaturel au XVIe siècle, l'ouvrage d'Ambroise Paré *Des monstres tant terrestres que marins* (1573), et sur les procès en sorcellerie, celui de Jean Bodin *De la démonomanie des sorciers* (1580). Seul Jean Wier, en 1567, dans son ouvrage *Cinq livres d'histoires, disputes et discours des illusions et impostures des diables, des enchantements et sorcelleries*, avait réfuté avant Montaigne la croyance aux sorciers. On se souvient plus tard de l'affaire des possédées de Loudun (1632) et de l'exécution d'Urbain Grandier, prêtre libertin et mondain.
L'univers anglo-saxon n'est pas étranger non plus au fanatisme et aux superstitions. À la fin du XVIIe siècle, l'épisode des sorcières de Salem aux États-Unis illustre la cruauté hystérique sur laquelle peut déboucher un excès de puritanisme. Arthur Miller a tiré, en 1953, une pièce de ces événements. Chez

Shakespeare, il est intéressant d'opposer le bon mage Propero de *La Tempête* et les sorcières de *Macbeth*. On peut encore citer le roman *Un bébé pour Rosemary* (1966) de Ian Levin qui a donné lieu à une adaptation cinématographique.

Humeur

•

« Non parce que Socrate l'a dit, mais parce qu'en vérité c'est mon humeur, et à l'aventure non sans quelque excès, j'estime tous les hommes mes compatriotes. » (III, 9, *De la vanité*)

• **Dans l'œuvre** : au XVIe siècle, l'humeur est à la fois prise dans son sens médical et dans son sens moral. Chez Montaigne, on voit les emplois osciller entre ces deux acceptions. Le mot plaît aussi à Montaigne précisément pour cette souplesse qui n'exclut ni la précision technique, ni la rigueur descriptive au besoin (cf. le texte n° 4), mais évite le dogmatisme rigide (recommandation à l'enfant de suivre les humeurs et non les préceptes des philosophes ; cf. le texte n° 17).

• **Rapprochements** : historiquement, après que Thalès de Milet, vers 630 av. J.-C., en décrétant que l'eau primordiale engendre les autres éléments (terre, air, feu), eut proposé la première conception d'un monde physique issu de lui-même sans intervention extérieure, c'est Empédocle d'Agrigente (490-435 av. J.-C.) qui affirme l'équivalence de ces quatre principes élémentaires (eau, terre, air, feu) et leur associe la double opposition du froid au chaud et de l'humide au sec. Le chiffre 4 trouve à la même époque une valeur symbolique chez les pythagoriciens, puisqu'il s'applique aux points cardinaux, aux saisons et aux âges de la vie. À la fin du Ve siècle, Hippocrate (460-377 av. J.-C.) tire les leçons de la pensée présocratique et fournit le premier exposé cohérent de l'humorisme.

Hippocrate est avant tout un praticien. Il rejette le dogmatisme postulant un certain nombre d'éléments primordiaux comme une abstraction sans intérêt, et ne prétend étudier que les rapports concrets entre le corps humain et ses aliments. Dans le traité *De la nature de l'homme*, le nombre des humeurs est fixé à quatre et leur nature est précisée : le sang, le phlegme, la bile jaune et la bile noire. Mais cette précision importe peu, car Hippocrate insiste avant tout sur le rôle des humeurs. Il les conçoit comme un système de communication à l'instar des hormones de la médecine moderne, assurant l'interdépendance de toutes les parties du corps. C'est l'équilibre dynamique des humeurs qui, selon lui, garantit l'unité et la vitalité de l'organisme humain.

Sous le règne de Marc-Aurèle (161-180 ap. J.-C.), après sept siècles sans évolution notoire, apparaît Galien (130-201 ap. J.-C.) qui prétend résumer la pensée d'Hippocrate, lequel lui fournissait la caution d'une autorité ancienne. Figeant cette pensée en une doctrine stricte, Galien décrit quatre tempéraments fondamentaux dont chacun correspond à la prédominance d'une des quatre humeurs chez l'individu : sanguin, bilieux, mélancolique (bile noire) et phlegmatique. Il relie d'autre part ces humeurs aux quatre éléments : le sang à l'air (chaud et humide), la bile jaune au feu (chaud et sec), la bile noire à la terre (froide et sèche) et le phlegme à l'eau (froide et humide). Un tel système, qui a le mérite d'une grande clarté sur le papier, constituera la base de la pratique médicale en Europe jusqu'à l'époque moderne.

Humour et ironie

•

« Et je suis ainsi fait que j'aime autant être heureux que sage. »
(III, 10, *De ménager sa volonté)*

• **Dans l'œuvre** : l'auteur de ce « Petit Classique », préparant une thèse sur la question de l'ironie et de l'humour chez Montaigne, prend ici le risque de déflorer son sujet et de livrer ses convictions, en espérant qu'on n'ira pas – mais est-ce bien passionnant ? – lui *« en friponner quelque chose de quoi émailler ou étayer »* d'autres livres, lesquels, en réclamant pour eux la paternité de la distinction qu'il propose, le réduiraient à l'état d'*« écuyer de trèfle »*.
L'ironie et l'humour sont deux notions particulièrement intéressantes à étudier chez Montaigne, car elles correspondent aux deux pentes principales et complémentaires de son tempérament : l'aspiration à la connaissance et la recherche du bonheur. L'ironie est en effet prise ici comme un principe de vérité, l'humour comme un principe de santé, étant entendu, bien sûr, que santé et vérité ne sont pas forcément incompatibles. Cependant l'ironie se donne un objectif impossible à atteindre pour l'homme, tandis que l'humour est beaucoup plus sereinement vécu car il se suffit à lui-même. L'intérêt d'un tel sujet est d'ébaucher une palette des tendances du tempérament de Montaigne, en analysant les nuances que sont la dérision, le persiflage, le sarcasme, le badinage, la plaisanterie, la boutade, la taquinerie, non pas tant pour raidir la pensée en des catégories stériles et oiseuses que pour montrer comment les différentes formes du rire aident l'homme à soutenir les difficultés quotidiennes ou plus solennelles de son existence. Chez Montaigne, la sincérité de la démarche *« enquêteuse, non*

résolutive» fait de l'ironie à la fois un instrument critique et un mode de questionnement. Mais l'âge venant, le souci de préserver en lui la santé de l'âme conduit l'écrivain à accentuer sa pente vers l'humour, à titre de thérapie, de moyen pour s'affranchir des misères du corps, et surtout de bonne humeur foncière devant la vie. *«Pour moi donc, j'aime la vie»*, écrit-il à la fin du dernier de ses essais.

• **Rapprochements** : il serait instructif d'étudier, par exemple, la gaieté chez La Fontaine, le sentiment et la tendresse chez Marivaux, l'esprit de Voltaire, l'horizon dans Buzzati ou la gouaille chez Céline. En guise de pierre d'attente, on peut citer ces remarques de Montesquieu tirées des *Papiers de la Brède* : *«Voiture a de la plaisanterie, et il n'a pas de gaieté. Montaigne a de la gaieté et point de plaisanterie. Rabelais et le* Roman comique [de Scarron] *sont admirables pour la gaieté. Fontenelle n'a pas plus de gaieté que Voiture. Molière est admirable dans l'une et l'autre qualité, et les* Lettres provinciales [de Pascal], *aussi. J'ose dire que les* Lettres persanes *sont riantes et ont de la gaieté, et qu'elles ont plu par là.»*

LIBRAIRIE

•

«Je veux qu'ils donnent une nasarde à Plutarque sur mon nez, et qu'ils s'échaudent à injurier Sénèque en moi.» (II, 10, *Des livres*)

• **Dans l'œuvre** : la librairie de Montaigne, c'est aussi bien la bibliothèque qui contient tous ses livres : le lieu où il travaille ; que sa tour d'ivoire : le lieu où il se retire du monde ; et l'une des clés des Essais : écrire un ouvrage dans une «librairie» qui contient près d'un millier de volumes, c'est imposer à cet ouvrage l'omniprésence de la citation. D'où le caractère particulier de cette entreprise : les *Essais* reprennent à leur compte une quantité impressionnante d'opinions de «l'ancienneté», sans toujours l'avouer du reste.

• **Rapprochements** : on peut penser à *«La Bibliothèque de Babel»* (1941) de Borges, in *Fictions* (1956), et à *Citadelle* (XXV, XLIII) de Saint-Exupéry (1948).

VOYAGE

•

«Je sais bien qu'à le prendre à la lettre, ce plaisir de voyager porte témoignage d'inquiétude et d'irrésolution.» (III, 9, *De la vanité*)

• **Dans l'œuvre** : le voyage est à la fois géographique, culturel et affectif chez Montaigne. Pour lui, c'est d'abord la **liberté**.

Durant son grand voyage de juin 1580 à novembre 1581, *« il conduisait souvent la troupe par chemins divers et contrées, revenant souvent bien près d'où il était parti,* [...] *n'ayant nul projet que de se promener par des lieux inconnus »* (*Journal de voyage*). Montaigne n'apprécie pas les personnes qui se groupent avec leurs concitoyens à l'étranger, qui se montrent incapables, sinon d'adopter, en tout cas de comprendre les coutumes qu'on leur donne à voir. Le voyage est également **dépaysement**. Il suppose, pour être réussi, un processus psychologique, un effort pour découvrir l'autre, comme le montrent les chapitres sur le Nouveau Monde. Mais, sans quitter la France, les *Essais* sortent le lecteur de ses repères mentaux en soulignant, à travers l'apparence vestimentaire, la richesse et la disparité sociales qui s'offrent à la vue de l'observateur du XVIe siècle. Enfin le voyage, c'est encore le **cheminement intellectuel et affectif** qui modifie considérablement le regard que Montaigne porte sur la vie et sur le sens profond que la sienne doit avoir pour lui. Les rencontres livresques de tant d'autres penseurs, les diverses expériences, de la mairie de Bordeaux, de la cour des Médicis, de celle de Navarre, des guerres de Religion : autant de « voyages » décisifs dans le parcours de l'écrivain.

• **Rapprochements** : au Moyen Âge le voyage prend avant tout la forme du pèlerinage en terre sainte à Jérusalem, ou à Saint-Jacques de Compostelle par exemple. Cette tradition se maintient au XVIe siècle, y compris vers des lieux beaucoup moins éloignés comme le Mont Saint-Michel ou Rocamadour. Plus tard, outre les récits d'explorateurs : Marco Polo au XIIIe siècle, ou le marocain Ibn Battûta au XIVe, on peut penser au *Supplément au voyage de Bougainville* de Diderot. S'agissant de dépaysement social, *Le Rêve dans le pavillon rouge* de Cao Xueqing décrit, à travers une intrigue amoureuse, les différentes sphères de la société chinoise à la fin du XVIIIe siècle, sous la dynastie mandchoue des Qing (1644-1911).

ŒUVRES DE MONTAIGNE

Essais, édités par Pierre Michel, coll. « Folio », Gallimard, 1977.
Essais, édités par Villey Saulnier, coll. « Quadrige », P.U.F., 1988.
Journal de voyage en Italie, édité par Fausta Gavarini, coll. « Folio », Gallimard, 1983.

SUR MONTAIGNE

D. Frame, *Montaigne, une vie, une œuvre,* biographie traduite en français, Champion, 1994.
H. Friedrich, *Montaigne*, Gallimard, 1968.
F. Jeanson, *Montaigne par lui-même*, Seuil, 1951, réédition augmentée en 1994.
M. Lazare, *Montaigne,* Fayard, 1994.
G. Nakam, *Montaigne et son temps*, coll. « Tel », Gallimard, 1993.
A. Tournon, *Montaigne en toutes lettres*, Bordas, 1989.

SUR LES *ESSAIS*

M. Butor, *Essais sur les* Essais, Gallimard, 1968.
G. Nakam, *Les* Essais, *miroir et procès de leur temps*, Nizet, 1984.

SUR LES GUERRES DE RELIGION

J. Garrisson, *Guerre civile et compromis, 1559-1598*, coll. « Points Histoire », Seuil, 1991.
M. Pernot, *Les Guerres de Religion en France, 1559-1598*, SEDES, 1987.

SUR LE NOUVEAU MONDE

C. Bernand et S. Gruzinski, *Histoire du Nouveau Monde* (t. 1), Fayard, 1991.
G. Chaliand, *Miroir d'un désastre, chronique de la conquête espagnole de l'Amérique*, coll. « Agora », Presses Pocket, 1990.
G. Chaliand et J.-P. Rageau, *Atlas de la découverte du Monde*, Fayard, 1984.
J. Lafaye, *Les Conquistadores*, coll. « Le temps qui court », Seuil, 1964.
F. Lestringant, *Le Cannibale,* Perrin, 1994.
T. Todorov, *La Conquête de l'Amérique*, Seuil, 1982.
Encyclopædia Universalis, articles *Amérique espagnole, Conquistadores, Cortés, Eldorado, Grandes découvertes, Pizarro.*